Julia Keay
Mehr Mut als Kleider im Gepäck

PIPER

Zu diesem Buch

Sie gingen auf Reisen, um Kranken zu helfen oder ihre Pflicht
zu erfüllen, um ihren Lebensunterhalt zu verdienen oder im
Dienste der Wissenschaft zu arbeiten: sieben Frauen unter-
schiedlicher Herkunft und Weltanschauung, die ihre Heimat
zurückließen, um Grenzen von Ländern sowie gesellschaftliche Konventionen zu überschreiten. Unter ihnen sind Anna
Leonowens, Lehrerin am Königshof von Siam, die Ägyptologin
Amelia Edwards und die Reiseschriftstellerin Alexandra David-
Néel. Ob in den Wüsten Arabiens oder auf den Schneefeldern
Sibiriens – diese Frauen eroberten sich im 19. Jahrhundert mit
bewundernswertem Mut und Pioniergeist ihren Platz in den
exotischsten Winkeln der Erde.

Julia Keay, geboren 1946 in Schottland,
wuchs in England, der Schweiz und in
Frankreich auf. Sie schrieb eine Reihe
international beachteter Dokumenta-
tionsserien für die BBC. Bekannt wurde
sie unter anderem mit ihrem Buch »Die
Spionin, die es nicht gab – eine Biographie der Mata Hari«. Nach vielen Jahren im Fernen Osten lebt die Autorin
heute in den Western Highlands von
Schottland.

Julia Keay

Mehr Mut als Kleider im Gepäck

Frauen reisen im 19. Jahrhundert durch die Welt

Aus dem Englischen von
Ulrike Budde

Piper München Zürich

Mehr über unsere Autoren und Bücher:
www.piper.de

Dem Andenken von Alan Haydock gewidmet

Mix
Produktgruppe aus vorbildlich bewirtschafteten
Wäldern und anderen kontrollierten Herkünften
www.fsc.org Zert.-Nr. GFA-COC-001223
© 1996 Forest Stewardship Council

Ungekürzte Taschenbuchausgabe
Dezember 2009
© 1989, 1990 Julia Keay
Titel der englischen Originalausgabe:
»With Passport and Parasol«, BBC Books, a division of BBC Enterprises Ltd.
© 2000 Piper Verlag GmbH, München
nach der National Geographic Taschenbuchausgabe, 7. Auflage, April 2009
Deutsche Erstausgabe: Scherz Verlag, Frankfurt 1991
Umschlaggestaltung: semper smile, München
Umschlagfoto: Photoshot
Papier: Munken Print von Arctic Paper Munkedals AB, Schweden
Gesamtherstellung: CPI – Clausen & Bosse, Leck
Printed in Germany   ISBN 978-3-492-25734-3

Inhalt

Einführung

Im 19. Jahrhundert war eine ansehnliche Anzahl europäischer Männer rund um den Globus unterwegs – doch in vielen, etwas entlegenen Winkeln der Welt waren Europäerinnen sogar noch hundert Jahre später eine unbekannte Gattung.

Die sieben weiblichen Reisenden, deren Geschichten in diesem Buch erzählt werden, sind alle Frauen des Viktorianischen Zeitalters. Die verschiedensten Gründe führten sie in entfernte Weltgegenden, aber eine Gemeinsamkeit vereint sie: Sie waren alle Individualistinnen par excellence. Jede von ihnen war – freiwillig oder unfreiwillig – mit einem bestimmten Ziel oder in Erfüllung einer bestimmten Aufgabe losgezogen, und keine gab unterwegs auf. Jede «stellte ihren Mann», machte sich einen Namen, fand ihr Glück und ihren Lebensinhalt in Gegenden der Welt, die oft kaum ein Weißer gesehen hatte: in Australien, Ägypten, Sibirien, Indien, Siam, dem Mittleren Osten und in Zentralasien. Und alle waren sie beseelt vom Drang nach Freiheit und vom Wunsch, den erstickenden Einschränkungen, denen Frauen ihrer Zeit in Europa unterworfen waren, zu entfliehen. Dafür nahmen sie Strapazen und Probleme auf sich, die heute kaum mehr vorstellbar sind. Aber: Sie alle erreichten ihr Ziel.

Gertrude Bell drückte – wenn auch auf etwas blumige Weise – das Gefühl der sieben Frauen vor Reisebeginn wohl am besten aus: «... die Pforten des umzäunten Gartens tun sich auf, die Kette vor dem Eingang des Kerkers senkt sich, und siehe da: dort lag die unermeßlich weite Welt!»

Emily Eden

Die Pflicht ruft

Freiwillig war Emily Eden bestimmt nicht unterwegs. Auslandsreisen waren das letzte, an das sie im Frühjahr 1835 dachte. Ganz im Gegenteil wollte sie mehr als alles andere endlich ein eigenes Heim. Es mußte gar nicht groß sein. Ein kleines Häuschen auf dem Land mit einem gemütlichen Wohnzimmer und einem Lehnstuhl am Kamin, mit Regalen für ihre Bücher, und Wänden, wo sie ihre Bilder aufhängen könnte; außerdem Platz für ihre Pflanzen und vielleicht sogar einen kleinen Garten, wo sie mit ihrem Hund spielen und Rosen und Glyzinien beschneiden konnte. Sie wünschte sich nur ein bißchen Ruhe und Bequemlichkeit für ihre späteren Jahre – sicherlich keine ungewöhnliche Vorstellung für eine alternde Jungfer.

Statt dessen zwangen sie die Umstände zu einem rastlosen Leben. Ihre Sachen waren alle in Kisten verstaut, sie wußte von einem Tag zum anderen nicht, in welcher Truhe eigentlich ihre Kleider waren, und – am schlimmsten von allem – langsam gingen ihr die verheirateten Schwestern aus, bei denen sie abwechselnd wohnen konnte. Alle fünf hatten sie mit herzlicher Gastfreundschaft aufgenommen, aber irgendwann wird eine jüngferliche Tante auch zur Last, egal, wie sehr man sie liebt.

Sie machte die Regierung für diese Schwierigkeiten in ihrem Privatleben verantwortlich. Seit im Jahr zuvor die politischen Geschicke der Liberalen und der Konservativen andauernd auf und ab gingen, war ihr Leben zu einer Karussellfahrt geworden. Es war schon schlimm genug, daß Lord Melbourne ihren Bruder George, Lord Auckland, zum Ersten Lord der Admiralität befördert hatte. Sie mußte weinen, als sie sich gezwungen sah, das schöne Haus in Greenwich zu verlassen, in dem sie mit ihrem Bruder zusammen lebte. Die riesige, zugige Repräsentationswohnung im Haus der Admiralität sagte ihr überhaupt nicht zu:

Alle behaupten, wir wären außerordentlich beneidenswerte

Leute. Für George gilt das vielleicht, aber ich kann nicht von Glück sprechen, wo ich doch Greenwich verlassen muß. Es war mein ein und alles. Nunmehr an London gebunden zu sein ... ich hasse London! Und ich soll mir vorschreiben lassen, wen ich zum Abendessen einlade, ohne überhaupt die finanziellen Möglichkeiten zu haben, mich gesellschaftsfähig zu kleiden. Ich wünschte, die Regierung würde auch einmal in Betracht ziehen, daß trotz der Beförderung eines Mannes in eine hohe Position die Frauen im Hintergrund so arm wie eh und je bleiben.

Im Oktober 1834 kam dann das Gerücht auf, Lord Melbourne plane, George als Generalgouverneur nach Indien zu schikken. Es war wirklich nur Geflüster hinter der hohlen Hand, aber es genügte, um Emily in Angst und Schrecken zu versetzen. «Glücklicherweise ist die Gefahr vorbei», schrieb Emily an ihre beste Freundin, Theresa Lister. «Ich wußte, das wäre zu schlimm, um wahr zu sein – obwohl es auch gefährlich ist, solche Überlegungen anzustellen, denn sie beschleunigen oft eine drohende Katastrophe. Aber dies war ein so extremer Fall, eine derart fürchterliche Vorstellung, daß man sie nur mit Gewalt wegschieben konnte. Selbst die Botany Bay wäre vergleichsweise noch ein Vergnügen gewesen. Wenigstens ist das Klima dort angenehm, und zudem kommt man noch in den Genuß, vorher eine nette kleine Straftat zu begehen. Aber nach Kalkutta ...!» Angesichts ihrer Erleichterung schienen sogar die tristen Räumlichkeiten der Admiralität plötzlich eine gewisse häusliche Wärme auszustrahlen.

Sechs Monate später war die Regierung der Liberalen zusammengebrochen, Sir Robert Peel und seine schrecklichen Tories hatten die Macht übernommen, und der arme George hatte keine Stellung mehr. Obwohl das natürlich eine Enttäuschung war, bedeutete es zumindest, daß sie sich jetzt wieder aufs Land zurückziehen konnten. Doch selbst während Emily überall ihre Freude über diese Aussichten zum Ausdruck brachte, wußte sie doch insgeheim, daß es so nicht kommen würde. George beharrte darauf, daß es keinen Sinn hätte, sich irgendwo fest niederzulassen – die Tory-Regierung schwankte ziemlich und konnte sich wahrscheinlich nicht halten. Melbourne würde sicher wieder Premierminister werden, George konnte davon ausgehen, dann einen neuen Regierungsposten zu erhalten, und so wären sie wieder mit der Notwendigkeit einer häuslichen Veränderung konfrontiert. Besser abwarten, was kommt.

Emily war wieder ohne ein Dach über dem Kopf. In einem, wie sie meinte, völlig gefühllosen Ausbruch, versuchte George ihr klarzumachen, daß ihr bei mehr als der Hälfte der englischen Adelssitze alle Türen weit offen standen, falls sie bei keiner ihrer Schwestern mehr unterschlüpfen wollte. Er schien nicht zu verstehen, daß es weit weniger schön war, selbst im herrschaftlichsten Haus zu Gast zu sein als ein eigenes zu besitzen, und sei es nur «ein Zelt irgendwo unter einer Hecke, wo ich mein müdes Haupt betten kann».

Doch das Schicksal hatte die Beschwörungen nicht vergessen, mit denen Emily ihm hatte ausweichen wollen. Im April 1835 gab es einen erneuten Regierungswechsel; Peel trat zurück, und Lord Melbourne wurde wieder Premierminister. Innerhalb der ersten beiden Wochen seiner Amtszeit bot er George einen neuen Posten an: Generalgouverneur in Indien. «Was soll ich dazu weiter sagen, außer daß wohl Gottes Wille geschieht», schrieb Emily an Theresa. «Mir graut es vor dem Klima, und ich kann der Reise nur mit äußerstem Widerwillen entgegensehen.»

Von den vierzehn Kindern William Edens, des ersten Barons Auckland, hatten immer Emily und George die größte Nähe und Zuneigung füreinander empfunden. Beide heirateten nie und teilten vierzehn Jahre lang mit ihrer jüngsten Schwester Fanny ein Haus. Seit den Anfängen von Georges politischer Karriere als Abgeordneter auf den hinteren Rängen des Parlaments und nach dem Tod des Vaters an dessen

Stelle im Oberhaus, in seinen Jahren als Präsident der Handelskammer und als Erster Lord der Admiralität hatte Emily die Rolle seiner Lebensgefährtin und Gastgeberin gespielt. Deswegen hatte sie keine Angst vor der Aussicht, als First Lady in Kalkutta zu agieren. Die Familie Eden bewegte sich schon lange in den exklusivsten Gesellschaftskreisen, durch Blutsverwandtschaft oder Heirat war sie mit den besten Familien des Landes verbunden, nannte den Rest beim Vornamen und zählte auch die königliche Familie zu ihrer näheren Bekanntschaft. Trotz ihrer augenblicklichen Abneigung vor der Politik war Emily durchaus an politischen Dingen interessiert. Nichts machte ihr mehr Spaß als eine leidenschaftliche Debatte mit Georges Kabinettskollegen beim Abendessen. Die eigentliche Bedrohung war die Trennung von Freunden und Familie. Alles, was sie jemals über Indien gehört oder gelesen hatte, verleitete sie zu der Schlußfolgerung, das Land sei ein kultureller und gesellschaftlicher Friedhof. Sobald sie dahin verbannt wäre, glaubte Emily, gäbe es nichts mehr von all dem, was ihr Leben lebenswert machte – die neuesten Bücher und Theateraufführungen, die aktuelle Mode und vor allem der gesellschaftliche Klatsch. «Jeden Tag wird mir das Herz schwerer», schrieb sie. «Du kannst Dir gar nicht vorstellen, wie mir zumute ist.»

Doch obgleich sie äußerstes Mitleid bekundeten und selber unter der bevorstehenden Trennung litten, ließen sich Emilys Freunde nicht beeindrucken. Sie wußten, daß Emily unglücklich war, wenn sie nichts zu klagen hatte, und umgekehrt: Je größer ihre Probleme, um so strahlender ihr Lächeln. Auch ihr Aussehen täuschte: Sie war klein, hatte lange, dunkle Haare und einen blassen Teint, der eher auf eine zarte Konstitution schließen ließ. Hinter dieser zerbrechlich wirkenden Fassade war sie allerdings ganz schön zäh, wie ihre Freunde wußten. Sie war klug, hatte eine scharfe Zunge, und da sie Leute, die ihrer Meinung nach Unsinn redeten, nicht leiden konnte, zitterten empfindlichere Naturen vor ihren schnellen

Urteilen. Aber sie konnte auch warmherzig sein, sehr witzig und einfühlsam, und sie hatte einen wunderbar trockenen Humor. Diese Eigenschaften machten sie nicht nur zu einer unterhaltsamen, sehr geschätzten Freundin, sondern halfen ihr auch über alle Unannehmlichkeiten hinweg. Die Freunde daheim konnten sicher sein, daß sie ihnen sehr lebensnah von jedem einzelnen ihrer Abenteuer berichten würde.

Allein die Reise hin und zurück würde ein ganzes Jahr dauern. Da Georges Auftrag politischer Natur war, wäre er so lange Generalgouverneur, wie die Liberalen an der Regierung blieben. Emily wußte deshalb, daß sie sechs Jahre lang fort sein könnte. «Ein ungeheurer Einschnitt», schrieb sie ihrer Schwester Eleanor, der Gräfin Buckinghamshire, «und noch dazu zum völlig falschen Zeitpunkt in meinem Leben. Die Jugendzeit Deiner Kinder werde ich verpassen, und unsere wird gänzlich vorbei sein. Wenn wir uns wiedersehen, bin ich schon eine ziemlich alte Frau.»

Erst 1857 übernahm die britische Regierung kurz nach dem Großen Aufstand der Sepoys* die direkte Herrschaft in Indien. Im Jahr 1835 war, zumindest nominell, die Ostindische Kompanie verantwortlich für die Belange jener Gebiete, die sich unter den Schutz der Briten gestellt hatten. Letztendlich aber lag die Macht über alles, was nicht die geschäftlichen Interessen der Kompanie betraf, beim *India Office Board of Control* (Kontrollbehörde für Indien) in Whitehall. Theoretisch erhielt der Generalgouverneur zwar seine Weisungen von dort, aber es war schlichtweg nicht praktikabel, daß jede Entscheidung in London fiel, wenn zwischen einer Anfrage aus Kalkutta und der Antwort aus London acht Monate vergehen konnten. Obwohl in Kalkutta ein Ministerrat dem Generalgouverneur mit Rat und Tat zur Seite stehen sollte, lag

---

* Anm. d. Ü.: Sepoys waren indische Soldaten in der britischen Armee. Der Aufstand von 1857 begann in den Kasernen der Sepoys, verband sich jedoch sehr schnell mit sozialen und politischen Protesten der Bevölkerung und wurde so zum letzten großen Versuch, die Herrschaft der Engländer zu verhindern.

die Regierung von Britisch-Indien schließlich doch in den Händen eines einzigen Mannes. Es war eine ungeheure Verantwortung, doch Emily zweifelte nicht daran, daß George die Aufgaben meistern würde.

Damit sie ausreichend Zeit für eine derart tiefgreifende Umwälzung der häuslichen und beruflichen Situation hatten, war die Abreise erst für Ende September geplant. Ihre einzige andere unverheiratete Schwester Fanny sollte mit nach Indien gehen und auch William Osborne, Sohn von Schwester Charlotte, der zu Georges Militärattaché ernannt worden war. So mußte Emily nicht ganz auf ihre Verwandtschaft verzichten. Während George sich auf seine Aufgaben in Indien vorbereitete, ließ Emily als erstes Porträts von so vielen Neffen, Nichten und Patenkindern anfertigen, wie in der kurzen Zeit möglich war. Außerdem mußte alles, was sie nicht mit nach Indien nehmen würde, in Kisten gepackt, wieder umgepackt und verstaut werden. Sie besorgte für ihre Freunde Abschiedsgeschenke, und selbstverständlich benötigte sie eine völlig neue und ungewohnte Garderobe.

Du kannst Dir gar nicht vorstellen, was für ein Chaos dieses ganze Einkaufen und Abmessen und Anprobieren in meinem Kopf auslöst. Ich brauche jetzt kurzärmelige Nachthemden, und Schlafhauben aus Tüll, weil selbst Musselin noch zu warm ist. Und dann solche Absonderlichkeiten: Unmengen von Flanell, das trage ich noch nicht einmal hier in diesem kühlen Klima, aber dort sollen wir nachts so etwas anziehen, weil die Kreaturen, die unsere Fächer in Bewegung halten, manchmal einschlafen. Dann wird man durch die extreme Hitze wach, muß nach ihnen rufen, und wenn sie aufwachen, beginnen sie gleich so kräftig zu wedeln, daß man sich bei der plötzlichen Kälte den Tod holen kann. Was für ein Leben! Aber es bringt nichts, wenn ich jetzt weiter darüber nachdenke.

Am 3. Oktober 1835 setzten sie an Bord der *Jupiter* in Portsmouth die Segel. Außer Emily, George, Fanny und William Osborne waren auch noch ihr Hausarzt Dr. Drummond, sechs Bedienstete, ein französischer Koch, Emilys Spaniel «Chance» und die sechs Jagdhunde von William mit von der Partie. Nachdem Emily immer behauptet hatte, Wasser so sehr zu hassen, daß sie noch nicht einmal für tausend Pfund pro Tag fünf Monate lang auf See bleiben würde, staunte sie nun, wie sehr sie die Reise genoß.

Die See war sehr ruhig, ich kann lesen, zeichnen oder schreiben, und da es uns allen gutgeht, kann ich wirklich kaum klagen. Wer hätte gedacht, daß George und ich mitten im Winter, wenn wir doch normalerweise im dicken gelben Nebel frösteln, jetzt gemütlich zwischen vielen Kissen am Heckfenster seiner Kabine sitzen, er ohne Mantel, Weste und Schuhe, während er im Schweiße seines Angesichts Hindustani lernt, und ich nur in einem Unterrock und einem leichten Hauskleid, in der einen Hand einen großen Fächer, in der anderen meinen Federhalter. Das Leben zur See wird mich sicher nie reizen, ich kann mir auch nicht vorstellen, daß es irgend jemandem gefällt. Doch wo wir vorher so viel über unsere Reise geschimpft haben, ist es erstaunlich, daß wir neunzehn Wochen auf See sein konnten und nur so wenige Unannehmlichkeiten hatten.

Die *Jupiter* hatte in Madeira, Rio de Janeiro und Kapstadt angelegt und erreichte Kalkutta schließlich am 2. März 1836, Emilys neununddreißigstem Geburtstag. Jedes Schiff aus England war ein Ereignis, das eine Menge Schaulustiger an den Kai trieb. Die Ankunft eines Generalgouverneurs aber war ein unvergleichliches Spektakel. Die Straßen von Kalkutta wimmelten geradezu von einem bunten, unsagbar lauten Wirrwarr von Menschenmassen, wie es sich Emily niemals vorgestellt hatte. George, in Paradeuniform mit vollem Ornat, wurde in die erste Kutsche gebeten, Emily und Fanny nahmen in der zweiten Platz. In der Gluthitze und unter dem Druck der Menge erstickten sie fast in ihren besten Kleidern; Emily bekam in ihrem engen Kragen kaum Luft und fürchtete schon, alle durch eine Ohnmacht zu blamieren. Die kurze Fahrt zum Regierungssitz schien ihr endlos. Nur der Gedanke an Entspannung auf einem bequemen Bett in einem kühlen Zimmer mit heruntergezogenen Jalousien hielt sie in der Kutsche aufrecht. Deshalb ärgerte es sie etwas, als sie gleich bei ihrer Ankunft erfuhr, daß die «etwa achtzig Gäste, die uns zu Ehren zu einem ‹kleinen› Empfang geladen waren, direkt nach uns eintreffen würden ... So fing es an, und ich vermute, so wird es auch weitergehen.»

Ihr neues Leben war so voller Überraschungen, daß Emily erst Ende März wieder zum Schreiben kam: «Wir sind heute auf den Tag drei Wochen hier, aber mir kommt es sehr viel länger vor, fast so, als ob es fast schon wieder Zeit wäre, nach Hause zu fahren. In vieler Hinsicht ist es eine seltsame, traumähnliche Atmosphäre, aber schrecklich ermüdend. Alles ist wie eine einzige Theateraufführung, sehr pittoresk und unenglisch.»

Ihre Befürchtungen über den Mangel an Bekannten und die Beschränktheit der dortigen Gesellschaft sollten sich erst noch bewahrheiten – zunächst mußte sie sich an Grandezza gewöhnen:

Ich stehe um acht Uhr auf und schaffe es mit Hilfe von drei Zofen, bis neun Uhr ein Bad genommen und mich für das Frühstück angezogen zu haben. Wenn ich mein Zimmer verlasse, sitzen meine beiden Schneider schon mit gekreuzten Beinen im Flur auf dem Boden und nähen an meinen Kleidern. Daneben kehrt einer mit dem Besen jedes Staubkorn auf, zwei Diener bewegen ständig die Fächer, und ein Wachtposten paßt auf, daß keiner von ihnen etwas stiehlt. Mein Chefdiener, der hier «Dschemadar» betitelt wird, folgt mir die Treppe hinunter, dahinter kommen vier Hurkarus oder Kuriere, die mein persönliches Gefolge darstellen, und mein Spaniel Chance, der von seinem eigenen Diener unter dem Arm getragen wird. Am Fuß der Treppe stehen zwei Träger mit einer Sänfte bereit, falls ich zu erschöpft sein sollte, allein in die riesengroße Marmorhalle zu gehen, wo wir zu speisen pflegen. All diese Männer tragen Kleider aus weißem Musselin mit rot-goldenen Turbanen und Schärpen. Sie sehen so malerisch aus, daß ich sie für mich Modell sitzen lasse, wenn ich keine andere Beschäftigung mehr für sie finden kann.

Während der ganzen Zeit in Indien ging Emily mit viel Freude ihren künstlerischen Interessen nach. Land und Leute versorgten sie unerschöpflich mit Material für ihr Skizzenbuch. Heute noch sind ihre Aquarelle und Zeichnungen fast genauso bekannt wie ihre ausdrucksvollen Briefe. Ihren Freunden versicherte sie allerdings, daß ihr Leben in Indien trotz all des Luxus um sie herum keineswegs aus Müßiggängerei bestand. Seit der Abreise von Lord William Bentinck, Georges Vorgänger, hatte der Junggeselle Sir Charles Metcalfe den Generalgouverneur vertreten. Mit der Ankunft von Lord Auckland und seinen Schwestern wurde der besseren Gesellschaft von Kalkutta – wenn man sie so nennen wollte – zum ersten Mal seit zwei Jahren wieder eine Gastgeberin im Regierungssitz beschieden, genaugenommen nicht eine, sondern gleich zwei. Emilys und Fannys Kalender war fast so voll wie der von George. Montags mußten sie die offizielle Dinnerparty des Generalgouverneurs geben, mittwochs wurde von ihnen erwartet, daß sie «zu Hause» waren für die auserwählte Gruppe von Nobilitäten, deren Namen die sogenannte «Regierungssitzliste» zierten, Dienstag und Donnerstag vormittags mußten sie jeden empfangen, der darum ersuchte – «manchmal hundert oder sogar hundertzwanzig Leute in zwei Stunden». Bei diesem aktiven Leben in der Öffentlichkeit brauchte Emily nicht lange, um sich ihre Meinung über die «Gesellschaft» von Kalkutta zu bilden. Es war noch schlimmer, als sie befürchtet hatte.

Es gibt hier eigentlich keine interessanten Themen im landläufigen Sinn. Ich glaube, daß hier viel getratscht wird, aber erstens kenne ich die Leute gar nicht gut genug, um die richtige Geschichte mit dem richtigen Gesicht in Verbindung bringen zu können, selbst wenn ich diese Dinge wirklich hören wollte. Engere Bekanntschaften kann es gar nicht geben, auch wenn wir sie uns wünschen würden. Denn da unsere *despotische* Regierung das gesamte Patronatsrecht dieses riesigen Landes in die Hände des Generalgouverneurs gelegt hat, würden alle hier vor Wut kochen beim geringsten Anschein, daß eine Person bevorzugt wird. Es ist so schon heiß genug hier, man muß es nicht noch künstlich anheizen. Es ist so ungeheuer HEISS, daß ich das Wort gar nicht groß genug schreiben kann.

Je weiter der Sommer vorrückte, um so mehr verblaßte vor den Schrecknissen des Klimas Emilys Entsetzen über die «gute Gesellschaft» von Kalkutta. Im November beschwerte sie sich immer noch, «daß ich, obwohl jetzt die netterweise ‹kalt› genannte Jahreszeit angebrochen ist, weder tagsüber noch nachts für fünf Minuten ohne meinen Fächer auskommen kann. Wenn auch nur ein Sonnenstrahl in Sicht ist, lassen wir die Jalousien herunter.» Sie beklagte auch weiterhin, daß es in ihrer gesamten Bekanntschaft unter den Europäern in Indien nicht eine angenehme oder erfolgreiche Frau gäbe. Gegenüber den Engländerinnen – besonders den jüngeren – nahm sie jetzt eine erheblich mildere Haltung ein. Sie konnte es kaum ertragen, die frischen, fröhlichen Gesichter der Neuankömmlinge aus England zu sehen. Nur die größten Glückspilze unter ihnen konnten hoffen, Indien nach zehn oder zwanzig Jahren wieder lebendig zu verlassen. Viele würden lange vorher an einer Krankheit oder am Klima sterben. Andere mußten sich mit dem grausamen Schicksal abfinden, ihre Kinder in Indien zu begraben, und auch diejenigen, die sie vorsichtshalber in England in die Schule gehen ließen, «können einem so leid tun, daß man dafür keine Worte findet».

Emilys eigene Gesundheit schien den Anstrengungen einigermaßen gewachsen zu sein. «Obwohl ich schon seit zehn Tagen vor mich hin kränkele, bin ich im allgemeinen gesünder als jemals daheim», schrieb sie am Jahrestag ihrer Ankunft in Kalkutta. Im Dezember 1837 klang sie schon anders:

Alle, die hier waren, als wir eintrafen, sind entweder zurück nach Hause gegangen oder aufs Land gezogen. Wir sind jetzt eine sehr kleine Gruppe und haben jeglichen Anflug von Kultiviertheit verloren. Tatsächlich glaube ich, daß wir fast schon zu Wilden geworden sind – nicht angriffslustig, keine Kannibalen, nicht einmal gemein – ganz einfach liebe, harmlose Wilde, die schöne Kleider, Juwelen und Tabak lieben und dabei recht unwissend, träge und ziemlich dumm sind. Wir sterben hier alle weg an einem Fieber, das die Regenzeit mitgebracht hat. Das einzig interessante Gesprächsthema ist unsere bevorstehende Reise. Mir ist jedenfalls klar, daß ich das alles nur einigermaßen überstehen kann, wenn ich nicht aufhöre zu zeichnen.

Diese Reise hatte Lord Auckland als Antwort auf das Hauptproblem geplant, das seine gesamte Amtszeit beherrschen sollte: Afghanistan. Die Gefahr einer russischen Invasion Indiens von Zentralasien her hing schon mehr als dreißig Jahre über den Köpfen verschiedener Generalgouverneure. Nach den kürzlichen Erfolgen der Russen im Krieg mit Persien war diese Bedrohung jetzt nicht nur politisch wahrscheinlicher geworden, sondern auch geographisch nähergerückt. Die britische Regierung war überzeugt, daß Rußland als nächstes den Vormarsch auf die afghanische Hauptstadt Kabul beginnen würde: der bestgeeignete Ausgangspunkt für einen Einmarsch nach Indien.

Diese Ängste schürte seit kurzem auch noch das Gerücht, die Afghanen wollten bei ihrem langen Territorialstreit mit Ranjit Singh vom Pandschab die Russen um Hilfe bitten. Ohne Frage mußte dringend etwas unternommen werden, um dieser gefährlichen Allianz einen Riegel vorzuschieben. Nach monatelangen Diskussionen und Debatten sowohl mit der Regierung in England wie auch mit seinen Ratgebern in Indien beschloß Lord Auckland, eine ausgedehnte Goodwill-Tour durch die Grenzstaaten zu unternehmen. Höhepunkt der Reise sollte ein Staatsbesuch am Hofe von Ranjit Singh sein, dem einflußreichsten Herrscher in all diesen unabhängigen Ländern. Eine nachhaltige Lösung des Afghanistan-Problems ließe sich wesentlich einfacher mit der Kooperation und Hilfe des «Löwen vom Pandschab» erreichen.

«Ich habe keine Einwände», schrieb Emily, «obschon ich eines sagen möchte: Gemessen daran, daß ich nichts weiter erwartete, als ungestört mein kleines Haus mit Garten in Greenwich genießen zu können, mit all den unbedeutenden Cockneyvergnügungen und -geschichten, ist mir ziemlich hart mitgespielt worden.»

Das war Emily in Hochform. Allerdings ließ sich niemand von ihren Klagen täuschen. Sie war so froh über die Aussicht, Kalkutta verlassen zu können, daß sie sich nicht einmal bemühte, es zu verbergen. In den vergangenen zwanzig Monaten hatte sie als einzige Ausflüge aus der Stadt einige Wochenenden in Barrackpur verbracht, dem offiziellen Landsitz des Generalgouverneurs. Die Reise «ins Landesinnere» würde lang, wahrscheinlich auch langweilig und bestimmt äußerst unbequem werden. Doch sie war mit allem einverstanden, wenn es nur einen Ortswechsel bedeutete und ihr die dauernde Hitze und hohe Luftfeuchtigkeit ersparte, die ihr jegliche Energie raubten und ihre Haut mit einem «delikaten Gelbton» überzogen hatten.

Diese Kavaliersreise war ein Unterfangen von mammutartigen Größenordnungen. George rechnete von vornherein damit, daß sie achtzehn Monate unterwegs sein würden, aber er warnte seine Schwestern, sich nicht darauf festzulegen; man konnte unmöglich voraussagen, wie schnell oder langsam in vorsichtigen Verhandlungen irgendeine Einigung mit Ranjit Singh erzielt würde. Zahlreiche Unterbrechungen der Reise waren vorgesehen, um Feste für die Fürsten und Radschas zu geben, durch deren Gebiete die Karawane zog, und auch, um die Einladungen dieser Herrscher wahrzunehmen. Da man in den heißen Sommermonaten unmöglich reisen konnte, planten sie für diese Zeit einen langen Aufenthalt in Simla. Wie schnell sie vorankamen, hing auch von der Größe der offiziellen Entourage ab. Der Haushalt des Generalgouverneurs und die Bediensteten stellten mit fünfhundert Personen nur einen kleinen Bruchteil des ganzen Reisetrosses dar. Ein Begleitregiment von achttausend Mann sollte mitmarschieren, ebenso militärische und politische Berater, Aides-de-camp, Ärzte, Beamte und Geistliche, jeweils mit ihren Familien und Bediensteten. Dazu Lastenträger, Köche, Schneider und Boten, Kamel- und Elefantentreiber und Pfleger für achthundertfünfzig Kamele, hundertsechzig Elefanten und Tausende von Pferden. Hunderte Tonnen Lebensmittel und anderer Proviant mußten transportiert werden. Alles in allem würden zwölftausend Menschen von Kalkutta zu der dreitausend Kilometer langen Reise aufbrechen – eine beeindruckende Kavalkade, selbst bei dem aufwendigen Standard in Britisch-Indien.

Der Großteil des mächtigen Trosses verließ Kalkutta schon vorher, um auf dem Landweg nach Benares zu gelangen. George, Emily und Fanny legten diese erste Reiseetappe per Boot den Ganges flußaufwärts zurück; der Marsch an sich würde erst beginnen, wenn sie in Benares zu dem Reisezug stießen. Am 21. Oktober 1837 brachen sie auf.

Während der ersten dreieinhalb Wochen, die sie für die tausend Kilometer nach Benares brauchten, war das Wetter so schwül und die Landschaft so monoton, daß Emily sich ernsthaft zu fragen begann, ob das alles tatsächlich dem Leben in Kalkutta vorzuziehen sei. Als sie in Benares zum erstenmal die Zelte erblickte, die von nun an ihr Zuhause sein sollten, mußte sie schlucken: «Wir kamen um fünf Uhr an und fuhren sechs Kilometer durch enorme Menschenmengen und Staubwolken zu unserem Lager. Der erste Abend im Zelt war unbequemer, als ich es mir je vorgestellt hatte. Alle sagten immer wieder: ‹Was für ein wunderbares Camp›, ich dagegen konnte mich nicht erinnern, jemals ein so schmutziges, melancholisches Elend gesehen zu haben.»

Bemerkenswert ist, daß Emily und Fanny zwar sehr viel Zeit miteinander verbringen mußten, sich jedoch von allen Eden-Schwestern am wenigsten ähnlich waren. Sie mochten sich gern, aber in ihren Interessen und Ansichten waren sie Welten voneinander entfernt. Fanny war nur sechs Jahre jünger, aber der Altersunterschied hätte leicht doppelt so groß sein können. Voller Lebenslust und unbeschwert, genoß sie den Aufenthalt in Indien durch und durch. Die Hitze schien ihre Lebensgeister geradezu anzuregen. Von Kalkutta aus hatte sie schon öfter zusammen mit William und seinen Freunden Ausflüge «aufs Land» unternommen und war ein alter Hase in dem, was Emily voller Abscheu «dieses unstete Leben» nannte. Die unterschiedliche Einstellung zum Leben spiegelte sich in den persönlichen Einstellungen der beiden zu ihren Zelten: Während Emily ihres «Elendshalle» und das von George «Ekelspalast» schimpfte, taufte Fanny ihr Zelt «Feenschloß» und schwor, daß sie recht glücklich bis an ihr Lebensende darin leben könnte.

Emilys «melancholisches Elend» bestand aus vier privaten Zelten für den Generalgouverneur und seine Verwandten; jeder hatte eines für sich, Emily und Fanny dazu noch gemeinsam eine Art Salonzelt, das das Viereck vervollständigte. «Elendshalle», «Ekelspalast» und «Feenschloß» waren jeweils unterteilt in Schlafzimmer, Ankleideraum und Wohnzimmer, alles reichlich mit spitzenbesetzten Wandbehängen ausgestattet und durch Gänge miteinander verbunden. Neben dem Zelt des Generalgouverneurs stand noch ein großes Festzelt für offizielle Dinnerpartys und daneben ein noch prächtigeres Durbar-Zelt, in dem George größere Empfänge und Bälle geben konnte. Von diesem Zentrum aus erstreckte sich der Rest des Lagers, ein Zelt neben dem anderen in richtiggehenden Straßenzügen angeordnet – Küchenzelte, Zelte für die Stallungen, Krankenzelte und natürlich Schlafstätten für den gesamten Begleittroß. Doch obwohl Emily diesen Anblick zugegebenermaßen beeindruckend fand, konnte sie sich doch nicht dazu durchringen, ihn auch noch schön zu finden: «Es hat einfach etwas Lagerartiges, Instabiles», schrieb sie. «Ich habe immer schon richtige Häuser vorgezogen, und das wird auch weiterhin so sein.»

Täglich mußte diese kleine Stadt abgerissen und wieder aufgebaut werden. Emily, Fanny und George hatten sich schon bald daran gewöhnt, daß ihnen ihre Möbel jeden Abend buchstäblich unter dem Allerwertesten weggezogen wurden, damit man für den frühzeitigen Aufbruch zusammenpacken konnte. Allerdings bestand ihr Mobiliar keineswegs aus Klapptischen, Gartenstühlen und Papptellern. Schließlich repräsentierte der Generalgouverneur den Union Jack: Abends gab es ein ausgeklügeltes Menü an richtigen Eßtischen und vom besten Porzellan des Regierungssitzes in Indien, den Erdboden bedeckten dicke Teppiche; sogar die kompletten Bühnenbilder, Requisiten und Kostüme eines Theaters führte man ständig mit, damit den geladenen Gästen nicht etwa langweilig würde. Wenn die gesamte Kolonne unterwegs war, erstreckte sie sich über fast zwei Kilometer; oft traf das vordere Ende schon am Etappenziel ein, bevor die Nachhut das Camp des Vortages überhaupt verlassen hatte.

Obwohl Emily ständig darüber schimpfte, jeden Morgen um halb sechs aufstehen und um sechs Uhr unterwegs sein zu müssen, war sie doch froh über die Regelung, daß niemand vor dem Generalgouverneur aufbrechen durfte.

So entgehen wir wenigstens all dem Staub. Die Hälfte der Strecke bringen wir auf dem Rücken eines Elefanten hinter uns, die andere zu Pferde. Zu dieser Tageszeit ist es angenehm kühl, wirklich schönes Wetter. Manchmal legen wir nur sieben oder acht Meilen zurück. Irgendwie scheint es schon absurd, zwölftausend Menschen mit all ihren Kamelen und Elefanten und Pferden und Zelten und Kisten so ein kurzes Stück durch die Gegend zu bewegen, aber es geht eben nicht anders.

Je weiter sich die riesige Kavalkade westwärts schob, um so weniger Gedanken machte sich Emily über ihre persönlichen Unannehmlichkeiten. Der Regierungssitz in Kalkutta war weitgehend ein Elfenbeinturm, in dem Emily und Fanny und zu einem gewissen Grad auch George weit am Großteil der indischen Bevölkerung vorbeilebten. Jetzt sah sie zum erstenmal das reale Indien. Wirkliche Menschen, wirkliche Gerüche, eine wirkliche Landschaft. Mit einem Blick, der nicht durch ihre abgeschirmte Existenz und schwere gußeiserne Gitter beeinträchtigt wurde, sah sie sicherlich nicht nur angenehme Dinge, und wenn ihre empfindliche Nase oder ihr Künstlerauge verletzt wurden, zögerte sie keineswegs, das auch zum Ausdruck zu bringen: «Das Fazit meines Indienaufenthaltes ist, daß es sich um die malerischste Mischung von Menschen handelt, die ich je gesehen habe, und um die häßlichste Landschaft, die man je zusammengewürfelt hat.» Das war ihr Urteil nach einem Monat Reisen. Dennoch war sie auf erfrischende Weise frei von den scheinheiligen Vorurteilen, die spätere Generationen von Anglo-Indern so schwer befallen sollten: «Ich wünschte, Du bekämst zur Abwechslung einmal ein kleines braunes Baby», schrieb sie an eine ihrer gebärfreudigen Schwestern. «Sie sind so viel hübscher als weiße Kinder.»

Nach England sehnte sie sich noch immer, und die Höhepunkte ihrer Reise waren die Tage, an denen die *dak*, die Postboten, im Camp vorbeikamen. Die Nachrichten von den Vorbereitungen für die Krönung der jungen Königin Viktoria versetzten sie in helle Aufregung. Genau diese Art von Ereignissen liebte sie über alles, und sie konnte es fast nicht ertragen, all die Feierlichkeiten zu verpassen. Allerdings gab es genügend Ausgleich, zum Beispiel ihren Besuch bei einem besonders reichen Maharadscha in der Nähe von Allahabad. Er schickte ihnen sogar seine eigenen Elefanten, die sie zum Palast brachten. Als sie in der Abenddämmerung dort eintrafen, war nicht nur der Palast hell erleuchtet, sondern auch das ganze Dorf. Millionen kleiner Öllämpchen zierten jede Tür, jeden Torbogen und jeden Fenstersims. Emily war beeindruckt.

Eine so unglaubliche Festbeleuchtung habe ich bisher noch nicht gesehen. Auf Elefanten ritten wir wie Timur der Tatar durch das große Eingangstor in den Hof. All die Fackeln und Trommeln und Speerträger und überhaupt die Menschenmenge – es erschien mir wie ein Melodrama, das man, ins Unendliche vergrößert, durch ein Mikroskop betrachtet. Vor dem Tor eines unglaublich großen Hofes stiegen wir ab, während die Diener des Maharadschas für uns einen Teppich aus scharlachrotem und goldenem Brokat ausbreiteten. Wenn man sich vor Augen hält, daß der halbe Meter mehr als ein Pfund kostet und ich gerade festgestellt hatte, daß ich mir das für ein Abendkleid nicht leisten konnte, dann war es eine Schande, einfach darauf herumzutrampeln.

Die Strapazen, die sie hinnehmen mußte, erschienen völlig unbedeutend im Vergleich zu den Entbehrungen der Briten in den entlegeneren Siedlungen. Emily konnte sich ganz und gar nicht vorstellen, wie sie überhaupt jene «schreckliche Einsamkeit» überstanden. Sie fand es furchtbar, wenn sie an das isolierte, abgeschiedene Dasein dachte, das die Briten selbst in Bengalen und den anderen Protektoraten führten, obwohl dort so viele Militärangehörige und zivile Beamten mit ihren Familien lebten, daß man schon von einer «Ausländergemeinde» sprechen konnte.

Die Ankunft des Generalgouverneurs und seiner mächtigen Entourage war deshalb für «diese armen, vergessenen Wesen» ein Ereignis, dem sie entgegenfieberten. Die Präsenz von Lord Auckland und seinen berühmten Schwestern mußte ihnen wie ein Gottesgeschenk erscheinen, dazu noch der riesige Begleittroß – plötzlich waren sie von mehr Landsleuten umgeben, als sie in Jahren an einem Ort gesehen hatten. Eine einmalige Gelegenheit, lang vergessene Freuden wiederzubeleben: sich herauszuputzen, zu tanzen, vertraute Musik zu hören und sogar gepflegte Konversation zu treiben, falls die Gehirne von der Einsamkeit noch nicht allzusehr in Mitleidenschaft gezogen waren.

Wieviel den Anglo-Indern ihre Anwesenheit bedeutete, merkte Emily daran, daß ihre Gäste bereitwillig anstrengende Dreitagesreisen auf sich nahmen, nur um bei einem offiziellen Mittagessen dabeizusein. Bei Emily bewirkte die Freude, mit der ihre Landsleute diesen dringend benötigten Kontakt mit ihresgleichen begrüßten, eine deutliche Steigerung ihres Selbstwertgefühls. Wenn es Aufgabe von George war, die Beziehungen zu den Herrschern der autonomen Staaten, durch die sie reisten, zu verbessern, dann war es Fannys und ihre Sache, alles zu tun, um das «Elend» der dort ansässigen Briten zu vermindern. Ihretwegen ertrug sie einen schier endlosen Reigen von Partys, Bällen und Empfängen, bewunderte die Abendtoiletten der Damen und teilte ihre nostalgischen Gefühle für Kricket, kalte Temperaturen und andere heimatliche Genüsse. Sie hörte den Menschen, die ihr das Herz ausschütteten, so interessiert und teilnahmsvoll wie möglich zu, «obwohl viele von ihnen schon so lange im Dschungel leben, daß es auch mit ihren Manieren ziemlich vorbei ist – sozusagen vom Urwald ausgetrieben. Glücklicherweise spielt die Kapelle auch während des Essens so laut, daß der Großteil der Unterhaltung dabei untergeht.»

Ihr Mitgefühl galt vor allem den jungen, alleinstehenden Männern, hauptsächlich Plantagenbesitzern, Händlern und zivilen Angestellten der Ostindischen Kompanie, die außerhalb des britischen Territoriums leben und arbeiten mußten. Für Emily schien deren Schicksal die schlimmste aller vorstellbaren Qualen zu sein: «Wie sehr müssen manche dieser jungen Männer ihr Leben doch verfluchen! Letzte Woche haben wir einen getroffen, den wir aus Kalkutta kannten, und er wurde fast verrückt vor Freude, uns zu treffen. Drei Monate lang kein europäisches Gesicht zu sehen und kein einziges englisches Wort zu hören, sei so schrecklich, daß man das seiner Meinung nach kaum beschreiben könne.» Sie hörte voller Schaudern, daß er gegen Ende der Regenzeit, wenn Gesundheit und Laune ihren absoluten Tiefpunkt erreicht haben, das sichere Gefühl hatte, sterben zu müssen, und niemand wäre dagewesen, der ihn hätte begraben können. Noch bezeichnender fand Emily ihr Zusammentreffen mit dem Stiefsohn von «Mrs. O.», einer ihrer Bekannten aus London: «... der, dessen Bild sie ständig mit sich herumtrug, weil er so ein wunderschönes Geschöpf war.» Jetzt war dieser Adonis «ein glatzköpfiger, fahler, zahnloser alter Mann, der außer von der Tigerjagd von nichts mehr eine Ahnung hat. Laß bloß keinen Deiner Söhne nach Indien», warnte sie ihre Schwester Eleanor, «das ist die Lehre aus alldem. Und denke immer daran, daß auch ich als alte, schwache Frau aus Indien zurückkehren werde.»

Während der ersten beiden Monate ihrer Reise war Emily allerdings alles andere als schwach. Da sie so viel Mitgefühl für ihre Landsleute empfand, trat ihr typisches Selbstmitleid vorübergehend so weit in den Hintergrund, daß sie zugab, sich zu amüsieren. In jedem ruhigen Moment nahm sie sich ihr Skizzenbuch vor und hatte bald ein ansehnliches Portfolio mit vielen Zeichnungen und Aquarellen von Menschen, Tempeln, Statuen und Landschaften beisammen. In ungewohnter Unternehmungslust zog sie sogar ab und zu auf eigene Faust los, um besonders beeindruckende Szenerien festzuhalten.

Doch ihre gute Laune sollte nicht andauern. Zum Jahreswechsel 1837/38 schob sich die gewaltige Karawane durch das Königreich Audh. Der König hieß sie so aufwendig willkommen, wie sie es bisher noch nirgendwo erlebt hatten, und seine Paläste entsprachen in ihrer Pracht inzwischen dem gewohnten Bild. Doch wo Emily angesichts des vielfarbigen Kaleidoskops von Indien erst die Augen übergegangen waren und sie sich dann geblendet fühlte von der Opulenz, mit der man sie empfing, sah sie nun direkt das Elend hinter den großartigen Fassaden. Bei dieser ersten Konfrontation trieb es ihr die Tränen in die Augen. Als sie Kanpur verließen, bot sich ihnen die ganze Tragödie von Indien dar.

Jetzt kamen wir in die Hungergebiete. Seit anderthalb Jahren hat es hier nicht mehr geregnet, alles Vieh ist weggestorben. Auch die Menschen sind fortgegangen oder gestorben. Das Elend ist furchtbar, man kann sich diese schrecklichen Dinge gar nicht vorstellen, die wir hier zu Gesicht bekommen. Besonders die Kinder sind zum Großteil nur mehr Skelette, ihre dünne Haut spannt sich über den Knochen, sie haben keinen Fetzen Kleidung am Leib und ähneln kaum noch menschlichen Wesen. Ihr Anblick ist unbeschreiblich; die Frauen sehen aus, als seien sie schon begraben, ihre Schädel sind einfach schreckenerregend. Ich glaube, mit so einem verhungernden Kind gäbe es kein Verbrechen, das ich nicht für ein bißchen Nahrung begehen würde. Ich darf gar nicht aufhören, über das Unrecht dieser ganzen Sache nachzudenken.

Es war typisch für Emily, daß sie dieser Tragödie nicht den

Rücken kehrte. Für sie galt die strikte Tradition des *noblesse oblige*. Wo viele ihrer Zeitgenossen eher das parfümierte Taschentuch fest vor die empfindliche Nase gedrückt hätten und schnellstens vorbeigeeilt wären, sah Emily es als ihre Pflicht an zu helfen, wo sie nur konnte.

Als ich gestern vor dem Frühstück zu den Ställen ging, fand ich ein elendes kleines Baby, das eher wie ein uraltes Äffchen aussah, aber mit ganz stumpfen, verschleierten Augen. Du hättest sicher geweint, wenn Du gesehen hättest, mit welcher Hast das kleine Etwas auf eine Tasse Milch flog. Inzwischen haben wir die Mutter gefunden, aber sie ist auch nur ein Skelett und sagte uns, daß sie schon seit einem Monat kein Essen mehr für das Baby hatte. Dr. Drummond meint zwar, daß das Kleine schon zu unterernährt ist, um zu überleben, aber ich will versuchen, es durchzubringen.

Dank Emilys Fürsorge überlebte das Kind tatsächlich. Aber mehr als achthunderttausend Menschen fielen dieser Hungerkatastrophe zum Opfer. Obwohl die Küchenmeister im Troß des Generalgouverneurs den Hungernden zukommen ließen, so viel sie nur konnten, verschlimmerte die Anwesenheit von zwölftausend zusätzlichen Menschen die Lage nur noch. Zwei Wochen lang waren sie so schnell wie möglich unterwegs, um aus dem Hungergebiet herauszukommen. Keine Festlichkeiten mehr, keine Zeit zum Skizzieren und Malen, kaum Erholungspausen. Der Staub schien sich überall festzusetzen, die Straßen wurden immer schlechter, und die Hitze, die sie eine Weile verschont hatte, schlug wieder unerbittlich zu. Als sie Ende Februar Delhi erreichten, war Emily vollkommen erschöpft.

Die Gegensätze von Hunger und Überfluß, von nie gesehener Armut und groteskem Reichtum und überhaupt die Konfrontation mit all den indischen Widersprüchlichkeiten, Frustrationen und Unzulänglichkeiten hätten Emily Indien gänzlich verleiden können. Doch obwohl sie weiterhin über das Klima, die Landschaft und vor allem über die Tatsache schimpfte, daß sie hier war anstatt in ihrem geliebten England, entwickelte sie doch echte Sympathie für das Land und seine Bewohner. Anfangs war ihre instinktive Reaktion auf alles Fremdländisch-Indische eine etwas spöttische Ungläubigkeit. Beschreibungen und Anekdoten, mit denen sie ihre Briefe ausschmückte und die ihren Empfängern so viel Vergnügen bereiteten, hatten eher Karikaturen geglichen. Das änderte sich jetzt. Je mehr sie kennenlernte, um so größer wurde ihr Respekt für die Menschen, die in diesem riesigen Land lebten. Je deutlicher sie die Position der Engländer in Indien als Anomalie empfand, um so mehr wurden anstelle der Inder ihre eigenen Landsleute zur Zielscheibe ihres Mißfallens. Während sie in besonderen Fällen Mitleid hatte, war sie nun schnell dabei, die Auswüchse im Verhalten der Gruppe insgesamt zu kritisieren. «Ich mag Engländer außerhalb ihres eigenen Landes nicht besonders», schrieb sie aus Delhi. «Diese Stadt ist ein eindrucksvolles Lehrbeispiel. Solche unglaublichen Überreste von früherer Macht und einstigem Reichtum sind jetzt im Verschwinden begriffen, und irgendwie fürchte ich, daß wir schrecklichen Engländer hier gnadenlos zugeschlagen haben ... einfach dahergekommen, alles ausgebeutet und verdorben haben.»

Von Delhi aus bewegten sie sich endlich nach Norden auf das Gebirge zu. Doch die sechswöchige Etappe bis Simla wurde der deprimierendste Teil der bisherigen Reise. «Unsere Schwierigkeiten werden von Tag zu Tag größer», lamentierte Emily. «Die Straßen sind in einem derart teuflischen Zustand – es tut mir leid, aber ich finde keine anderen Worte dafür –, und ich bin so erschöpft, daß ich mich kaum noch auf einem Pferd halten kann.» Am schlimmsten aber war die Tatsache, daß der «liebe George» in sehr schlechter Stimmung zu sein schien.

Tatsächlich war der «liebe George» völlig am Ende seiner Kräfte vor Sorgen und Frustrationen, denn seine Kundschafter in Afghanistan schickten ihm immer beunruhigendere Berichte über die dortige Situation. Alle Versuche, Dost Mohammed zu einer Allianz zu überreden, waren fehlgeschlagen. Die Stadt Herat in Westafghanistan wurde von einer persischen Armee belagert, die von den Russen unterstützt, finanziert und wahrscheinlich auch befehligt wurde. Angeblich befanden sich überall russische Spione, und Lord Auckland wußte, daß die Zeit knapp wurde. Wenn er nicht bald handelte, konnte Herat fallen, für die Russen wäre damit über Kandahar der Weg nach Indien frei, und die gefürchtete Invasion könnte stattfinden. Aber Emily vertraute derart unbeirrt auf die Fähigkeiten ihres Bruders, daß ihr nie in den Sinn kam, er könnte die Situation nicht völlig unter Kontrolle haben – selbst wenn sie nie richtig verstanden hatte, was in Afghanistan eigentlich vor sich ging. Deshalb schob sie seine irritierte Stimmung auf die Strapazen der Reise.

Mitte März erreichten sie die Vorgebirge des Himalaja. Von nun an kamen sie wegen der steilen, gewundenen Bergstraßen noch langsamer voran, aber allein der Anblick der Berge und die Aussicht auf kühleres Wetter verbesserten Emilys Laune erheblich. Sie ließ sich sogar klaglos von ihren Trägern in einer offenen Sänfte über abgrundtiefe Schluchten tragen, wobei sie nur höflich darum bat, man möge doch nicht um die Wette rennen ...

Schließlich trafen sie am 3. April in Simla ein. Emily war außer sich vor Freude:

Der ganze Aufwand hat sich wirklich gelohnt. Es ist wunderschön hier, und erst das Wetter! Wir bekamen ja nie auch nur einen Hauch von frischer Luft zum Atmen. Jetzt erst kann ich mich erinnern, wie sich das überhaupt anfühlt. Kühl, erfrischend, süß und sehr angenehm für die Lungen. Unser Haus ist perfekt, wenn es erst mit all den guten Möbeln und Teppichen eingerichtet ist, die wir so weit mitgeschleppt haben. In jedem Zimmer gibt es einen Kamin, wir können die Fenster offen lassen, überall rote, blühende Rhododendronbäume und wunderschöne Wege mit Büschen, wie in England ... Mir erscheint dies als der schönste Teil von Indien. Nicht, daß ich nicht sofort wieder aufbrechen und in Windeseile durch die heißen Ebenen und durch den warmen Wind stürmen würde, wenn mir jemand verspräche, ich könnte die Segel hissen und nach Hause fahren, sobald ich wieder in Kalkutta sei ... Aber da mir niemand so ein Angebot macht, kann ich hier besser abwarten als irgendwo anders. Es ist wie mit Frischfleisch, man hält sich einfach besser hier.

Obwohl es noch zwanzig Jahre dauern sollte, bis diese lebendige kleine Gebirgsstadt die offizielle Sommerresidenz des britischen Machthabers wurde, gab es doch schon eine größere Ansiedlung von Engländern, die vor der Hitze der Ebenen hierher geflohen waren und so taten, als befänden sie sich überhaupt nicht in Indien. Der Generalgouverneur wollte mit seinem Troß so lange hierbleiben, bis der Staatsbesuch bei Ranjit Singh im Pandschab vorbereitet wäre. Nur aufgrund ihrer Loyalität zu George versagte Emily sich die inständige Hoffnung, daß die Arrangements niemals zustande kämen.

Je näher der Sommer rückte, um so mehr bevölkerte sich die kleine Siedlung in den Bergen – Militärangehörige auf Urlaub, Jagdgesellschaften, Familien mit Töchtern im heiratsfähigen Alter – alle in Ferienstimmung. Jeder Tag brachte neue Unterhaltungen und Zerstreuungen: Dinnerpartys, Whistspiele, Laienschauspiele, Picknicks auf dem Land und Feste, Pferderennen, Hochzeiten und Bälle. Das unerträglich heiße Klima von Kalkutta und die Strapazen der Reise schienen weit weg: «Wenn nur der Himalaja bloß eine Verlängerung von Primrose Hill oder Penge Common wäre, hätte ich nichts dagegen, den Rest meines Lebens hier zu verbringen.»

Emilys wiedergewonnene Vitalität erstaunte vor allem ihre Bediensteten; daß die *Burra Memsahib* derart häuslich sein konnte, hatten sie nicht geahnt. Ihren Schneidern zeigte sie, wie die neuen Chintzvorhänge für das Wohnzimmer genäht werden sollten, sie brachte ihrem Koch bei, wie man Erdbeereis macht, und füllte mehrere Skizzenbücher mit Porträts und Landschaften.

Doch so sehr sie all diese englischen Vergnügungen schätzte und genoß, so wurde ihre Freude doch durch das deutliche Gespür für die Absurdität der Situation gedämpft: «Hier sitzen wir nun», schrieb sie nach einem Tag auf einem «Jahrmarkt», «einhundertfünf Europäer, umgeben von mindestens dreitausend Bergbewohnern, die in ihre Decken gehüllt dahocken, unsere kleinen Amüsements beobachten und sich bis zum Boden verneigen, wenn ein Europäer auftaucht. Ich frage mich manchmal wirklich, warum sie uns nicht einen Kopf kürzer machen, und damit hätte es sich dann.» Zwischen ihren Verpflichtungen pusselte Emily gern im Garten der Residenz des Generalgouverneurs herum (die George zu Ehren umgetauft wurde und nun Auckland House hieß), überwachte das Anpflanzen neuer Büsche oder Spargelbeete, oder sie saß ganz einfach da und freute sich an der atemberaubend schönen Aussicht, genoß das kühle Wetter oder das Zwitschern der «englischen Amseln» in den Bäumen.

George amüsierte sich allerdings keineswegs so prächtig. Er verfügte über viele herausragende Eigenschaften; im Privatleben galt er als sehr freundlicher und rücksichtsvoller Mensch, in offizieller Funktion genoß er den Ruf, sehr gewissenhaft, ordentlich und fair zu sein. Aber er hatte einen Fehler, der dazu führte, daß er von der Geschichte als der unfähigste aller Generalgouverneure verdammt werden sollte: Er war auf eine gefährliche – und im Falle Afghanistans fatale – Art entscheidungsscheu. Dort hatte es zwar bereits lange vor ihrem Aufbruch aus Kalkutta Probleme gegeben. Doch bis sie Simla erreichten, hatte George immer noch in keiner Weise gehandelt. Fairerweise muß man sagen, daß die politischen und persönlichen Animositäten zwischen seinen beiden wichtigsten Ratgebern, Oberst Wade im Pandschab und Hauptmann Burnes in Kabul, die Situation für ihn nicht leichter machten. Während Burnes für Konzessionen und eine endgültige Einigung mit Dost Mohammed eintrat, übte Wade Druck aus auf George, Dost Mohammed zu stürzen, da er wegen seiner mangelnden Kompromißbereitschaft ohnehin kein geeigneter Verbündeter sei. Wade wollte ihn lieber durch einen versöhnlicheren Monarchen ersetzt wissen und hatte auch bereits seinen Kandidaten – Schah Schuja Mirza, den Sohn des früheren Königs von Afghanistan, den Dost Mohammed selbst vom Thron verjagt hatte.

Burnes' Plan einer Einigung mit Dost Mohammed würde aber ganz unweigerlich Ranjit Singh vor den Kopf stoßen, und dieser wiederum war ein wertvoller potentieller Verbündeter. Wades Plan, Dost Mohammed zu stürzen und Schah Schuja einzusetzen, konnte allerdings nur mit militärischer Gewalt durchgeführt werden. Lord Auckland sah sich einfach nicht in der Lage zu entscheiden, welches das kleinere Übel war. Erst als William McNaghten, sein politischer Sekretär, sich ganz auf die Seite von Wade stellte, rang George sich zu einer – katastrophalen – Entscheidung durch. Dost Mohammed mußte beseitigt werden.

Im August schrieb Emily:

All diese Kriegsvorkehrungen sind auf sehr viel Nervosität zurückzuführen. Der arme George, er trägt schwer an der Verantwortung. Keine Minister, kein Parlament an seiner Seite, und sein Kabinettsrat, wenn man das so nennen kann, ist unten in Kalkutta; er muß alle Antworten allein finden, und ich glaube, daß er das sehr gut macht.

Emilys Vertrauen in Georges weise Entscheidungen war so

unerschütterlich, daß sie nur die positiven Seiten eines möglichen Krieges sehen wollte, obwohl ihr vor dem Gedanken an Blutvergießen graute. «Etwas Gutes hat dieser Krieg für uns. Man hält es nicht für angebracht, daß George Ranjit Singh gegenübertritt, ohne nicht zehntausend Mann hinter sich zu haben, die unsere Armee allerdings erst im November bereitstellen kann. So haben wir noch drei Wochen hier in diesem kühlen Klima, und das sind drei heiße Wochen weniger in der Ebene.»

Allerdings kam zu den Verhandlungen mit Ranjit Singh eine weitere Dimension hinzu, denn George wollte ihn überreden, sowohl Geld als auch Truppen beizusteuern, um den Sturz von Dost Mohammed zu gewährleisten. Aus diesem Grund schickte er eine Abordnung zum Hof des Maharadschas in den Pandschab und empfing seinerseits in Simla eine Delegation zum Gegenbesuch. Deren Ankunft verursachte viel Aufregung, und Emily meisterte die Situation mit Bravour – obwohl ihre Anstrengungen keineswegs voll gewürdigt wurden.

Diese Delegation der Sikhs ist nun schon fast eine Woche bei uns. Sie kleiden sich wunderbar und erzählen den unsäglichsten Unsinn, den man sich vorstellen kann, über Rosen, die im Garten der Freundschaft blühen, und Nachtigallen, die aus den Tiefen der Zuneigung trällern, seit die zwei Mächte aufeinander zugegangen sind. Wir bewirten sie im ganz großen Stil, und ich bemühe mich nach Kräften, George beim Austausch von Komplimenten mit ihnen zur Seite zu stehen. Sie schätzen es allerdings überhaupt nicht, mit einer Frau sprechen zu müssen. Diesen armen, unwissenden Kreaturen ist nicht im mindesten bewußt, was für ein edles Wesen eine Engländerin ist. Wenn sie einmal einen Gedanken an uns verschwenden, dann ist es nichts als Verachtung. Ein schwerer Fehler . . .

Die Sikh-Abgeordneten folgten nur den strikten Anordnungen ihres Herrschers. Ranjit Singh war sehr angetan davon, daß sein Erzfeind entthront werden sollte. Nur hatte er nicht vor, seine eigenen Leute oder sein eigenes Geld in diesen Coup zu investieren. Das von vornherein klarzustellen, hätte allerdings einen Plan ins Wanken gebracht, der ihm sehr gelegen kam. Der «unsägliche Unsinn» war wohlkalkuliert, sollte schmeicheln und irreführen, und er verfehlte seine Wirkung nicht. Als schließlich die letzten Vorbereitungen für die große Begegnung abgeschlossen waren, lebte George immer noch glücklich in der Illusion, daß die erwünschte Hilfe gewährt werde.

Heute in vierzehn Tagen werden wir wieder in diesen furchtbaren Zelten leben – ich könnte einen hysterischen Anfall bekommen, wenn ich nur daran denke. Alles wird bereits eingepackt, und alle geben wie immer ihr Bestes, um es uns ohne Nachsicht so ungemütlich wie möglich zu machen. Die Vorbereitungen nehmen schon schreckenerregende Ausmaße an, Kisten und Vorräte werden bereits auf Kamelen abtransportiert. Diese Woche müssen schon viele Leute hinunterziehen in die Ebene. Die Armen, das ist etwa so klug, als ob ein Stück Brot vom Teller springen und sich gleich selbst zum Toasten begeben würde.

Mit der Idylle war es nun vorbei. Nach sieben wunderbaren Monaten in Simla nahmen sie ab dem 9. November 1838 wieder ihr «Wanderleben» auf. Diesmal gab es keinerlei Vorfreude wie damals, als sie von Kalkutta aus aufbrachen, keine Spur der Erleichterung, endlich der feuchten Hitze zu entkommen, die Emily vormals so aufgebracht hatte, daß sie sich sogar mit den Unbequemlichkeiten des Zeltlebens abgefunden hatte. Der Reiz, neue Menschen und Orte kennenzulernen und so einen Ausgleich für die fehlenden Freunde und Bekannten zu finden, wirkte bei diesem erneuten Aufbruch überhaupt nicht. In Simla hatte sie ihre Kisten auspacken und ihre Träume von England auffrischen können. Hier, inmitten von Rhododendronbüschen, Tulpen und viel frischer Luft konnte sie das alles in einer Art Ebenbild rekonstruieren. Jetzt wurde sogar dieses zerbrechliche Gebäude niedergerissen, England entglitt ihr wieder. Obwohl George seinen Schwestern gegenüber die ernste Lage in Afghanistan herunterspielte, um sie nicht zu beunruhigen, blieb es nicht aus, daß sie die gespannte Atmosphäre zwischen den Männern bemerkten. Ein seltsamer, wenngleich schwer faßbarer Schatten schien über ihnen allen zu lasten und ihre Abreise zu verdunkeln. Und Emilys Verzweiflung wurde durch das Wetter noch verstärkt:

Seit sechs Tagen sind wir nun schon in diesem Zeltlager, und es schüttet, wie das überhaupt nur in Indien möglich ist. Dies gräßliche Elend kann man gar nicht beschreiben; um jedes Zelt – manchmal auch mitten durch – laufen kleine Gräben voller Schlamm, in den man unweigerlich hineintritt. Die Bediensteten sind pudelnaß und wirken sehr unglücklich, und sogar die Kamele rutschen ständig aus. Wenn ich zu Georges Zelt gehen will, brauche ich einen Regenschirm, und zum Eßzelt werden wir in überdachten Sänften getragen. Ich kann mir gar nicht mehr vorstellen, was jemanden dazu verleiten könnte, nach Indien zu gehen und durch das Land zu ziehen – wenn die Leute doch in der Nähe des Manchester Square in einer Mansarde mit Kamin und Bretterboden wohnen und von ihrer Arbeit (vielleicht mit einem Zubrot durch Waschen und einfache Tätigkeiten) leben können.

Es war vereinbart worden, daß das große Treffen zwischen dem Generalgouverneur von Indien und dem «Löwen vom Pandschab» in Ferozepur an der Grenze zwischen Britisch-Indien und dem Pandschab stattfinden sollte. Ranjit Singh hatte sein Lager bereits am Westufer des Flusses Sutlej aufgeschlagen; die britische Indus-Armee war mit vierzehntausend Mann schon am Ostufer stationiert und bereit, dem afghanischen Thronbewerber Schah Schuja das Geleit nach Kabul zu geben. Am 26. November traf schließlich auch Lord Auckland mit seiner Begleitung ein.

Im Gegensatz zu der ordentlichen, beinahe zivilisierten kleinen Zeltstadt, die sie bisher auf jeder ihrer Stationen seit der Abreise aus Kalkutta aufgebaut hatten, erschien Emily das Lager am Sutlej wie eine Irrenanstalt: «Die Kavallerie liegt gleich hinter unseren Zelten», klagte sie. «Und immer wieder reißt sich irgendein Pferd los, beißt all die anderen, die wiederum schlagen aus und reißen sich auch los. Dann wachen die Pferdeburschen auf und fangen an zu brüllen. Die Knechte müssen die Zelthaken neu einschlagen, während überall die Pferde wiehern, bis sie wieder angebunden sind. Dazu gibt es noch einen (oder mehrere) völlig verrückte Trommler im Regiment, die morgens um fünf Uhr zu trommeln anfangen und bis sieben Uhr nicht aufhören. Wahrscheinlich ist das ein militärisches Manöver, aber darauf könnte ich verzichten.»

Das Klima, der Lärm und vor allem die gespannte Atmosphäre im Lager drohten ihr den letzten Rest Geduld und Nervenkraft zu rauben. Seit ihrer Abreise aus Simla litt sie dauernd unter Kopfschmerzen. Die ganze Strecke nach Ferozepur hatte sie hinter geschlossenen Vorhängen in einer Kutsche zurückgelegt, sich geweigert, etwas zu essen, mehr zu sprechen als unbedingt nötig, und keine Briefe mehr geschrieben. Als sie den Sutlej erreichten, blieb sie ganz im Bett.

Aber die Neugier war ein kräftiges Heilmittel. Nachdem in der Zeltstadt endlich etwas Ruhe eingekehrt war, bat George Ranjit Singh zum Auftakt einer langen Reihe von Empfängen, Paraden, Einladungen zum Tee oder Frühstück und anderen Festen, die zur Feier dieser historischen Begegnung geplant waren. Es hätte schon etwas Härteres als Kopfweh sein müssen, um Emily von diesem ersten Treffen mit dem sagenhaften Maharadscha fernzuhalten. Kurz nach ihrer ersten Begegnung griff sie gleich zur Feder; ihr ganzes Leiden war vergessen.

Heute war endlich der große Tag. Auf Elefanten ritten George und seine Leute Ranjit entgegen, der mit der gleichen Anzahl von Elefanten kam – das waren dann insgesamt so viele, daß man fast einen Zusammenstoß befürchten mußte und die Sitze und Aufbauten auf den Rücken der Tiere sehr gefährdet waren. George führte den Maharadscha in das große Zelt, wo er sich für ein paar Minuten zwischen mich und meinen Bruder auf das Sofa setzte.

Emily war völlig fasziniert. Dieser Mann von dunkler Herkunft hatte ein gewaltiges Reich von Tibet bis Afghanistan und den Indus flußabwärts bis hin zu den Wüsten von Radschastan und Sind geschaffen. Er galt als militärisches Genie und war berühmt für seinen Mut und sein politisches Gespür, das sogar die arrogantesten Briten in Indien beeindruckt hatte. Er war der absolute Herrscher über ein aufsässiges Volk und der beste Reiter in der ganzen Armee der Sikhs. «All das kann man beim besten Willen nicht ahnen, wenn man ihn sieht», schrieb Emily. «Er ist wie eine alte Maus, hat graue Barthaare und nur noch ein Auge.» Er war sehr klein, beinahe ein Zwerg, und auf dem ihm verbliebenen Auge sah er auch nicht mehr gut. Sein Gesicht war voller Pockennarben, er sprach schleppend und undeutlich und hatte einen schlurfenden Gang. Aber Emily war keineswegs enttäuscht. Obwohl er sich nicht im mindesten herausgeputzt hatte und nur «ein ganz gewöhnliches rotes Gewand und keinerlei Schmuck» trug, war dieser «seltsame alte Mann» doch von Kopf bis Fuß ein großer Herrscher. Sein einziges Auge sprühte vor Leben, er gestikulierte wild mit den Händen und strahlte eine ungeheure Energie aus.

Ihr Taktgefühl hielt Emily davon ab, etwas über die andere Seite des Maharadschas verlauten zu lassen: Er galt als Wüstling, dessen Exzesse viele ansonsten standfeste britische Gesandte an seinem Hof zutiefst schockiert hatten. Emily war darüber sicher informiert und fand Ranjit dadurch nur um so interessanter.

Bevor überhaupt irgendwelche ernsthafte Themen zwischen den Verhandlungspartnern besprochen werden konnten, mußten erst wichtige Rituale vollzogen werden. Zuerst marschierten die Regimenter der Indus-Armee vor dem Maharadscha auf, in Paradeuniform und mit Militärkapellen. Dann war es an Ranjit, George die Macht und Herrlichkeit seines Heeres zu demonstrieren. Emily und Fanny verfolgten das Spektakel von einem unbequemen Podium unter einem goldbestickten Baldachin aus und waren ziemlich beeindruckt. Der Aufzug übertraf alles, was sie bisher in dieser Art erlebt hatten, und wurde sogar ein gewisser Ausgleich dafür, daß sie die Krönung der Königin Viktoria in London verpaßt hatten. Ganze Abteilungen der Kavallerie der Sikhs führten in vollem Galopp schnelle Drehungen mit ihren Pferden vor, die Reiter trugen Gewänder aus rotem und gelbem Satin, die Pferde Zaumzeug aus Silber und Gold. Hunderte von Elefanten, in den schillerndsten Farben aufwendig bemalt und mit Edelsteinen behängt, paradierten mit fünfzig von Ranjits Lieblingspferden aus der königlichen Zucht, die mit Schweifriemen aus Smaragden, goldenen Zügeln, Trensen mit großen Perlen und diamantenbestickten Satteldecken geschmückt waren. Sogar die patriotische Emily mußte zugeben, daß der Auftritt «alle Pracht in Europa in den Schatten stellen» würde.

Drei Wochen lang hatte es den Anschein, als ginge es ausschließlich darum, jeweils den anderen an Pomp zu überbieten. Große Fähren voller Geschenke überquerten ständig den Fluß zwischen den beiden Lagern: feinste Kaschmirschals für Emily und Fanny, für Ranjit Singh ein Porträt der Königin

Viktoria, das Emily nach Vorlagen aus London für ihn gemalt hatte und in purem Gold rahmen ließ; für George gab es ein Bett aus Gold, mit Rubinen besetzt und mit gelber Seide bezogen, der Maharadscha erhielt einen Elefanten und sechs Pferde mit goldenem Zaumzeug. Dazu bekamen alle unglaublich große und wertvolle Juwelen. Immer wieder beklagte sich Emily darüber, daß die Ostindische Kompanie allen, auch dem Generalgouverneur und seinen Schwestern, untersagte, auch nur das kleinste und wertloseste Geschenk zu behalten. Doch sie gab zu, momentan an einer «Übersättigung an Diamanten» fast schon zu ersticken. Der Wettstreit erstreckte sich auch auf die Einladungen. Ranjit gab ein Abendessen inmitten eines duftenden Blumengartens, der Blüte für Blüte von Lahore herbeigeschafft worden war. Daraufhin lud George zu einem ähnlichen Fest ins Lager der Engländer – dort bestand das Dekor nicht aus Blüten, sondern aus zweiundvierzigtausend Öllämpchen.

Als First Lady saß Emily bei diesen ausgedehnten Festen immer auf dem Ehrenplatz zur Rechten des Maharadschas, eine willkommene Gelegenheit, den kleinen Mann eingehender zu beobachten. Sobald er Platz genommen hatte, brachte ihm ein Diener die goldene Flasche mit seinem Lieblingsgetränk, einem unglaublich starken alkoholischen Getränk, von dem weniger harte Männer angeblich schon nach dem ersten Glas ohnmächtig umgekippt waren. Einmal bestand Ranjit darauf, daß Emily davon probierte, was sie auch tat aus Angst, ihn sonst zu beleidigen. «Schon der erste Tropfen verbrannte mir die Lippen, ich konnte das fast nicht herunterschlucken.» Einer von Georges Aide-de-camp, den Ranjit zu einem Trinkgelage herausgefordert hatte, überlebte nur deshalb, weil es ihm gelang, unbemerkt sein Glas des öfteren auf den Teppich unter den Tisch zu leeren. Emily setzte diesen Trick bei den unzähligen Delikatessen ein, die ihr der Maharadscha immer wieder mit seinen nicht allzu sauberen Fingern von seinem Teller anbot. Weniger diskrete Beobachter als Miss Eden berichteten auch, daß er hin und wieder vom Tisch aufstand, in eine Ecke des Zelts pinkelte und seelenruhig zur Tafel zurückkehrte. Er benahm sich jedenfalls so außergewöhnlich und unberechenbar, daß Emily manchmal den ganzen Abend lang keinen Bissen aß. Mehr als einmal hätte sie schwören können, daß er ihr deutlich zuzwinkerte, obwohl bei diesem Einäugigen Blinzeln und Zuzwinkern schwer zu unterscheiden waren. Sie vermutete zwar nur, daß er mit ihr flirten wollte, aber ganz offensichtlich bereitete es ihm viel Vergnügen, sie zu schockieren. Miss Eden hatte allerdings genausoviel Spaß daran, sich eben nicht schockieren zu lassen. Um die Haltung der Schwester eines Generalgouverneurs zu erschüttern, brauchte es einiges mehr als einen «betrunkenen, alten Lüstling» wie diesen Maharadscha.

Nachdem genügend Höflichkeiten ausgetauscht waren, ging es an die Politik. Die Verhandlungen liefen sehr zäh, Lord Auckland war nunmehr völlig auf die Linie von Wade eingeschwenkt, und der Maharadscha war ebenso fest entschlossen, sich nicht direkt einzumischen. Mitte Dezember wurde der Maharadscha krank, «bei seiner Lebensweise keine Überraschung», meinte Emily, und sein gesamtes Lager zog mit ihm zurück nach Lahore. Nach ihrem dritten Weihnachtsfest in Indien fühlte Emily sich völlig erschöpft. Sie war viel zu müde, um sich mit den Details des letztendlich zwischen den beiden Mächten geschlossenen Vertrages zu befassen, und merkte nicht, wie geschickt Ranjit Singh die Verantwortung, der Indus-Armee beizustehen, an die Emire von Sind abgeschoben hatte. Wenn George dachte, er könne Schah Schuja auch ohne die Hilfe des Maharadschas auf den Thron von Kabul bringen, dann war sie sicher, daß er damit recht behalten würde.

Die unglückselige Armee wurde schließlich 1839 kurz nach Neujahr in Richtung Afghanistan in Bewegung gesetzt. Sie würde mehrere Monate brauchen, um Kabul zu erreichen, und solange die weitere Entwicklung ungewiß war, konnte der

Generalgouverneur unmöglich nach Kalkutta zurückkehren. Daher verbrachte Emily nach einem ausgiebigen Abstecher nach Delhi einen zweiten Sommer in Simla. Aus Afghanistan kamen bessere Nachrichten, als sie zu hoffen gewagt hatten. Kandahar fiel im April, im August marschierte die britische Armee mit Schah Schuja an der Spitze und McNaghten und Burnes an seiner Seite endlich in Kabul ein. Nach harten Kämpfen wurde Dost Mohammed in die Flucht geschlagen und die Marionette Großbritanniens auf den Thron gesetzt. Dies alles wurde in Simla kurz nach der Nachricht vom Tod Ranjit Singhs in Lahore bekannt. Emilys Traurigkeit über den Tod ihres alten Kontrahenten wurde gemildert durch ihren Stolz, als sie aus London erfuhren, daß George wegen seines Erfolges in Afghanistan in den Grafenstand erhoben werden sollte.

Als der Generalgouverneur und seine Entourage auf dem Rückweg nach Kalkutta im Dezember Agra erreichten, kamen die ersten Hinweise, daß doch nicht alles so gut stand, wie sie dachten. Dost Mohammed war dabei, eine riesige Armee zu sammeln, und bedrohte Kabul. Die Bevölkerung der Stadt hatte britischen Berichten zufolge Schah Schuja anfangs mit offenen Armen empfangen, lehnte sich jetzt aber gegen seine unfähige Regierung auf. Anstatt sich wie erhofft zurückziehen und die Kontrolle Schah Schuja überlassen zu können, schien die Indus-Armee nunmehr dringend Verstärkung zu brauchen. «Unsere Pläne haben sich komplett geändert – ich werde krank, wenn ich nur daran denke», schrieb Emily am Weihnachtsabend aus Agra. «Afghanistan erfordert momentan so viel Aufmerksamkeit, daß George beschlossen hat, zunächst nicht nach Kalkutta zurückzukehren. Wir sollen die ganzen nächsten zehn Monate hierbleiben. Mit der Stimmung, in die mich das alles versetzt, wäre ich fast froh, wenn die Sikhs oder die Russen oder wer auch immer kommen und uns alle gefangennehmen würden. Das wäre wenigstens ein direkter Weg aus diesem Land heraus.»

Bereits in der ersten Woche des neuen Jahres schrieb sie ihren nächsten Brief: «Zeiten wie diese habe ich noch nicht erlebt! Ich bin zu alt für die dauernden Änderungen und doch um diese neue ganz froh. Heute morgen wurde ich von George geweckt, er streckte seinen Kopf in mein Zelt und sagte: ‹Ich habe gerade die Post aus dem Ausland bekommen und alle Pläne geändert. Wir gehen sofort zurück nach Kalkutta.› Ich bin so glücklich, daß ich sogar anfange, die eingeborenen Diener zu mögen. Sie sind ganz aufgedreht, werfen sich immerzu auf den Boden, reißen die Turbane vom Kopf und danken Ihrer Lordschaft inbrünstig, daß er sie wieder zurück zu ihren Familien bringt.»

Mit der Post war die Nachricht über einen internationalen Zwischenfall eingetroffen, der vermutlich Krieg bedeutete: Die Chinesen hatten den Hafen von Kanton für den gesamten Opiumhandel geschlossen und damit einen schweren Schlag gegen einen der wichtigsten Exportzweige der Ostindischen Kompanie gelandet. Als Generalgouverneur von Indien und damit auch ranghöchster Beamter der Ostindischen Kompanie in dieser Region lag es in Georges Verantwortung, daß der Handel nicht unterbrochen wurde. Seine Anwesenheit in Kalkutta war so dringend erforderlich, daß er sofort aufbrechen und unabhängig von den anderen in die Hauptstadt reisen mußte. «Georges plötzlicher Aufbruch bereitet mir viel Kummer», klagte Emily. «Es geht einfach nicht, hier ohne ihn zu leben.» In Wahrheit waren sie vor allem neidisch, daß er dem elenden Leben in der Zeltstadt entfliehen und so viel früher als sie diese lange Reise beenden konnte.

Erst Ende Februar 1840 konnten Emily und Fanny endlich den letzten Blick auf die Zelte werfen, die – mit einigen Unterbrechungen – zweieinhalb Jahre lang ihr Zuhause gewesen waren. Als sie Allahabad erreichten, schwor Emily: «In diesem meinem irdischen Leben war das mit Sicherheit das letzte Mal, daß ich noch vor dem Frühstück eine lange, staubige Reise unternehme.» Als sie die Überreste des Zeltlagers begutachtete, stellte sie fest, daß sie sich gerade noch rechtzeitig auf den Heimweg begaben. Alles schien in Fetzen zu sein, selbst die Flickstellen an den Zelten waren schon voller Löcher, die Möbel fielen auseinander, fast das ganze Porzellan war zerbrochen, und was ihre eigene Kleidung betraf, «nun ja», schrieb Emily, «ich habe noch ein Paar Schuhe, wobei der rechte ein großes Loch hat, mein letztes Kleid ist zerrissen, und mein einziger übriggebliebener Hut ist vom Staub ganz braun geworden». Als sie am 1. März in ihrem staubigen, zerfetzten Kleid die Treppen zum Regierungssitz in Kalkutta hinaufstieg, fand Emily das fast so gut wie eine Heimkehr nach England.

Doch ihr Wunschtraum, Indien im März 1841 endlich verlassen zu können, sollte nicht in Erfüllung gehen. Die Wahl in England, mit der auch Georges Amtszeit enden sollte, wurde verschoben, und er mußte daher bleiben. Der Alptraum schien kein Ende zu nehmen. Doch es sollte noch schlimmer kommen. In den Berichten aus Afghanistan war inzwischen von offener Rebellion und von Intrigen die Rede, britische Offiziere wurden in den Straßen von Kabul gesteinigt, und feindliche Stämme rotteten sich zum Aufstand gegen Schah Schuja und die Besatzungsarmee zusammen. Lord Auckland erhielt aus London den Befehl, angesichts dieser Feindseligkeiten und der immensen Unterhaltskosten die Indus-Armee aus der Gegend von Kabul zurückzuziehen. Jetzt beging George einen zweiten fatalen Fehler. Anstatt diesen Anordnungen Folge zu leisten, verließ er sich noch einmal auf den Rat von McNaghten in Kabul, der immer noch nicht glauben wollte, daß Dost Mohammed die Rückkehr gelingen würde. Zum Jahresende waren dann sowohl McNaghten als auch Burnes ermordet, ihre zerstückelten Leichen wurden einer triumphierenden Menschenmenge in Kabul vorgeführt, und die einstmals ruhmreiche Indus-Armee befand sich auf einem schmachvollen Rückzug. Von den fünftausend Soldaten, die im Januar 1842 aus Kabul flohen, überlebte nur eine Handvoll das Gemetzel.

Emily blieb nichts weiter übrig, als dazusitzen und zuzusehen, wie George vor ihren Augen von Tag zu Tag alterte. Sie blieb dabei, daß er dem Rat von McNaghten gefolgt war und deshalb die Schuld für diese immense Tragödie auch bei McNaghten liege. Aber sie wußte genausogut wie George, daß das keine Entschuldigung war. Letztendlich trug der Generalgouverneur die Verantwortung. Trotz vieler beeindruckender Leistungen während seiner sechsjährigen Amtszeit würde man Lord Auckland als den Mann im Gedächtnis behalten, der für eine der größten Niederlagen der britischen Armee in Asien verantwortlich war, die nur vom Verlust Singapurs noch übertroffen wurde.

Als im Juli 1841 schließlich die aufgeschobenen Wahlen stattfanden, wurden die Whigs besiegt und die Tories kamen wieder an die Macht. Im Frühjahr 1842 traf der neue Generalgouverneur, Lord Ellenborough, in Kalkutta ein. Sobald er sich mit den Gegebenheiten ausreichend vertraut gemacht hatte, stand es George, Emily und Fanny frei, Indien zu verlassen. Der Augenblick, auf den sich Emily sechs Jahre lang gefreut hatte, war endlich da – aber jetzt konnte sie nur weinen.

Nach ihrer Rückkehr nach England zogen Emily, George und Fanny zusammen in eine Villa in Kensington, in der heute die *Royal Geographical Society* ihren Sitz hat. Obwohl sich Emily wie eh und je ständig über ihre Gesundheit beklagte, überlebte sie sowohl ihren älteren Bruder als auch ihre jüngere Schwester um zwanzig Jahre. George starb ganz plötzlich am Neujahrstag 1849 an einer Gehirnblutung, Fanny erlag vier Monate später im Alter von nur 48 Jahren einem Herzversagen. Emily war untröstlich.

Für den Rest des Lebens hatte sie ihre größte Freude an den Besuchen ihrer vielen Nichten und Neffen, an der Korrespondenz mit ihren Freunden und an ihrer schriftstellerischen Arbeit. Ihr erster Roman, *The Semi-Detached House*, erschien 1859, und ihr zweiter, *The Semi-Detached Couple,* im Jahre 1860. Obwohl beide Bücher mit beachtlicher Resonanz aufgenommen wurden, war Emilys erfolgreichstes und populärstes Buch doch *Up the Country,* eine von ihr selbst getroffene Auswahl ihrer Briefe aus Indien, die 1866 erschien.

Emily Eden starb im August 1869 im Alter von 72 Jahren.

Anna Leonowens

Wunsch nach Freiheit

Im Januar 1862 bat in Singapur Seine Exzellenz der Konsul von Siam die Leiterin einer kleinen Schule für Kinder britischer Offiziere um eine Unterredung. Seine Majestät Somdetch P'hra Paramendr Maha Mongkut, der Allerhöchste König von Siam, suchte eine englische Gouvernante für die Erziehung seiner Kinder, und er war nun beauftragt, die ehrenwerte Dame zu fragen, ob sie diese Aufgabe übernehmen würde.

Die Schulleiterin hieß Anna Leonowens. Ihre spontane Reaktion war ein Nein; sie wußte nichts über Siam, die Bevölkerung oder den König; sie hatte weder Freunde noch Bekannte dort und verstand kein Wort der Landessprache. Doch nach dem Gespräch mit dem Konsul dachte sie über den Vorschlag und ihre derzeitigen Lebensumstände noch einmal nach. Sie war einunddreißig Jahre alt, verwitwet, Mutter von zwei kleinen Kindern, und da britische Offiziere die ärgerliche Angewohnheit hatten, die Bezahlung des Schulgeldes ihrer Kinder zu vergessen, ging es ihrer Schule nicht besonders gut. Je länger sie überlegte, desto passender, ja attraktiv erschien ihr das Angebot des Konsuls.

Sie kam zu dem Schluß, daß eine Tätigkeit beim Allerhöchsten König von Siam ihr vielleicht mehr Sicherheit bieten könnte. Daher setzte sie sich schließlich mit dem Konsul in Verbindung und teilte ihm mit, daß sie nun doch bereit sei, «die Aufgabe zu übernehmen». Einen Monat später kam ein Brief in der Schule an:

Großer Königlicher Palast, Bangkok. Sehr geehrte Frau, wir sind von Herzen erfreut und zufrieden, daß Sie bereit sind, unsere geliebten königlichen Kinder zu unterrichten. Und wir hoffen, daß Sie in diesem Unterricht, den Sie uns und unseren Kindern (die Engländer als Bewohner eines gesegneten Landes bezeichnen) zuteil lassen werden, Ihr größtes Augenmerk auf die Kenntnisse der englischen Sprache, Literatur und Wissenschaft richten werden und nicht auf die

Bekehrung zum Christentum. Denn die Anhänger Buddhas sind sich der Kraft von Wahrheit und Tugend ebenso deutlich bewußt wie die Anhänger von Christus, und sie wollen eher die englische Sprache erlernen als etwas über einen neuen Glauben. Vertrauen Sie mir, Ihr sehr ergebener S.P.P.Maha Mongkut.

Drei Wochen nach Erhalt dieses pittoresken Schreibens brach Anna Leonowens von Singapur nach Bangkok auf.

Im Musical «Der König und ich» aus den fünfziger Jahren, das auf Annas Erlebnissen in Siam beruhte, wird Mongkut als Mischung zwischen dem Hunnenkönig Attila und dem Clown Coco porträtiert. (Wie Anna feststellen sollte, vereinte dieser Mann, der ihr Arbeitgeber wurde, in sich sowohl Elemente eines Despoten wie eines Narren, doch waren das nur zwei kleine Teile eines sehr vielfältigen Mosaiks.) Sie selbst wurde als gönnerhafte amerikanische Witwe dargestellt, die Reifröcke von 2,50 Meter Durchmesser trug, dem König das Walzertanzen beibrachte und die meiste Zeit mit niedlichen kleinen Prinzessinnen verbrachte. Sie lebte in einer Landschaft wie auf alten chinesischen Porzellanmalereien und sang wehmütige Lieder über die Leiden junger Liebe – das alles war zwar vielleicht nicht ganz so beleidigend, aber darum auch nicht wahrer.

Für viele dieser Verdrehungen waren die phantasiebegabten Theaterschreiber verantwortlich, doch ein Teil der Schuld liegt auch bei Anna selbst. Als sie in ihrem Buch *The English Governess at the Siamese Court* ihre Jahre am Königshof von Siam beschrieb, dramatisierte, übertrieb und erfand sie Teile ihrer Geschichte, um eine breitere Leserschaft anzusprechen und nicht ein Werk vorzulegen, das ihrer Meinung nach nur für Spezialisten interessant gewesen wäre. Annas Biographin nahm später verständlicherweise auch die Ungenauigkeiten für bare Münze und interpretierte sie entsprechend. Bis zur

Vertonung der Geschichte «Anna und der König von Siam» war sie bereits dreimal nach ganz unterschiedlichen Vorstellungen intensiv bearbeitet worden; daher kann es kaum überraschen, daß sie nur noch entfernt der Wahrheit entsprach.

Anna gibt in ihrer eigenen Version ihrer Kindheit, auf der auch die Biographie beruhte, an, sie sei 1834 in Caernarvon in Wales geboren und ihr Vater Thomas Maxwell Crawford sei Captain (später Colonel) der Indischen Armee gewesen. Als sie sechs Jahre alt war, seien ihre Eltern nach Indien zurückgekehrt und hätten sie und ihre Schwester in der Obhut einer Tante in Wales gelassen.

Wir erfahren, daß die liebevoll aufgezogene Anna mit sechzehn Jahren zu ihren Eltern nach Indien fuhr, wo sie bald den Lieutenant (später Major) Thomas Leonowens aus der Intendantur der Armee kennen- und lieben lernte. 1851 heirateten sie und bezogen ein gemütliches, lebensfrohes Haus am Stadtrand von Bombay. Ihre beiden ersten Kinder starben sehr früh, und das junge Paar zog wegen Annas Gesundheit nach London. Dort wurden zwei weitere Kinder geboren, die Tochter Avis im Jahr 1854 und 1855 der Sohn Louis.

Im darauffolgenden Jahr erhielt Thomas die Order, sich in Singapur seinem Regiment anzuschließen. Im Sommer 1857 brach während des Großen Aufstands in Indien die Agra-Bank in Indien zusammen, und damit war auch die ansehnliche Erbschaft von Annas kurz zuvor verstorbenen Eltern verloren. Schließlich ist zu lesen, daß sich 1858 der schlimmste aller Unglücksfälle ereignete: Auf dem Heimritt nach einer Tigerjagd mit seinem Regiment starb Thomas an einem Hitzschlag. Nun war Anna eine mit Armut geschlagene Witwe. Um ihre Kinder ernähren zu können, eröffnete sie in Singapur eine Schule, und in ihrer Eigenschaft als deren Leiterin wurde der Gesandte von Siam auf sie aufmerksam.

Das klingt alles ganz plausibel, und erst 1970 kamen erstmals Zweifel an ihrer Geschichte auf. Als der Historiker William Bristowe den Lebensweg von Annas Sohn Louis recherchierte, entdeckte er in der Folge auch eine völlig andere Anna. In seinem Buch *Louis and the King of Siam* enthüllt Bristowe, daß ihr Vater ein Sergeant Edwards war, nicht ein Captain Crawford, daß sie in Ahmednagar, zweihundert Kilometer westlich von Bombay, und nicht in Caernarvon geboren wurde, ihr Ehemann hieß ganz einfach Thomas Leon Owens und war Angestellter im Lohnbüro der Armee. Er starb nicht durch einen Hitzschlag auf der Rückkehr nach einer Tigerjagd, sondern erlag als Hotelbesitzer in Penang einem Schlaganfall. Obwohl ihre ersten beiden Kinder tatsächlich früh starben und das dritte und das vierte, Avis und Louis, überlebten, ist der Rest der Geschichte erfunden. Das in Agra verlorene Vermögen hat nie existiert, die behütete Kindheit in Wales entpuppte sich als eine eher rauhe Erziehung in Bombay, obwohl sie offensichtlich einige Schuljahre in England einschloß, und – Schrecken aller Schrecken – in den Adern der unglücklichen Dame könnten sogar einige Tropfen afrikanisches Blut geflossen sein. Das ganze Märchen entstand nach dem Tod von Annas Ehemann. Sie war damals achtundzwanzig Jahre alt, ihre Eltern waren tot, und sie verspürte nicht den Wunsch, zu ihren verbliebenen Verwandten in Indien zurückzukehren.

Da die Lebensverhältnisse der Offiziere und ihrer Familien so viel ausführlicher dokumentiert sind, werden sie im allgemeinen als repräsentativ für das Leben aller Briten in Indien angesehen. Das ist nicht richtig. Für die «anderen Dienstgrade» war das Leben in Indien oft hart und hatte mit eleganten Salons, turbantragenden Dienern und unbeschwertem Müßiggängertum sehr wenig zu tun. Sie wurden abgedrängt in das unbequeme und schwer erträgliche Niemandsland, auf dessen einer Seite Offiziere und Gentlemen standen, auf der anderen die einheimische Bevölkerung. Von beiden Seiten kam entweder Verachtung oder völliges Unverständnis. Diesem Ghetto wollten Anna und Thomas entfliehen, als sie sechs Jahre nach ihrer Heirat Indien schließlich verließen. 1856 kamen sie und ihre beiden Kinder in Penang an.

Über Thomas Leon Owens ist sehr wenig bekannt – und Anna erwähnte ihn nie direkt und auch nur selten in ihren Büchern –, doch er scheint ehrgeizig und als Hotelbesitzer in Penang durchaus erfolgreich gewesen zu sein. Obwohl ein Hotelier auf der sozialen Leiter nur ein oder zwei Sprossen über einem Verwaltungsangestellten stand, so hatte er doch wenigstens nicht unter der lähmenden Bürokratie der niedrigen Ränge der Beamtenschaft in Indien zu leiden. Als Thomas zwei Jahre später starb, hatte er so viel Geld gespart, daß Anna und ihre beiden Kinder sicher nicht mittellos zurückblieben. Doch sein Tod war ein grausamer Schlag. Solange Thomas an ihrer Seite stand, hatte Anna kaum einen Gedanken an die Sicherheit ihrer Position verschwendet. Jetzt erkannte sie plötzlich, daß der zur Hälfte geschaffte Aufstieg noch keinen Platz zum Ausruhen bot. Es wäre Verrat an ihren und Thomas' Träumen gewesen, wenn sie wieder dorthin hinuntergerutscht wäre, wo sie herkam. Als einzige Alternative konnte sie nur so schnell wie möglich nach oben klettern.

Anna war nicht nur eine Frau mit einem gut entwickelten Unabhängigkeitsdrang, sondern dabei auch ziemlich zielstrebig und überraschend sprachbegabt: In ihrer ansonsten durchschnittlichen Erziehung in England hatte sie auch Französischunterricht erhalten, Hindustani und Sanskrit lernte sie zusammen mit Thomas in Bombay und in Penang dann ziemlich schnell Malaiisch. Ihre Talente brachten sie auf eine Idee – nicht so sehr, wie sie und ihre Kinder überleben könnten –, sondern eher, wie sie mit ihrem Sonnenschirm aus dem Niemandsland herauskam und in die feine Gesellschaft eintreten könnte. Doch Anna wußte, daß etwas Geld und Sprachbegabung allein für einen Erfolg bei diesem Unternehmen nicht ausreichten – sie würde Referenzen brauchen.

Drei Dinge hatte sie zu tun: Sie mußte Penang verlassen, weil zu viele Menschen sie dort kannten; sie mußte eine neue Vergangenheit für sich erfinden, und sie mußte lernen – schnell lernen.

Der Umzug nach Singapur war ganz einfach, und das Geld von Thomas reichte auch aus, um die Schule zu eröffnen. Die Geschichte mit Annas Hintergrund war ebenfalls leicht: Sie beförderte ihren Vater vom Sergeant zum Colonel, ihr Ehemann wurde zum Major, und sie erwähnte eine Erbschaft, die während der Unruhen des Aufstands von 1857 verlorengegangen war. All das überzeugte die Offiziere, daß sie die geeignete Person war, der sie ohne weiteres die Erziehung ihrer Kinder anvertrauen konnten. Das Lernen stellte sich jedoch als etwas komplizierter heraus.

Die Nuancen einer gepflegten Ausdrucksweise waren relativ leicht zu meistern, obwohl Anna manchmal von ihrer Redelust überrannt wurde, doch die Feinheiten damenhaften Benehmens machten wesentlich mehr Schwierigkeiten. Vielleicht wählte sie aufgrund der Tatsache, daß sie mit dieser Welt nicht wirklich vertraut war, als Vorbild eine «Dame» des romantisierten viktorianischen Weiblichkeitsideals. In ihren Beschreibungen der verschiedenen Situationen, die sie in Siam erlebte, und ihrer eigenen Reaktionen und Verhaltensweisen orientiert sie sich ganz unverkennbar an der Kunst und Literatur jener Zeit: Drama folgt auf Melodrama, stürmische Helden und finstere Bösewichte jagen einander über die Seiten, während unschuldige Kinder im lockigen Haar, treue Haustiere und zarte Mütter mit umflortem Blick alle Prüfungen mit einem tapferen, leidvollen Lächeln ertragen. Da dieses Bild einer Frau übergestülpt wurde, die sehr weit von diesem viktorianischen Ideal entfernt war – ihr Blick verschleierte sich vielleicht einmal beim Zwiebelschneiden, und sie hätte vermutlich einen Teller nach demjenigen geworfen, der sie «zart» nannte –, waren die Ergebnisse nicht völlig überzeugend. Sie reichten zwar aus, um Anna für die Erziehung der Kinder aus der besseren Gesellschaft auszuweisen – doch irgendwie öffnete die bessere Gesellschaft selbst nicht ihre Türen für sie. Der Umzug nach Siam schien ihr – vor allem, da sie so auch in Kontakt zu königlichen Kreisen kam – ebensoviel Respektabilität, wesentlich mehr Sicherheit und eine Chance zu bieten, den abschätzenden Blicken der Gesellschaft von Singapur zu entkommen.

In Wirklichkeit tat sich Anna keinen großen Gefallen damit, als sie die Gepflogenheiten und Manieriertheiten übernahm, die sie für «Qualität» hielt. Nicht viele Angehörige ihrer sozialen Schicht waren so wach, so gewandt und so wagemutig wie sie. Hätte sie ihre Erlebnisse ungeschönt niedergeschrieben, wären ihre Aufzeichnungen einzigartig. Genau die Tatsache, vor denen sie jetzt zwar nicht floh, die sie jedoch unbedingt verbergen wollte – ihre bescheidene Herkunft und der Umstand, daß sie selbst für ihren Lebensunterhalt sorgen mußte –, hätten ihr die Bewunderung und den Respekt der Leser, Historiker und Reisenden gesichert. Sie wäre dann eine überraschende und willkommene Ausnahme in der großen Mehrheit der Reisenden ihrer Zeit, die, wie Dorothy Middleton schreibt, «in mittlerem Alter, durchschnittlich und gesundheitlich arm dran» waren.

Leider, doch verständlicherweise, entschied sie sich dafür, es diesen gleichzutun. Während man die Einsamkeit und Unsicherheit leicht nachvollziehen kann, die sie zu dieser Verstellung bewegten, so ist es doch schwer, diese verpaßte Gelegenheit nicht zu bedauern. Es wäre zum Beispiel interessant zu erfahren, was sie tatsächlich über Bangkok dachte. Anna war vorher noch nie in Siam gewesen, und die Zeit zwischen ihrer Zustimmung zum Angebot des Konsuls und ihrer Abreise war so kurz, daß sie nicht viel über ihr zukünftiges Zuhause in Erfahrung bringen konnte. Doch eine Frau, die fast ihr ganzes Leben in Asien verbracht hat, war von Bangkok vermutlich genausowenig zu irritieren wie jemand aus London beim ersten Besuch in Marseille oder Venedig. Trotzdem – oder gerade deswegen – beschrieb sie Jahre später ihre Ankunft in Bangkok vom Blickwinkel der großäugigen Anfängerin und nicht der erfahrenen Reisenden, denn ihre Leser sollten ja glauben, daß sie dieser fremden Welt völlig unvorbereitet begegnete.

Düsternis und Geheimnis des heidnischen Landes, in das wir eindrangen, erfüllten mich bei Einbruch der Nacht mit einer unbestimmbaren Furcht. Hier war die unbekannte schwimmende Stadt, mit ihren fremden Menschen in all den offenen Vorbauten, auf den Kais und Molen; die unzähligen Flöße und Boote, Kanus und Gondeln, Dschunken und Schiffe; die schwarze Rauchwolke des Dampfers, das kräftige Stampfen der Maschine, verwirrendes Geschrei von Männern, Frauen und Kindern, die Rufe der Hafenarbeiter, Hundegebell – und niemand außer mir schien sich Sorgen zu machen.

Nicht erfunden waren die Tränen in ihren Augen, als ihr kleiner Sohn sich voller Unruhe auf dem Deck der *Chao Phraya* an sie klammerte. Der knapp sechsjährige Louis war als zu jung angesehen worden, um ohne seine Mutter zu leben. Mit seiner *ayah* Beebe, deren Ehemann Munshee und einem Neufundländer namens Bessy sollte Louis während ihrer Zeit in Bangkok bei Anna bleiben. Die achtjährige Avis war noch vor ihrer Abreise aus Singapur nach England in die Schule zurückgeschickt worden, und Anna wußte, daß sie ihre Tochter einige Jahre lang nicht sehen würde. «Die Erinnerung an ihren liebevollen Abschied trübte meinen Blick, und erst als wir mit einem heftigen Stoß vor Anker gingen, kehrte auch ich mit einem Schock und zitternd zurück in meine harte Realität.»

Minuten nachdem die *Chao Phraya* Anker gesetzt hatte, war der Fluß voll von kleinen Booten, «gesteuert von amphibischen, halbnackten Kreaturen, deren schrilles Geschrei die Luft erfüllte, während sie sich auf uns zubewegten». Plötzlich öffnete sich wie von Zauberhand ein Kanal in der drängenden, hin und her wogenden Masse, und eine prunkvolle, von Fackeln erleuchtete Drachengondel kam längsseits an den Dampfer. Aus diesem exotischen Gefährt stieg ein siamesischer Beamter an Deck, «der sehr herrisch wirkte». Anna –

dieses Mal die wirkliche Anna – war von der Reaktion der Mannschaft der *Chao Phraya* mehr überrascht als von dieser Erscheinung, denn alle «Asiaten» an Bord mit Ausnahme von Beebe und Munshee warfen sich sofort auf die Knie und preßten die Stirn auf den Boden. Erst als die Erscheinung das entsprechende Zeichen der Zustimmung gab, stellte der Kapitän des Dampfers ihn vor: «Seine Exzellenz Chow Phra Suriyawongse, Premierminister des Königreichs Siam.»

Vom Premierminister persönlich begrüßt zu werden war äußerst befriedigend. Obwohl er «halbnackt war und kein Rangabzeichen trug», hatte Suriyawongse eine Ausstrahlung, die die Aufmerksamkeit fesselte und Respekt gebot. «Er winkte in einer gebieterischen Haltung, die auf merkwürdige Weise im Gegensatz zu seiner fast anstößigen Bekleidung stand – er schien das überhaupt nicht wahrzunehmen –, einen Übersetzer zu sich und forderte ihn auf, mich auf englisch einiges zu fragen.»

Ihre Befriedigung verwandelte sich bald in Schrecken. Sobald der Premierminister sich vergewissert hatte, daß sie tatsächlich die erwartete Gouvernante war, drehte er sich um und ging. Als Anna ihn nach ihrer Unterkunft fragte, antwortete er brüsk, er habe keine Ahnung, man könne vom König nicht erwarten, daß er sich um alles kümmerte, und sie könne gehen, wohin sie wolle. Dann stieg er wieder in sein Boot und wurde zurück ans Ufer gerudert.

Die übertriebenen Bemühungen um eine gestelzte Ausdrucksweise und der unschuldige Blick aus großen Augen verraten eigentlich schon alles über Anna, ebenso wie ihr Verhalten gegenüber Autoritäten. In der kleinsten Kränkung vermutete sie einen Angriff auf ihre erworbene Stellung, viel schneller als jede andere, die von Geburt an einen Status besaß. Unterordnung hatte sie, wie auch das Zwiebelschneiden, hinter sich gelassen. Damen von Stand mußten sich ohne Zweifel vor niemandem beugen, auch nicht vor Premierministern oder Königen. Statt dieser «herzlosen, launenhaften

Frechheit von seiten meiner Arbeitgeber» mit Gelassenheit zu begegnen, brach sie zornig und verletzt in Tränen aus.

Gerade zur rechten Zeit kam Captain Bush, der englische Hafenmeister. Er rettete Anna und Louis und lud sie für die Nacht in sein Haus ein. Durch Frau Bushs überaus herzlichen Empfang ging es Anna bald besser, und am nächsten Morgen war sie wieder ganz gnädig gestimmt, als ein «Sklave» sie abholte und zum Palast des Premierministers brachte.

Der Dolmetscher führte uns durch eine Suite geräumiger Zimmer, alle mit Teppichen, Leuchtern und Mobiliar nach dem teuersten europäischen Geschmack eingerichtet. Eine herrliche Vase, eine polierte Treibarbeit aus Silber, stand auf einem Tisch mit Perlmutteinlagen und Silberziselierungen. Zahllose wunderschöne Blumen erfüllten die Räume mit ihrem feinen Duft. Überall konnten sich meine Augen an seltenen Vasen erfreuen, an edelsteinbesetzten Bechern und Dosen, zierlichen antiken und auch modernen Statuetten – *objets de virtu* –, aus dem Orient und aus Europa, denn der Glanz der alten barbarischen Herrlichkeiten verband sich mit der Feinheit der jüngeren Kunstwerke.

Als sie plötzlich Suriyawongse, «dem halbnackten Barbaren vom vorigen Abend», von Angesicht zu Angesicht gegenüberstand, sträubten sich ihre Nackenhaare. Ohne es zu wissen, löste der Premierminister jedoch die gespannte Situation, denn er reichte Anna die Hand und begrüßte sie mit «Guten Morgen, Sir». Durch diese komische Anrede war es mit ihrer hochnäsigen Haltung sofort vorbei. Da er Louis freundlich anlächelte und sich höflich nach ihrem Wohlergehen erkundigte, fühlte sie sich ermutigt, die Frage ihrer Unterbringung anzusprechen. Höflich, aber klar brachte sie ihre Wünsche vor — ein ruhiges Haus oder eine Wohnung, wo sie ungestört und völlig frei vor und nach der Unterrichtszeit leben könnte. Die Reaktion des Premierministers ließ nichts Gutes ahnen. «Er stand da und lächelte mich an, als ob er überrascht sei, daß ich den Wunsch nach Freiheit verspürte.»

Suriyawongse war in der Tat überrascht. Es war ihm einfach unverständlich, daß eine unverheiratete Frau frei oder ungestört sein wollte. Doch als er nachfragte, um die Motive für solch eine ungewöhnliche Einstellung zu erfahren, setzte Anna sich wieder auf ihr hohes Roß. Warum sie eine eigene Wohnung und was sie dort tun wollte, ginge ihn nichts an – er sollte sich bitte sehr nicht in ihre persönlichen Angelegenheiten einmischen. Wenn der Premierminister weniger zurückhaltend gewesen wäre, hätte Anna jetzt eine wertvolle Lektion lernen können, denn als er nach dieser Beleidigung auf dem Absatz kehrtmachte und aus dem Zimmer ging, dachte sie einen angstvollen Moment lang, sie wäre zu forsch gewesen. Als jedoch einer seiner Bediensteten erschien und ihr bedeutete, ihm zu folgen, schwanden ihre Zweifel. Offensichtlich hatte sie sich völlig richtig verhalten.

Der Diener führte sie zum anderen Ende des Palasts in eine hübsche Suite, die sich auf eine von blühenden Obstbäumen beschattete Terrasse hin öffnete; davor lag ein kleiner künstlicher See. Doch Anna konnte diese Annehmlichkeiten kaum genießen, denn sowie sie ihren Schal abgelegt hatte, sprangen die Türen auf, und «in großem Durcheinander und mit lautem Gelächter» stürzte eine Gruppe aufgeregter junger Damen herein – der Harem von Suriyawongse.

Da Anna weder eine typische spröde Jungfer der Viktorianischen Zeit noch eine engstirnige, bigotte Christin war, schockte sie dieser Harem an sich nicht. Ein Harem gehörte zum Leben im Orient, wie sie es seit ihrer Kindheit kannte, und sie kam nicht im geringsten auf die Idee, diese Institution, die ihr damenhaftes Vorbild sicher als «moralische Degeneriertheit» des Premierministers bezeichnet hätte, peinlich zu finden. Sie rang auch nicht entsetzt die Hände über die Entdeckung, daß der König selbst mehr als hundert Ehefrauen und Konkubinen hatte, von denen fünfunddreißig ihm bis zum Ende ihres Dienstes zweiundachtzig Kinder gebären sollten. Doch was Anna furchtbar fand, war das Leben, das diesen Frauen aufgezwungen wurde. Ihr erschien das als ein Leben mit unvorstellbaren Einschränkungen, unter ständiger Überwachung und in demütigender Abhängigkeit. Obwohl ihre offizielle Aufgabe die Erziehung der Kinder des Königs war, sollte in den folgenden fünf Jahren doch das Schicksal der königlichen Konkubinen zu ihrem wichtigsten Anliegen werden. Bei ihrem Kreuzzug für deren Interessen würde sie noch auf viele empfindliche Zehen treten.

Obwohl sie sich eigentlich etwas Ruhe wünschte, um sich in ihrem neuen Heim einzurichten, unterdrückte sie ihren Ärger über die Störung. Sie stellte fest, daß «es siamesische Frauen als ihr größtes Vergnügen empfinden, wenn sie ungestraft unglaublichen Lärm machen können», und beugte sich, ohne zu klagen, deren stürmischer Neugier.

Es ist leicht zu verstehen, warum die Bevölkerung von Siam so sehr Anstoß an der Charakterisierung ihres Herrschers in dem Musical «Der König und ich» genommen hat. Yul Brynners Darstellung des Mongkut war zwar sehr unterhaltsam, wie er pfeifend in seinem Palast umherstreift oder bei der Gouvernante seiner Kinder Walzerunterricht nimmt. Doch mit der Realität hatte das nur wenig zu tun. Der wirkliche Mongkut war gebrechlich, enthaltsam und nach einem Schlaganfall halbseitig gelähmt. Vor seiner Inthronisation im Jahr 1851 lebte er siebenundzwanzig Jahre lang als buddhistischer Mönch. Ein fast noch schwerwiegenderes Vergehen als dieses falsche Bild war jedoch die Tatsache, daß er überhaupt dargestellt wurde: Das grenzte nicht nur an Majestätsbeleidigung, sondern war beinahe ein Sakrileg, denn Mongkut wurde – wie seine Vorgänger und auch seine Nachfahren bis heute – nicht einfach als königlich, sondern als göttlich angesehen.

In der Geschichte gilt Somdetch P'hra Paramendr Maha

Mongkut als einer der großen Männer seines Jahrhunderts in Asien und als der Mann, dem es gelang, die Unabhängigkeit seines Landes zu bewahren, während am Ende des 19. Jahrhunderts alle anderen Staaten in Südostasien unter europäische Kontrolle gerieten. Er war ein großartiger Gelehrter, der sich intensiv mit Geschichte, Geographie, Physik, Chemie, Mathematik, Archäologie und Astronomie befaßt und viele Jahre lang die alten buddhistischen Texte und Lehren studiert hatte. Außer Englisch sprach er Laotisch, Kambodschanisch, Vietnamesisch, Burmesisch, Malaiisch und Hindustani, und sein Wissen in Sanskrit und Pali, den klassischen Sprachen des Buddhismus, war sogar unter den besten Akademikern des Landes unerreicht.

Durch die Ausbildung und das Studium im Kloster erwarb er auch ein sehr viel genaueres Verständnis sowohl für die Bedürfnisse seines Volkes wie auch für internationale Angelegenheiten als je einer seiner Vorgänger. Bereits kurz nach seinem Regierungsantritt setzte er eine Anzahl radikaler Reformen im Gesetzeswesen, in den Sitten und Gebräuchen und in den Institutionen des Landes in Bewegung, die ihm sowohl in Siam wie auch im Ausland Respekt und Bewunderung einbrachten. Zur Zeit von Annas Ankunft in Siam war dieser bemerkenswerte Monarch siebenundfünfzig Jahre alt, doch sie wußte über ihn sehr wenig, außer, daß allein schon das Aussprechen seines Namens einen Schauder – der Aufregung? Bewunderung? Sie konnte sich darüber nicht klarwerden – bei allen Anwesenden bewirkte.

Als der Tag nahte, an dem sie Seiner Allerhöchsten Majestät vorgestellt werden sollte, war sie vor Nervosität reizbar und abwehrend. Wie vereinbart, sollte Captain Bush sie einführen. «Da stand ich nun», erzählte sie später ihren Lesern, «gleich nach Sonnenuntergang an einem schönen Tag im April 1862, im Großen Palast an der Schwelle des äußeren Hofes, begleitet von meinem eigenen tapferen kleinen Jungen und von einem Landsmann eskortiert.»

Eine Lichterflut erhellte die weiträumige Audienzhalle, in der sich zahlreiche Adelige versammelt hatten. Niemand schenkte uns einen Blick, offenbar auch nicht einmal einen Gedanken. Da mein Kind müde und hungrig war, bat ich Captain Bush, uns ohne Verzug gleich vorzustellen. Über die Marmorstufen betraten wir unangemeldet die strahlende Halle. Viele stumme, bewegungslose Gestalten lagen in Demut auf dem Teppich, und mich überkam als natürlicher wie gefährlicher Reflex die Versuchung, über ihre Köpfe zu steigen. Seine Majestät bemerkte uns schnell, kam näher und rief dabei ungeduldig: «Wer? Wer? Wer?»

Obwohl Beamte, Bürgerliche und Sklaven sich vor jedem Mitglied der königlichen Familie von Siam zu Boden werfen mußten (eine Vorschrift, die Anna unerhört fand), wußte Mongkut, daß er das von Fremden nicht erwarten konnte. Als Captain Bush sie als die englische Gouvernante vorstellte, schüttelte ihr daher der König ganz freundlich die Hand. Aus dem Augenwinkel konnte sie sehen, wie bei dieser beispiellosen Geste eine Schockwelle durch die am Boden liegenden Versammelten ging – eine Reaktion, bei der sie eine seltsame Befriedigung empfand und die sie zu einem bedauernswerten Fauxpas hinriß. Der König fragte Anna nach ihrem Alter; «bei diesem absurden Vorstoß konnte ich ein Lächeln kaum unterdrücken, und mit der meinem Geschlecht eigenen Ablehnung gegenüber einer so ernsten Frage, antwortete ich ernst: ‹Ich bin hundertfünfzig Jahre alt.›»

Ihr war überhaupt nicht klar, wie gefährlich allein schon der Verdacht war, man könne sich über Seine Majestät lustig machen, und ihr war ebenfalls nicht bewußt, daß sie nicht nur gegen seinen sozialen Kodex, sondern auch den ihres imaginären Vorbilds verstoßen hatte. Doch so wie sie Suriyawongses Reaktion auf ihre Forderungen falsch interpretiert hatte, so deutete sie auch die Reaktion Mongkuts auf ihre Unhöflichkeit verkehrt. Der König hatte wesentlich bessere Umgangsformen als Anna; anstatt sich beleidigt zu fühlen und sie sofort aus seiner Umgebung zu entfernen und zu entlassen, nahm er ihre Antwort lieber als Scherz.

Er entschied sich, das Gespräch in andere Bahnen zu lenken, und winkte Anna, ihm aus der Audienzhalle zu folgen. Louis klammerte sich verängstigt an Annas Rock, als sie eine Flucht von Korridoren entlang geführt wurden, um die jüngste Ehefrau von Mongkut kennenzulernen. Sie war eine Lieblingsfrau und sollte eine ihrer Schülerinnen sein. Mongkut hinkte vor Anna her und machte sie in seinem blumigen Englisch, auf das er so stolz war, mit ihren zukünftigen Aufgaben vertraut.

Ich habe siebenundsechzig Kinder. Die sollen Sie unterrichten, und auch diejenigen meiner Frauen, die Englisch lernen möchten. Sie müssen mir auch bei meiner umfangreichen Korrespondenz helfen. Außerdem fällt es mir recht schwer, französische Briefe zu lesen und zu übersetzen, denn die Franzosen benutzen gern undurchsichtige, täuschende Wendungen. Das wird dann Ihre Sache sein, und Sie müssen mir die ganzen unklaren Sätze und die undurchsichtigen täuschenden Angebote erklären. Dann kommen jedesmal mit der Post Briefe aus dem Ausland, deren Schrift ich nur mit Mühe entziffern kann. Die werden Sie für mich in Rundschrift kopieren, damit ich sie dann bearbeiten kann.

Zu Annas Erleichterung stellte sich heraus, daß die Astrologen noch keinen günstigen Tag für den Beginn des Unterrichts festgelegt hatten. Nun konnte sie erst einmal in Ruhe Siamesisch lernen, damit sie sich mit ihren Schülern besser verständigen konnte. Doch wünschte sie sich nach wie vor für sich und Louis, für Beebe und Munshee eine angemessene Wohnmöglichkeit in einiger Entfernung zu dem beängstigenden Lärm und Getümmel des Palasts. Und da der Premierminister nicht hatte durchblicken lassen, daß er eine solche Zuflucht für sie finden würde, trug sie diese Angelegenheit dem König noch einmal selbst vor. Doch Mongkut konnte wie auch Suriyawongse nicht verstehen, warum sie nicht im Palast leben wollte; ihr zweites Gespräch war nicht weniger gewagt als das erste.

Ich sagte ihm, daß ich mich – da ich die Sprache noch nicht beherrschte und die Tore jeden Abend geschlossen wurden – wie eine unglückliche Gefangene im Palast fühlte. Ich erinnerte ihn daran, daß er mir in seinem Brief eine Wohnung nicht im, sondern in der Nähe des Palasts versprochen hatte. Er drehte sich um und sah mich an, sein Gesicht wurde vor Zorn fast dunkelrot. Er schrie, daß er nicht wüßte, was er mir versprochen hatte, er wisse nur, daß ich seine Dienerin sei, daß es sein Entgegenkommen sei, wenn er mich im Palast wohnen ließe, und daß ICH IHM GEHORCHEN MUSS. Diese letzten Worte schrie er fast. Ich zitterte am ganzen Körper und wußte zuerst nicht, was ich antworten sollte. Schließlich traute ich mich zu sagen: «Ich bin bereit, alle Anweisungen Ihrer Majestät bezüglich meiner Pflichten gegenüber Ihrer Familie zu befolgen, doch darüber hinaus kann ich keinen Gehorsam versprechen.»

Louis brach in Tränen aus, und die Frauen, die den ärgerlichen Wortwechsel mitangehört hatten, hielten vor Schreck den Atem an. Mit einer tiefen Verbeugung vor Ihrer Majestät zog sich Anna in ihre Zimmer zurück. Sie war jetzt keine Dienerin mehr, und sie würde sich unter keinen Umständen mehr so behandeln lassen.

Mongkuts ungewöhnliche Geduld mit seiner widerspenstigen Angestellten mußte aus dem Wissen herrühren, daß englische Gouvernanten in Südostasien eine ziemliche Seltenheit waren, und Anna hatte als Lehrerin beste Empfehlungen. Doch wenn er sie schon nicht wegschicken konnte, so konnte er ihr doch eine Lektion erteilen. Einige Tage nach ihrer spannungsgeladenen Begegnung brachte ein Bote die Nachricht, daß der König mit ihrem Wunsch, außerhalb des Palasts zu wohnen, einverstanden sei und ein Haus für sie gefunden habe. Ein Bote wartete, um sie sofort hinzubringen.

Anna nahm sehr erleichtert ihren Schal, rief Louis und begleitete den Boten zum Fluß hinunter. Ein schmales Boot brachte sie ein kurzes Stück stromaufwärts und machte dann an einem Steg fest. Nach dem Aussteigen wurden sie dann durch einige immer kleinere Alleen geführt, eine «äußerst scheußliche Straße» hinunter und schließlich drei bröckelnde Steinstufen hinauf zu einer niedrigen dunklen Tür. Der Bote nahm einen Schlüssel und öffnete Anna die Tür. Sie trat in zwei schmutzige, fensterlose Zimmer, die nach verfaultem Fisch stanken, ein dreibeiniger Tisch und zwei zerbrochene Stühle standen noch dort, und daneben lag ein Haufen schimmeliger Matratzen.

Niedergedrückt und traurig begrub ich meine langgehegte Hoffnung auf ein Zuhause und kehrte widerstrebend zur Routine meiner Sprachstudien zurück. Wo waren all die romantischen Geschichten und die stolze Vorfreude, mit der ich die Position einer Gouvernante bei der Königsfamilie von Siam angenommen hatte? In zwei dreckigen Zimmern am Ende eines Fischmarkts in Bangkok – da waren sie jetzt gelandet.

Um sicherzugehen, daß Anna ihn wirklich verstanden hatte, meldete sich Mongkut zwei Monate lang nicht bei ihr. Doch schließlich gab er nach, oder, wie Anna es formulierte: «Seine Goldfüßige Majestät bereute offensichtlich seine launenhafte Streitsucht», und wieder kam ein Bote, um sie auf einen zweiten Ausflug mitzunehmen. Dieses Haus lag jetzt an einer kleinen, baumbestandenen «Piazza», man sah über den Fluß hinweg zum königlichen Palast, es hatte neun sehr helle Zimmer und «alle modernen Annehmlichkeiten, allerdings waren Bad, Küche etc. eher orientalischer Art». Da das Haus offensichtlich seit einiger Zeit leerstand, war es sehr schmutzig. Doch Anna war mehr als zufrieden. Sobald der Bote gegangen war, legte sie Hut und Umhang ab, zog sich ein altes Kleid an und machte sich mit Seife und Wasser an die Arbeit. Hinter der geschlossenen Tür ihres eigenen Hauses konnte sie endlich sie selbst sein und ohne Hemmungen mit der Schrubberbürste loslegen.

Eine einzige Nacht in herrlicher Unabhängigkeit konnte sie genießen, bevor der König sie zu sich rief. Die Astrologen hatten gesprochen: Der Unterricht sollte beginnen. Nach den Wochen voller Enttäuschungen und Verwirrung war Anna jetzt erleichtert, daß ihre Lehrtätigkeit endlich begann. Jeden Morgen wurden sie und Louis an ihrem Haus mit einem Boot abgeholt und zum Unterricht in den Palast am anderen Ufer gebracht. Das Klassenzimmer war ein reichverzierter Pavillon mit Marmorfußboden und goldenen Säulen unter einem hohen, geschwungenen Dach, und ihre Schüler und Schülerinnen saßen auf vergoldeten Stühlen an blankpolierten Tischen, umgeben von Vasen voller Lotusblüten – ein himmelweiter Unterschied zu den knarrenden Bodenbrettern und tintenbekleksten Pulten von Annas Schule in Singapur. Unter den einundzwanzig «Sprößlingen des Königtums von Siam» war die knapp zwanzigjährige Prinzessin Ying You Wahlacks die Älteste, ein rundlicher kleiner Prinz, der nicht älter als drei oder vier Jahre sein konnte, der Jüngste; dabei war auch der zehnjährige Kronprinz Chulalongkorn, «ein hübscher Junge, weder besonders groß noch klein».

Obwohl Chulalongkorn nicht der älteste Sohn von Mongkut war, so nahm er doch als erster Sohn der Königin und daher Anwärter auf den Thron den ersten Platz unter den Kindern des Königs ein. Anna fand ihn «bescheiden und herzlich, ernst und freundlich, ein aufmerksamer Student». Sie war in der Tat nicht nur von dem Charme, Gehorsam und Selbstbewußtsein ihrer königlichen Schüler beeindruckt, sondern auch von dem allgemeinen Bildungsniveau in Siam. Dank der Gewissenhaftigkeit der buddhistischen Mönche und der Tatsache, daß es in jedem Kloster eine Bibliothek gab, konnten auch sehr viele Menschen aus ärmeren Schichten lesen und schreiben. «Daher wußten die meisten meiner Schüler, was Unterricht ist, und waren bereit zu lernen.»

Der König selbst war mit den Fortschritten seiner Kinder unter Annas Anleitung mehr als zufrieden. Er lobte auch ihre Dienste als Übersetzerin und Sekretärin sehr – eine Wertschätzung, die Anna in der folgenden Zeit zunehmend erwiderte. Trotz seiner Launenhaftigkeit erkannte sie nach und nach, daß Mongkut ein Mann mit vielen Tugenden war.

Man kann Somdetch P'hra Paramendr Maha Mongkut mit Sicherheit als den bemerkenswertesten Herrscher des Orients in unserem Jahrhundert bezeichnen – ungeachtet seiner Launenhaftigkeit und seiner verbissenen Machtgier. Wenn man von seinen häuslichen Beziehungen einmal absieht, so war er in vieler Hinsicht ein fähiger und geschickter Regent. Seine Außenpolitik war offen, er tolerierte alle religiösen Gruppierungen, einen großen Teil seiner Einkünfte gab er für Fortschritte im öffentlichen Leben aus, und er tat viel, um die Lebensbedingungen seiner Untertanen zu verbessern. Zudem war er ein progressiver, überaus vielseitiger Gelehrter mit einer wesentlich systematischeren Ausbildung und einem Interesse an Büchern und neuem Wissen, das stärker ausgeprägt war als vielleicht bei irgendeinem gleichrangigen Mann in unserer Zeit. In zahlreichen schwierigen Angelegenheiten bewies er tiefgehendes Verständnis, klares Urteilsvermögen und eine natürliche, vornehme Denkungsart, die auf einem umfassenden ethischen Denken und auf philosophischen Erwägungen beruhten.

Während Anna in aller Großzügigkeit die Tugenden Mongkuts anerkennen konnte, verzieh sie ihm nie, daß er sie um ihre Illusionen betrogen hatte. Die Verirrungen seiner «häuslichen Beziehungen» bewiesen ihr, daß auch Mitglieder eines Königshauses – zweifellos das Höchste an Respektabilität – ganz einfache menschliche Schwächen haben konnten. Sie fand ihn «neidisch, rachsüchtig und tückisch – er war so launenhaft und reizbar wie argwöhnisch und grausam». Er war aufbrausend und leicht erregbar, schikanierte seine Frauen, terrorisierte die Dienerschaft und vertraute niemandem; alles in allem rettete diesen «elenden Despoten» nur die augenfällige Liebe, die er seinen Kindern entgegenbrachte.

Nach Annas Meinung gab es zwei Schranken, die Mongkuts «Entwicklung zu wirklicher Größe» behinderten, und ihre Auseinandersetzung mit diesen Barrieren – die wirklich nichts mit ihrer Arbeit zu tun hatten – wurde zu einem Störfaktor in der beginnenden guten Beziehung zwischen ihr und dem König. Die erste dieser Schranken war, daß er trotz weitgehender Reformen immer noch die Sklaverei guthieß und nicht Annas Schrecken darüber teilte, daß sich bei seinem Erscheinen nicht nur seine Sklaven, sondern alle Beamten zu Boden werfen mußten.

Zweimal wöchentlich erschien er bei Sonnenuntergang bei einem der Tore des Palasts, um die Klagen und Bitten seiner ärmsten Untertanen zu hören, die sich nur dort und nur zu dieser Zeit an ihn wenden konnten. Es war sehr traurig, die hilflosen, kummervollen Gestalten zu sehen, so unterwürfig und kriecherisch wie Kröten. Viele von ihnen waren viel zu verängstigt, um ihre Bitten überhaupt vorzutragen.

Die zweite Barriere betraf die Frauen im Harem des Königs. Anna durfte nicht nur die Ehefrauen und Konkubinen unterrichten, die Englisch lernen wollte, sondern sie hatte auch freien Zugang zu den Zimmern der Frauen. Die Bewohnerinnen freuten sich immer über ihre Besuche. Sie wollten viel über Annas Leben, Ehemann und Kinder wissen, probierten ihren Hut und Mantel an, gingen mit lautem Gelächter in ihre Schals gehüllt in dem abgeschlossenen Garten spazieren und konnten stundenlang ihren Geschichten über die Welt draußen zuhören. Anna spielte mit ihren Kindern, verbesserte ihre Kenntnisse der siamesischen Sprache und hörte sich ihrerseits die Lebensgeschichten der Frauen an.

Mongkuts Ehefrauen und Konkubinen bildeten eine internationale Mischung. Die meisten waren Adelige, «die schönsten Töchter des Hochadels von Siam und von Prinzen der tributpflichtigen Nachbarländer», doch es gab auch Chinesinnen, Inderinnen, Kambodschanerinnen, Frauen aus Laos und Malaysia. Einige waren Geschenke für den König von Beamten, die sich seine Gunst erwerben wollten, andere hatten Mongkuts Agenten in ganz Südostasien eigens für seinen Harem gekauft. Anna erfuhr zu ihrem Schrecken, daß diese Agenten enorme Summen boten für «eine schöne Engländerin aus gutem Hause als Krönung der hervorragenden Kollektion». Als sie Bangkok verließ, war das gesuchte Exemplar allerdings noch nicht auf dem Markt aufgetaucht.

Für Anna war es unfaßbar, daß viele dieser Frauen keineswegs schicksalsergeben, sondern ganz glücklich zu sein schienen. Da sie selbst so hart um ihre Unabhängigkeit kämpfte, konnte sie nicht verstehen, daß sich diese Frauen – ihre «Schwestern, die ein schlimmes Geschick ohne Vergehen zu Gefangenen gemacht hat» – so demütig unterwarfen. In ihrer Entrüstung schwang sie sich zu neuen Höhen ihrer Beredsamkeit auf.

Bisher war ich noch nie dem Elend begegnet; ich hatte noch nie die Übelkeit erregende Scheußlichkeit der Sklaverei erlebt. Bis ich hier ihre Fratze erblickte: Pein, Finsternis, Tod und ewige Leere, eine Dunkelheit, die weder Anfang noch Ende hat, ein Leben, das nicht von dieser Welt und auch nicht von einer anderen ist. Das Elend, das beim Durchstreifen einer Stadt den Atem raubt und jedes mitleidvolle Herz berührt, ist halb so traurig wie das namenlose, absurde Unglück dieser Frauen, für die Armut ein Luxus und Obdachlosigkeit etwas wie ein Zug reiner, frischer Luft wäre.

Es muß auch gesagt werden, daß es für Anna neu war, Gegenstand von soviel Respekt und Bewunderung zu sein. Als im Harem ihr Widerstand gegenüber den, wie sie es nannte, «abscheulichen Launen des Königs» bekannt wurde, erkoren seine Bewohnerinnen sie zu ihrer Fürsprecherin. In die kleinen Klatschgeschichten voller Gekicher mischten sich jetzt auch Beschwerden, die ihr schüchtern ins Ohr geflüstert wurden, in der Hoffnung, daß sie die verschiedenen Anliegen Ihrer Majestät vortragen würde. «Und so kam ich ohne mein Dazutun in die peinliche Situation, zwischen dem Unterdrücker und den Unterdrückten zu stehen.»

Es ist gut möglich, daß sowohl die Haremsdamen wie auch die Sklaven des Königshauses bei etwas taktvollerem Auftreten von seiten Annas von ihrer Parteinahme profitiert hätten. Doch fälschlicherweise nahm sie an, daß sie und nur sie allein die Ungerechtigkeiten wahrnahm, die sich ohne Zweifel sowohl bei Hofe wie auch im ganzen Land ereigneten. Da sie sehr wenig über die Bedingungen wußte, die vor Mongkuts Thronbesteigung geherrscht hatten, konnte sie seine seither praktizierte Reformpolitik jedoch nicht beurteilen. Die Abschaffung der Sklaverei stand ganz oben auf Mongkuts Liste der noch geplanten Veränderungen, und Annas Annahme, daß er die Notwendigkeit einer solchen Reform nicht erkannte, erfüllte ihn zu Recht mit Empörung.

Mem Leonowens, die Gouvernante der Kinder des Königs, wird sehr frech. Sie mischt sich in die Angelegenheiten Seiner Majestät und ist sehr dreist. Sie kümmert sich mehr um das, was richtig oder was falsch ist, als um Gehorsam und Ehrerbietung. Laßt sie wissen: Falls Fürsten und Edelleute davon abgebracht werden, dem König ihre Töchter als Konkubinen anzubieten, dann wird der König keine solchen Frauen mehr erhalten.

Es könnte sogar sein, daß die Durchführung dieser Reformen durch die Auseinandersetzung aufgeschoben wurde. Denn Mongkut wollte Anna auf keinen Fall Grund geben zu glauben, sie seien ihrem Einfluß zu verdanken. Nachdem er seinem Unmut zuerst in einem Zornausbruch Luft gemacht und sie dann mehrere Wochen lang völlig ignoriert hatte, kam er zu dem Schluß, daß ihre ständigen Einmischungen auf Unterbeschäftigung beruhten. Anna mußte daraufhin bis spät in die Nacht arbeiten, um seinen ständig zunehmenden Forderungen nachzukommen: «Mit all dem Unterrichten, Übersetzen, Abschreiben, Diktieren, Lesen hatte ich kaum noch Zeit für mich selbst.»

Es bedurfte einer Tragödie, um die Unstimmigkeit zwischen dem König und der Gouvernante aufzulösen. Eine von Annas Lieblingsschülerinnen war die achtjährige Prinzessin Fa-ying. Als einzige Tochter von Mongkuts liebster und ranghöchster Ehefrau, die kurz nach der Geburt ihres Kindes gestorben war, nahm Prinzessin Fa-ying einen ganz besonderen Platz in der Gunst des Königs ein. Als sie bekannte, den Sanskrit-Lehrer nicht zu mögen, erlaubte Mongkut ihr, in dieser Zeit Zeichenunterricht bei Anna zu nehmen. Anna gewann Fa-ying sehr lieb; vielleicht erinnerte sie das Kind an ihre eigene Tochter. «Nie schien mir die Arbeit mehr ein Spiel zu sein als in der Zeit, die ich Tag für Tag mit dieser fröhlichen kleinen Prinzessin verbrachte, wenn all ihre Schwestern und Brüder Sanskrit lernen mußten.»

Als Anna und Louis an einem Frühlingsmorgen im Jahr 1864 auf ihrem kleinen Vorplatz saßen und das Hin und Her der Boote auf dem Fluß beobachteten, kam eine königliche Barke vom Palast zu ihnen herüber. Ein Diener sprang heraus und übergab Anna einen Brief.

Sehr geehrte Frau, unsere geliebte Tochter, Ihre Lieblingsschülerin, ist an Cholera erkrankt und verlangt sehr danach, Sie zu sehen, sie spricht ständig Ihren Namen aus. Ich bitte Sie darum, ihren Wunsch zu erfüllen. Ich befürchte, daß ihre Krankheit tödlich ist, denn es gab heute schon drei Todesfälle. Sie ist mein liebstes Kind. Ihr betrübter Freund, S.P.P. Maha Mongkut.

Erschrocken stieg Anna in die königliche Barke und wies die Ruderer an, sie direkt und so schnell wie möglich zum Palast zu bringen. Sie wurde im Laufschritt zu den Zimmern der Prinzessin geführt, kämpfte sich ihren Weg frei durch die ängstlich auf den Gängen wartende Dienerschaft und erreichte keuchend Fa-yings Bett.

Zu spät. Sogar der Arzt war zu spät gekommen. Als ich mich niederbeugte, um das kleine, liebe Gesicht zum Abschied zu küssen, wurden die Gebete der Kinderfrau und Sklaven plötzlich zu herzzerreißenden Schreien. Ein Diener brachte mich eilig zum König, der die traurige Nachricht aus meinem Schweigen entnahm, die Hände vor sein Gesicht schlug und heftig weinte.

Wenige Tage später kam dieselbe königliche Barke, die Anna zum Sterbebett des Kindes geholt hatte, wieder zu ihrem Haus. Bei ihrer Ankunft im Palast geleitete man Anna und Louis dieses Mal zum Schulpavillon, der mit großen Blumenbuketts geschmückt war. Anna wurde aufgefordert, in ihrem «Amtsstuhl», der hellrot gestrichen und mit Girlanden behängt worden war, Platz zu nehmen. Sie setzte sich etwas zögernd auf die noch feuchte Farbe. Eine Gruppe von Sklaven brachte die Schulbücher der verstorbenen Prinzessin, schichtete sie zu Annas Füßen auf und bedeckte sie mit frischen Rosen und Lilien. Dann öffneten sich die weiten Flügeltüren am anderen Ende des Pavillons, und der König erschien an der Spitze einer Prozession aus Annas Schülerinnen und einer «überaus großen Gruppe vornehmer älterer Damen – seine Schwestern, Halbschwestern und Tanten».

Der König gab Anna und Louis die Hand und erklärte, daß er sie für ihre «Tapferkeit und ihr Verhalten am Sterbebett seines so sehr geliebten Kindes» auszeichnen wolle. Er bedeutete ihr, sitzen zu bleiben – da sie annahm, daß ihr Kleid inzwischen an der Farbe klebte, tat sie das gern –, und nahm dann die Enden von sieben Baumwollfäden, hielt sie über Annas Kopf, über die Bücher des toten Kindes und legte sie in die Hände seiner sieben ältesten Schwestern. Das andere Ende von jedem Faden begann er sehr zu Annas Verlegenheit um ihren Kopf zu wickeln. «Die ganze Sache war lachhaft, und ich genierte mich schon ein wenig ob dieser Auszeichnung, da ich mit meinem wie ein Postpaket verschnürten Kopf sicher eine recht komische Figur abgab.» Louis sah erstaunt zu, wie der König einige Goldmünzen in die Luft warf, aus einem Muschelhorn etwas Wasser über Annas Füße goß und schließlich einen kleinen Beutel aus Seide in ihren Schoß legte. In dem Beutel befand sich die Urkunde über einen Adelstitel und ein Stück Land.

Mein Besitz lag im Distrikt von Lopburi, und ich fand heraus, daß ich, um dorthin zu kommen, eine ziemlich anstrengende Reise auf einem Elefanten durch dichten Dschungel unternehmen mußte. Daher überließ ich das Land lieber den Menschen, Tigern, Elefanten, Rhinozerossen, Wildschweinen, Gürteltieren und Affen zu ungestörtem und unbesteuertem Aufenthalt, während ich mein gleichmäßiges Leben als ‹Schulmeisterin› weiterführte und mich um meinen Adelstitel nicht weiter kümmerte.

Den Lesern von Annas Büchern wird auffallen, daß darin eigenartigerweise zwei Aspekte fehlen. Erstens erwähnt sie nirgendwo, daß sie in Siam engere Freunde gefunden hätte. In Bangkok lebten genügend Europäer oder Amerikaner, die sie ohne weiteres hätte kennenlernen können: Diplomaten, Missionare, Händler, oft auch mit ihren Familien. Doch Anna gesteht ein, daß sie mit niemandem engeren Kontakt hatte. Wieder einmal sieht es so aus, als ob sie wegen ihrer Unsicherheit über die soziale Hackordnung unschlüssig war, wessen Gesellschaft sie suchen sollte. Sie nahm wohl an, daß Missionare und Händler unter ihrem Niveau waren, doch Diplomaten und ihre Familien würden ihre Bekanntschaft vielleicht zurückweisen. Sie muß schrecklich einsam gewesen sein.

Die Tatsache, daß Anna eine «Reisende» aus Notwendigkeit und nicht aus freien Stücken gewesen ist, erklärt vielleicht den zweiten eigenartigen Umstand: Sie scheint in den sechs Jahren ihres Aufenthalts sehr wenig von Siam gesehen zu haben. Als einzigen Ausflug außerhalb Bangkoks erwähnt sie eine Flußreise, auf die sie Mongkut und einige seiner Kinder begleitet hat, doch sie enthüllt weder das Ziel noch die Dauer dieser Tour. Zwar scheint sie einmal in Angkor, der großen Ruinenstadt, die tief in den Dschungeln des benachbarten Kambodscha verborgen liegt, gewesen zu sein. Da Angkor erst 1860 von Europäern «entdeckt» wurde, war es damals noch nicht als «Achtes Weltwunder» zu Ruhm gekommen. Anna hatte daher keine Ahnung, welche Pracht vor ihr lag, als sie zuerst per Boot, dann auf Elefanten zu den von Kletterpflanzen überwachsenen Mauern der alten Stadt kam.

Im Herzen dieser einsamen Gegend stießen wir auf Ruinen, deren unglaubliche Größe uns vollkommen überwältigte. Wir bewunderten das Werk eines Volkes, über dessen Existenz die westlichen Nationen nichts wissen, das in der Geschichte keinen Namen hat und doch Bauten schuf, deren kühne Konzeption, großartige Proportionen und feine Gestaltung die besten Werke der Gegenwart übertreffen. Gewaltig, herrlich, doch zwischen wildem Lotus und Lilien langsam verfallend, ist dies hier in seiner Einsamkeit beeindruckender, von größerer Eleganz und Beseeltheit als irgend etwas, das Griechen und Römer hinterlassen haben. Die Bedeutung, die es ausdrückt, wirkt noch trauriger und ernster angesichts der Zerstörung und Wildheit, die es umgeben.

Da sie nichts über das «wir» und über den Zeitpunkt der Reise sagt, kann man zwar nicht mit Sicherheit, doch in aller Wahrscheinlichkeit annehmen, daß sie die erste Engländerin war, deren Augen sich vor Erstaunen über die Wunder von Angkor weiteten. Eine von Annas angenehmsten Qualitäten ist, daß sie ohne Vorbehalte die Pracht früher Zivilisationen bewundern konnte; viele ihrer Zeitgenossen hätten sie eher als schlecht gestaltete Schöpfungen eines unwissenden und heidnischen Volkes abgetan.

Von allen ihren Aufgaben mochte es Anna am allerwenigsten, wenn sie als Sekretärin für den König arbeiten mußte. «Er war so launenhaft und ungerecht, von einer derart tyrannischen Haltung, daß es unmöglich schien, ihn zufriedenzustellen.» Manchmal erwartete er von ihr, daß sie nach ihrem Tagespensum als Lehrerin noch acht oder neun Stunden Sekretariatsarbeiten für ihn erledigte. Schließlich rebellierte sie – nicht durch Arbeitsverweigerung, sondern indem sie um eine Lohnerhöhung bat. Bei ihrer Anstellung war vereinbart worden, daß ihr Gehalt bei zufriedenstellender Arbeit am Ende des Jahres erhöht werden sollte. Mehr als drei Jahre war sie bereits in Siam, bis sie «es wagte, den König an sein Versprechen zu erinnern». Offensichtlich wählte sie dafür den falschen Moment. Mongkut erklärte ihr mit schonungsloser Offenheit, daß sie nicht nur nicht zufriedenstellend gearbeitet habe, sondern auch noch schwierig und nicht eben fügsam sei.

Sie kommen jeden Tag mit einer Bitte, einem Fall von Ungerechtigkeit oder Härte zu mir, fordern, daß «Ihre Majestät sich doch freundlicherweise darum kümmern und eine Wiedergutmachung veranlassen möge», und ich sage Ihnen das zu, weil Sie mir wegen der Übersetzungen usw. wichtig sind. Und jetzt erklären Sie, daß Sie mehr Geld verdienen müssen. Müssen Sie denn alles haben?

Im März 1867 hatten der König und die Gouvernante ihr schwerstes Zerwürfnis, das indirekt zur Abreise Annas aus Siam führte. Mongkut war mitten in besonders schwierigen Verhandlungen mit den Franzosen, und die damit verbundenen Anstrengungen machten ihn noch empfindlicher und reizbarer als sonst. Die koloniale Expansion Frankreichs hatte in Südostasien mit der Abtretung eines Teils von Cochinchina (heute Vietnam) 1862 an die Franzosen und der 1864 folgenden Übernahme von Kambodscha als französisches Protektorat alarmierende Ausmaße erreicht. Der König von Kambodscha hatte früher Siam Tribut gezollt, und Mongkut widerstrebte es, seinen Einfluß im Nachbarland zu verringern; andererseits wollte er nicht in einen offenen Konflikt mit Frankreich geraten.

Er und seine Berater hatten drei Jahre gebraucht, um einen zufriedenstellenden Kompromiß zu formulieren, den er den Franzosen jetzt vorlegen wollte. Es hieß darin, daß er bereit sei, seine Herrschaftsansprüche über Kambodscha aufzugeben, wenn Frankreich auf die Forderungen bezüglich der drei Provinzen an der kambodschanisch-siamesischen Grenze verzichtete. Mehrere Tage lang brütete er über den Formulierungen und Bedingungen, unter denen er weiterverhandeln wollte, und diktierte Anna. Während die endgültige Fassung von Mongkuts Brief entstand, veränderte Anna an einigen Stellen die Worte des Königs zugunsten einer etwas flüssigeren Ausdrucksweise. Obwohl sie das in der Vergangenheit bereits öfter so gehandhabt hatte, war es Mongkut entweder nicht aufgefallen, oder es war ihm egal. Doch die Situation war jetzt so heikel, und seine Nerven waren, da er unbedingt alles richtig machen wollte, so angespannt, daß er nicht nur diese Eingriffe bemerkte, sondern sie auch als Versuch hinstellte, seine Aussagen zu verändern und damit die Außenpolitik zu beeinflussen. Kurzum, er klagte Anna an, eine Spionin zu sein.

Schließlich ging auch dieser Angriff wieder, wie alle anderen, vorüber. Im Juli 1867 unterzeichneten Mongkuts Gesandte in Paris den neuen Vertrag mit der französischen Regierung, und nachdem das erledigt war, vergaß der König seine Anschuldigungen. Doch Anna hatte genug. Ihre Gesundheit war angeschlagen, und eine Zeitlang war sie so krank, daß der englische Arzt, der sie betreute, befürchtete, sie könnte sterben.

Als mir der gute Dr. Campbell das mit großem Ernst sagte, schien mein ganzer Kummer aufzuhören, und bis auf einen kurzen stechenden Schmerz wegen meiner beiden Kinder – eines war in England, das andere in Siam – hätte ich an der Vorstellung ewiger Ruhe eine völlig ungetrübte Freude gehabt, so erschöpft war ich von meinem aufregenden Leben im Osten. Obwohl ich nach und nach doch wieder zu Kräften kam, war ich nicht länger in der Lage, die gnadenlosen Forderungen des Königs zu ertragen. Daher beschloß ich, nach England zurückzukehren.

Es läßt sich schwer ermessen, inwieweit die dauernden Reibereien zwischen Anna und Mongkut Resultat ihrer Maskerade waren. Die Anstrengung, ihre angenommene Rolle durchzuhalten, machte sie genauso schwierig und reizbar wie ihn; durch Unsicherheit wurde sie überempfindlich gegenüber Kritik oder Widerstand; ihr widersprüchliches Verhalten verstimmte den König und verstärkte nur dessen eigene Absonderlichkeiten. Gern erkannte er ihre Fähigkeiten als Lehrerin an und erwiderte erfreut ihre Wertschätzung der Kunst, Literatur und Architektur seines Landes wie auch ihren Respekt vor seinem Glauben. Doch er konnte ihr nie die ständige Einmischung in seine eigenen Angelegenheiten verzeihen und auch nie ihre Weigerung verstehen, seine absolute Autorität anzuerkennen.

Die Mischung aus Respekt und Wut, die er Anna entgegenbrachte, wird in seiner Reaktion auf ihre Ankündigung, Siam zu verlassen, deutlich. Einige Wochen lang weigerte sich der König, mit Anna zu sprechen. Doch als der Moment des Abschieds gekommen war, richtete er eine bewegende kleine Rede an sie.

Mam, Sie werden von unserem Volk, den Bewohnern des Palasts und den Kindern des Königs sehr geliebt. Alle sind über Ihre Abreise sehr bekümmert. Es muß sein, da Sie eine gute und ehrliche Dame sind. Ich bin oft zornig auf Sie und verliere meine Fassung, obwohl ich sehr viel Achtung vor Ihnen habe. Trotzdem sollten Sie wissen, daß Sie eine schwierige Frau sind, schwieriger als die meisten. Doch Sie werden all das vergessen und wieder zurück in meine Dienste kommen, da ich von Tag zu Tag mehr Vertrauen zu Ihnen habe. Alles Gute.

Anna kehrte nie nach Siam zurück. In England traf sie wieder mit ihrer Tochter Avis zusammen, die sie fast sechs Jahre nicht gesehen hatte. Louis brachte sie in einem Internat in Irland unter, dann gingen Anna und Avis nach Amerika. Avis heiratete einen Amerikaner, und Anna verbrachte den Rest ihres Lebens bei ihr und in Kanada.

Ihr erstes Buch, *The English Governess at the Siamese Court*, wurde 1870 in Amerika veröffentlicht, und sein Erfolg ermutigte sie, 1873 ein zweites zu schreiben, mit dem Titel *The Romance of Siamese Harem Life*. Beide Bücher enthalten ganze Kapitel mit spannenden detailreichen Schilderungen des sozialen Lebens, der Geschichte und Architektur von Siam, mit rührenden persönlichen Anekdoten und lebendigen Beschreibungen des privaten Lebens im Königspalast, deren Wahrheitsgehalt nie in Zweifel gezogen wurde. Leider zerstörte sie ihre Glaubwürdigkeit als Geschichtskundige durch unnötige und unpräzise Ausschmückungen, die sie einer an sich schon faszinierenden Erzählung hinzufügte. Sie tat dies aus rein kommerziellen Gründen; auch hier versuchte sie einfach, ihren Lebensunterhalt zu verdienen, und großzügige Unterstützung durch Schwindeleien und Skandale hat für den Absatz von Büchern immer noch Wunder gewirkt. Zum Glück für ihren Seelenfrieden und ihren Geldbeutel entdeckten die Historiker diese Ausrutscher erst viele Jahre nach Annas Tod, und sie konnte sich in den literarischen Zirkeln Amerikas einige Jahre lang fast als eine Berühmtheit feiern lassen. Ihr drittes und letztes Buch, *Life and Travels in India*, erschien 1884. Doch wurde es nicht so gut aufgenommen, da sich die Amerikaner vielleicht nicht besonders für Indien interessierten, aber vielleicht auch, weil sie dieses Mal keine Skandale berichtete.

König Mongkut starb 1868, knapp ein Jahr nach Annas Abreise. Sein Sohn Chulalongkorn folgte ihm auf den Thron und machte sich durch Weisheit und Toleranz einen Namen, indem er in nichts seinem Vater nachstand. Als eine seiner ersten Aktivitäten als neuer König schaffte er die Sitte des Sich-zu-Boden-Werfens ab, die seine frühere Gouvernante so erzürnt hatte. Obwohl Anna nie mehr nach Siam kam, kehrte Louis im Jahr 1880 dorthin zurück. Nachdem er mehrere Jahre sozusagen als Söldner in Diensten seines einstigen Spielkameraden Chulalongkorn stand, kam er als Teakholzhändler zu Reichtum, kehrte kurz vor dem Ersten Weltkrieg nach England zurück und starb 1919 während der großen Grippeepidemie. Anna starb 1915 in Neuschottland.

Die Ironie der Geschichte will es, daß Annas Bücher zwar jahrelang in Siam (später Thailand) verboten waren – die Siamesen machten sie verantwortlich für die verleumderische Darstellung Mongkuts – und jetzt dort erhältlich sind, während sie in Großbritannien vergriffen und seit langem vergessen sind. Die westlichen Historiker, nach deren Ansicht Annas Fehler sie außerhalb jeder Kritikwürdigkeit stellen, können offensichtlich nicht so leicht verzeihen wie ihre Fachkollegen aus Thailand. Einer von ihnen verstieg sich sogar zu der Anschuldigung, Anna habe «die Geschichte von drei Generationen verdreht».

Doch wenn sie auch in gewissem Sinn eine Schwindlerin war, so war sie doch eine bemerkenswerte Frau. Eine alleinstehende Engländerin brauchte damals wirklich Mut, um in einem fremden Land nur in Gesellschaft ihres Kindes zu leben und zu arbeiten, und es brauchte ebenfalls Mut – auch heute noch –, um dem Allerhöchsten König von Siam die Stirn zu bieten. Annas Zuneigung und Anteilnahme für das Volk von Siam waren echt und tief; ihr Abscheu vor der Sklaverei, ihr Engagement für die Frauen und Kinder im Haushalt des Königs und auch ihre Weigerung, sich von denen einschüchtern zu lassen, deren Autorität bis dahin noch nie in Frage gestellt worden war – das alles beweist, daß sie ohne Angst für ihre eigenen Rechte eintrat und für die anderer, die sie als Unterdrückte sah. Die größte Bewunderung verdient sie jedoch dafür, daß sie keinerlei religiöse oder kulturelle Vorurteile hatte. Darin steht sie in erfrischendem Kontrast zu der vorherrschenden Haltung ihrer Zeitgenossinnen – sogar zu denen von vornehmstem Geblüt.

Amelia Edwards

Einfache Sterbliche
und Engländerinnen

Am Abend des 29. November 1873 öffnete sich die Tür des großen Speisesaals im Hotel *Shepheards'* in Kairo. Zwei späte Gäste traten ein, und für einen Moment verstummte das Gemurmel der Gespräche und das feine Klirren des Porzellans; alle Blicke wandten sich den Neuankömmlingen zu. Beim Anblick der zwei Engländerinnen mittleren Alters – staubig und erschöpft von der Reise, und, wie sie selbst zugaben, ziemlich braungebrannt – runzelten nicht wenige der Essenden die Stirn. Die erste der beiden Damen – denn Damen waren sie zweifellos – war eine beeindruckende Erscheinung, grauhaarig und mit großem Busen, und es schien ihr überhaupt nichts auszumachen, daß sie zu spät kam, nicht erwartet wurde und nicht passend gekleidet war. Anscheinend fand sie es sogar amüsant, in dieser Aufmachung im Mittelpunkt von so viel Aufmerksamkeit zu stehen. Ihre Begleiterin war ebenfalls nicht überrascht, allerdings nur, da sie wußte, daß sich nie jemand je für einen Schatten interessierte.

Als sie an einem der wenigen freien Tische Platz genommen hatten, wandten sich die neugierigen Gäste wieder ihrer Mahlzeit zu, und der gewohnte Geräuschpegel stellte sich wieder ein. In der Gesellschaft von Kairo konnte man davon ausgehen, daß innerhalb von zwei Tagen alles Wissenswerte über diese Neuankömmlinge bekannt sein würde – wer sie waren, woher sie kamen und was sie in Ägypten wollten.

Nicht, daß es da irgendein Geheimnis gegeben hätte. Die auffallende Dame war eigentlich gern bereit, der Welt alles über sich selbst mitzuteilen, falls die Welt sie nicht ohnehin bereits kannte. Denn sie war niemand anderes als *die* Schriftstellerin, Miss Amelia Blandford Edwards. Mit ihrer Begleiterin war sie gerade aus Alexandria angekommen. Zum Abendessen hatten sie sich nicht umziehen können, weil ihr Gepäck erst vom Bahnhof gebracht wurde und, um ehrlich zu sein – sie liebte die kleinen Beiläufigkeiten –, sie eher zufällig nach Ägypten geraten waren. Schlechtes Wetter hatte sie auf einer Malreise durch Europa verfolgt, und so flüchteten sie nach

Kairo, wie sie sich eben unter anderen Umständen vor dem Regen in die Burlington-Arkaden geflüchtet hätten.

Aus diesen wenigen hingeworfenen Sätzen konnten die Zuhörer viel über Miss Edwards entnehmen. Ihre Reise nach Ägypten hatte sich aus einem Augenblickseinfall ergeben – also gehörte sie nicht zu den gut organisierten und bereits damals verachteten Touristen von Cooks Reisebüro, sondern war eine unabhängige Reisende mit eigenen Ideen und ausreichendem Vermögen, um sich eine solche ziemlich teure Laune leisten zu können. Eine ausgedehnte Europareise zum Zeichnen im Sommer deutete sowohl auf eine kulturell interessierte Frau wie auch darauf, daß sie den Umgang mit dem damenhaftesten aller Werkzeuge – dem Zeichenstift – beherrschte. Und die beiläufige Erwähnung von Londons exklusivster Einkaufspassage ließ enge Vertrautheit mit den Lieblingsplätzen der gesellschaftlichen Elite erkennen. Der Code war allgemein verständlich und wurde auch von weniger Privilegierten nicht übelgenommen. Deutliche Grenzen trennten die sozialen Gruppen in der nicht eben kleinen Ausländergemeinde von Kairo, und unter Gleichen fühlte man sich wesentlich wohler.

Doch wenn Amelia um der Konventionen willen auch eine Laune zugeben mochte, so war sie keine ziellose Herumtreiberin. Sie war eine nicht nur in ihrem Denken und Handeln unabhängige, sondern auch ziemlich intelligente Frau von einundvierzig Jahren. Ihr Vater hatte als Soldat in Spanien an der Seite von Wellington gestanden, ihre Mutter stammte aus einer angesehenen irischen Rechtsanwaltsfamilie. Zu Lebzeiten ihrer Eltern war Amelia gern zu Hause in London geblieben und hatte ihre nicht unbeträchtlichen Talente als Schriftstellerin und literarische Journalistin gepflegt. Sie veröffentlichte vier Romane, Bücher über englische und französische Geschichte und einen Gedichtband, außerdem schrieb sie regelmäßig in den bekanntesten englischen Zeitschriften. Seit dem Tod ihrer Eltern – sie war damals dreißig Jahre alt – fand sie jedoch ausgesprochen viel Geschmack am Reisen.

Mit ihrer Begleiterin – in ihrem ganzen, mehr als achthundert Seiten starken Reisebericht nennt Amelia sie nie anders als «L» – besuchte sie die Hauptstädte Europas. Sie «machte» Florenz und Venedig, Heidelberg und Oberammergau, sog Kultur auf wie ein Schwamm und gab nach ihrer Rückkehr alles in reichlich bemessenen Dosen an ihre erwartungsfrohen Freunde weiter. 1872 streiften die beiden Damen drei Monate durch die italienischen Dolomiten, eine Reise, die Amelia ermunterte, von der Belletristik zur Reiseschriftstellerei zu wechseln.

Ägypten war jedoch eine völlig neue Erfahrung. Nachdem sie das Land erst als Zuflucht vor den Unbilden des europäischen Klimas erwählt hatte, beschloß sie, es ebenso gründlich zu «machen», wie sie Frankreich, Italien, Deutschland und die Schweiz «gemacht» hatte. Im Lauf ihrer Vorbereitungen – denn eine Schriftstellerin, und besonders eine Reiseschriftstellerin, mußte immer gut vorbereitet sein – hatte sie eine Ausgabe des unvergleichlichen Vademekums von Murray, das *Handbook to Lower and Upper Egypt*, erworben.

Ziemlich bald wurde Amelia klar, daß Murray nur Verachtung übrig hatte für Reisende, die «das Land in der kürzest möglichen Zeit machen wollten». Nur diejenigen, die «sich die ganze Nilreise vornehmen und frei über ihre Zeit verfügen können», würden vom reichen Erfahrungsschatz profitieren können, der zwischen den Seiten des erlauchten Buches verborgen lag. Diesen erhabenen Sterblichen wurde geraten, sich Mitte November nach Ägypten zu begeben, bis Ende Februar dortzubleiben und in dieser Zeit mit einer Dahabije, dem traditionellen Nilschiff, bis zum Zweiten Katarakt und zurück zu fahren. Wer die komplette Orientreise absolvieren wollte, sollte Anfang März von Ägypten über Sinai und Petra nach Jerusalem fahren. Nach fünf oder sechs Wochen in Palästina käme man dann vor Ende Mai in Beirut an.

Noch bevor sie das Kapitel zu Ende gelesen hatte, war Amelias Entscheidung gefallen. Mit «L» mußte sie sich gar nicht erst absprechen. Aus langer Erfahrung wußte Amelia, daß ihre Freundin all ihren Vorschlägen zustimmte. Doch jetzt war bereits Ende November; wenn sie also Murrays Erwartungen erfüllen und die Orientreise nach seinem Zeitplan durchführen wollten, gab es keine Zeit zu verlieren.

Wissenschaftler, Entdecker und Abenteurer wußten schnell Nutzen zu ziehen aus der Invasion von Napoleons Truppen in Ägypten im Jahr 1798. In der ersten Hälfte des 19. Jahrhunderts kamen sie immer zahlreicher, die Nilexpeditionen wurden umfangreicher und aufwendiger. In allen europäischen Hauptstädten wurden bald darauf die Museen erweitert, um den ständigen Zustrom der Schätze aufnehmen zu können, die so einfach und selbstherrlich von diesen meist amateurhaften Archäologen zusammengetragen wurden. Als 1869 der Sueskanal eröffnet wurde – knapp vier Jahre vor Amelias Ankunft –, lag das Land mit seinen Herrlichkeiten plötzlich am Hauptseeweg nach Indien. Alexandria und Kairo wurden so etwas wie Modestädte, in Ägypten zu überwintern war der letzte Schrei, die erste von Cook organisierte Nilreise fand im selben Jahr statt, und ab 1873 blühte der Niltourismus.

Es paßt irgendwie nicht ganz zusammen, daß am einen Ende des mächtigen Flusses die Touristen um die besten Aussichtsplätze rangelten und gerissene Verkäufer sie mit mehr oder weniger echten Souvenirs bedrängten und am anderen Ende sich die Forscher durch unwirtliches Gelände und über Berge kämpften, um die Quellen des Nil zu finden. Die berühmte Begegnung zwischen David Livingstone und Henry Morton Stanley hatte erst zwei Jahre zuvor, im Jahr 1871, stattgefunden. Auf der Suche nach der Quelle starb Dr. Livingstone, kaum sechs Monate bevor Amelia in der Hoffnung auf gutes Wetter in Ägypten eintraf. Als sie in Kairo unterwegs war und ihre Reise vorbereitete, hatte die Nachricht von seinem Tod die Welt noch nicht erreicht.

Amelias Plan sah vor, als erstes eine Dahabije zu mieten – die flachbodigen Flußschiffe, die sowohl als Segel- wie auch als Ruderboote ausgerüstet waren – und damit den Nil hinaufzufahren. Die Verhandlungen gewährten den beiden Damen einen ersten Einblick in die farbenprächtige Welt des ägyptischen Geschäftslebens.

Es ist bei weitem schwieriger und mühseliger, eine Dahabije aufzuspüren, als ein Haus zu mieten. Dahabijen verändern ihren Lageplatz, Häuser tun das nicht; und man gerät schließlich in schreckliche Verwirrung beim Versuch, die Vor- und Nachteile abzuwägen z. B. von Schiffen mit sechs und solchen mit acht Kabinen, von Booten mit Speiseraum und welchen ohne und von Schiffen, die nur doppelt so viel kosten, wie sie eigentlich sollten, und anderen, bei denen die Diskrepanz noch sechsmal größer ist.

Vielleicht begriff Amelia, daß sie doch nicht mit dem «ungewöhnlichen Maß an Geduld» gesegnet war, das Murray als unabdingbar ansah für alle, die ihre Reise selbst organisieren wollten. Ziemlich bald stellte sie einen Dragoman, einen Übersetzer, an, der alle Verhandlungen für sie führen sollte; sie besichtigte in der Zwischenzeit die Stadt.

Obwohl sie selbst das vermutlich völlig anders gesehen hätte, gehört Amelia Edwards eigentlich nicht in die erste Reihe der viktorianischen Globetrotterinnen. Verglichen mit einigen ihrer mutigeren Schwestern war sie eine simple Touristin. Doch die Neugier und Begeisterung, die sie während ihrer Reise entwickelte, hoben sie weit über die von ihr so verachteten Massen. Bei ihrer Ankunft in Kairo gab sie zu, keinerlei Wissen oder Erfahrung über den Orient zu haben, doch dieser Zustand hielt nicht lange vor.

Nach zehn Tagen konnte sie mit zufriedenem Blick auf die sechzig Seiten, die Murray der Hauptstadt Ägyptens und ihrer Umgebung widmete, feststellen, daß sie und «L» fast alles gesehen hatten, was dort erwähnt wurde. Selbstverständlich auch die Pyramiden – obwohl sie inzwischen eigene Vorstellungen davon hatte, wie man die ägyptischen Sehenswürdigkeiten «machte» oder «nicht machte».

Natürlich haben wir die Pyramiden nicht wirklich *gesehen.* Wir haben sie nur angeschaut. Besichtigungen müssen in Ägypten durch Lektüre und mit System vorbereitet werden, damit man wirklich etwas hat von dem, was man sieht. Wir werden mit mehr Zeit noch einmal hierherkommen, wenn wir von der Nilfahrt zurückkehren und währenddessen mehr praktisches Wissen über die Künste und die Architektur dieser langvergangenen Zeiten erworben haben.

Auf dem Rückweg von Gise kam ihnen der Dragoman, Talhamy, entgegen mit der guten Nachricht, daß nun alles bereit sei. Ihre Schwierigkeiten bei der Auswahl einer geeigneten Dahabije lösten sie durch die Entscheidung, «uns mit drei anderen Reisenden zusammenzutun». Ein mutiger Schritt – doch Amelia bemühte sich sehr zu erklären, daß ihre zukünftigen Gefährten nicht irgend jemand waren. Einen von ihnen, Andrew MacCallum, kannte sie bereits. «Die anderen beiden, Freunde von ihm, haben gerade Europa verlassen und werden erst nächste Woche in Kairo erwartet», sagte sie und fügte etwas nervös hinzu: «Wir kennen bis jetzt nur ihre Namen.» Amelia und «L» sollten in der Dahabije vorausfahren, während MacCallum in Kairo auf seine Freunde wartete. Nach ihrer Ankunft sollten sie dann mit dem Zug nach Rhoda fahren, der zweihundertneunzig Kilometer südlich von Kairo gelegenen letzten Station der Nil-Eisenbahn, wo die ganze Gruppe innerhalb von zwei Wochen zusammentreffen sollte.

Am Morgen des 9. Dezember 1873 bestiegen Amelia und «L» das Boot, das in den kommenden sieben Monaten ihr Zuhause sein sollte.

Wir sind an Bord, haben den Kapitän kennengelernt und sind bienenfleißig, denn die Kabinen müssen aufgeräumt, Blumen arrangiert und hundert kleine Dinge getan werden. Es ist wunderbar, was einige Bücher und Rosen, ein Klavier und ein oder zwei Bilder bewirken können. Innerhalb weniger Minuten war der ungemütliche Eindruck eines Mietboots verschwunden, und die *Philae* sieht so heimelig und vertraut aus, als wenn sie bereits seit einem Monat bewohnt wäre.

Auch wenn sich Amelia ab und zu über ihren Snobismus lustig machen konnte, so war er doch nicht weniger vorhanden. Unter den damaligen Reisenden herrschte eine sehr genaue Hierarchie, die Amelia so beschrieb: «Leute in Dahabijen verachten Touristen von Cook; diejenigen, die bis zum Zweiten Katarakt fahren, sehen mit hochmütigem Mitleid auf die herab, für die schon der Erste das Ziel ihrer Wünsche ist; Reisende, die ihr Schiff monatsweise mieten, tragen ihren Kopf etwas höher als die, die direkt für die Fahrt abschließen.» Für Amelia spielten die richtigen Verbindungen und Bekanntschaften eine große Rolle; auf ihre Zugehörigkeit zur sozialen und intellektuellen Elite war sie ebenso stolz wie darauf, daß sie Britin war, und sie hätte nicht im Traum daran gedacht, sich dem ungemütlichen Trubel einer Reise unter Cooks Leitung zu unterwerfen. Der Luxus einer privaten Dahabije entsprach wesentlich eher ihrem Stil. Und die *Philae* war in der Tat luxuriös. Unter Deck lagen die Einzelkabinen für die Passagiere, im Heck gab es einen Extraraum für die Gewehre der Herren, die Sonnenschirme der Damen und den Weinkeller der Reisegesellschaft. Der Hauptraum in der Mitte des Boots war ein geräumiger Salon mit getäfelten, weiß gestrichenen und golden abgesetzten Wänden und Decken. Die Einrichtung bestand aus Bücherregalen, Schreibtischen, einem Schrank für Getränke, Diwanen sowie einem Eßtisch und dem Klavier. Teppiche in kräftigen Farben bedeckten den Boden, die scharlach- und orangeroten Vorhänge paßten zu den Polsterstoffen, und täglich standen Vasen mit frischen Blumen auf den Tischen. Das Oberdeck war ein nach allen vier Seiten offener Freiluft-Salon, der tagsüber durch ein Sonnensegel Schatten erhielt. Er war mit Deckstühlen, Tischen und orientalischen Teppichen ausgestattet, und dank seiner idealen Lage konnten die Passagiere im größtmöglichen Komfort die bestmögliche Sicht auf die vorbeiziehende Szenerie genießen.

Da die *Philae* bei Wind ein Segelschiff war, bei Windstille jedoch gerudert wurde, benötigte sie eine entsprechend große Mannschaft. In ihrer Beschreibung staunt Amelia über die zwölf Seeleute «in allen Hautfarben, von gelblich-bronzefarben bis zu einem Ton, der von Schwarz nicht weit entfernt war; und wenn man auch anfangs denkt, daß es nichts Eigentümlicheres geben kann als einen Seemann in Unterröcken und Turban, so sehen diese Männer hier mit ihren lockeren blauen Gewändern, nackten Füßen und weißen Musselinturbanen nicht nur malerisch aus, sondern sie wirken auch genau richtig gekleidet». «Unsere Ausstattung», wie Amelia formulierte, «wurde vervollständigt durch den Rais oder Kapitän, den Steuermann, den Dragoman, den Chefkoch, Hilfskoch, zwei Kellner und den Boy, der für die Mannschaft kochte.» Die zwei Damen machten sich also mit einer Entourage von zwanzig Seelen auf den Weg nach Rhoda.

Murrays Handbuch war natürlich nicht Amelias einziger Lesestoff. Die Bücherborde der *Philae* bogen sich unter dem Gewicht der Bände über ägyptische Geschichte, antike Denkmale und Hieroglyphen. Während sie langsam gen Süden fuhren, las sie Herodot und Vivant Denon, Champollion, Mariette und Bunsen. (Wenn man Amelia glauben darf, so verbrachte «L» die meiste Zeit mit Stricken.) Als sie sieben Tage nach ihrer Abfahrt aus Kairo in Beni Suef landeten, fühlte sie sich bereits so vertraut mit der Materie, daß sie schon einen Plan für die ganze Reise ausgearbeitet hatte.

Allgemeine Regel für Nilreisende war, so schnell wie möglich den Fluß hinaufzufahren und die Ruinen auf dem Rückweg zu besuchen. Doch Miss Edwards wußte, daß das falsch war. «Das Land Ägypten ist ein Großes Buch», belehrte sie den verblüfften Kapitän. «Es ist ohnehin nicht leicht zu lesen, sondern an sich schon schwer genug, auch ohne die zusätzliche Verwirrung durch das Rückwärtslesen.» Deshalb wollte sie einige der ältesten Stätten bereits auf dem Weg nach Süden besuchen.

Was Amelia nicht klar war und all die gelehrten Bücher ihr nicht vermittelten, war, daß die meisten Reisenden ihre Besichtigungen nicht zufällig auf dem Rückweg unternahmen. Im Winter kam der Wind in der Regel aus Norden. Es war ratsam, diesen Wind auf dem Weg nach Süden auszunutzen, um unter Segeln soweit wie möglich zu kommen. Jeder Windtag, der vergeudet wurde, indem man irgendwo vor Anker lag, bedeutete sehr wahrscheinlich einen späteren windstillen Tag, an dem man nicht segeln konnte. Auf der Rückreise war die Windrichtung ohne Bedeutung, da man mit der Strömung fuhr. Deshalb konnte man es sich dann leisten, wo man wollte und so lange, wie man wollte, zu halten, denn ohne Frage würde der Fluß noch am nächsten und auch am darauffolgenden Tag in derselben Richtung wie vorher fließen. Der Kapitän wußte zu gut, wo sein Platz war, als daß er sich auf einen Streit mit Amelia eingelassen hätte. Als sie darauf bestand, noch einen zweiten Tag in Beni Suef zu bleiben, zuckte er nur die Schultern und legte sich in den Schatten, um zu schlafen.

Genau in dem Moment, als Amelia entschied, daß sie jetzt von Beni Suef weiterfahren konnten, legte sich der Wind, der drei Tage lang stetig geweht hatte. Nun mußte die andere Energiequelle eingesetzt werden.

Als wir auf Deck kamen, sahen wir, daß neun der armen Kerle wie Treidelpferde an ein Seil gebunden waren und das schwere Boot gegen den Strom zogen. Dieser Anblick vertrug sich irgendwie nicht mit der stillen Schönheit der

Szenerie. Wir gewöhnten uns daran, so wie man sich mit der Zeit an alles gewöhnt, aber es sah wie Sklavenarbeit aus, und wir als Engländerinnen mit unseren Überzeugungen waren doch sehr erschüttert davon.

Es kam ihr überhaupt nicht in den Sinn, daß sie in irgendeiner Hinsicht für die zusätzliche Mühe der Männer verantwortlich sein könnte.

Amelias Überzeugungen als Engländerin sollten auf dem weiteren Weg nach Süden noch mehrere Male unangenehm erschüttert werden. Die Altertümer waren gewiß staunenswert. Amelia war ganz und gar glücklich, wenn sie tagelang in Ruinen herumstochern, Scherben aufheben oder im Schatten ihres weißen Sonnenschirms zeichnen konnte. Doch das alltägliche Ägypten war die Kehrseite. In den Slums der europäischen Großstädte oder in den Bauerndörfern der Dolomiten hatte es nichts gegeben, das sie auf die Armut und das Elend der ländlichen Siedlungen an den Ufern des Nil vorbereitet hätte.

Zufällig erreichten sie El-Minja, als dort gerade Markttag war, und was als netter kleiner Spaziergang durch die Straßen begann, endete als Schreckenszug. Die Häuser, die Amelia sich als sehr malerisch oder altertümlich vorgestellt hatte, erwiesen sich als bessere fensterlose Lehmgefängnisse entlang staubiger Gassen. Als sie zum Hauptplatz kamen, drängten sich dort «zehn- oder zwölftausend Eingeborene in jedem Alter, mit dumpfem, dummem und unfreundlichem Gesichtsausdruck». Mit steigendem Entsetzen stellte Amelia fest, daß ungefähr jeder zwölfte «auf einem Auge blind war» (sie wußte noch nichts über die Auswirkungen der Ophthalmie, dieser Plage des Nil), daß auch die «gehobeneren Schichten» schäbig gekleidet waren und daß die Haut der Ärmsten der Armen «nichts als eine Schicht aus verkrustetem Dreck und Geschwüren und Schwärmen von Ungeziefer bedeckte». Sie floh zurück zur *Philae* und preßte ihr Taschentuch an die Nase.

«Das alles war so furchtbar», schrieb sie, «daß man besser freiwillig einen großen Umweg in Kauf nimmt, als Zeuge dieses Leidens zu werden, ohne die Macht, es zu lindern.»

Es war ganz einfach: Was das Auge nicht sieht, kann das Herz nicht bekümmern. Armut und Schmutz rührten ihr Herz, sie drehten ihr aber auch den Magen um. Da war es wesentlich besser, sie auf Distanz zu halten, so daß sie einen gewissen exotischen Reiz bewahrten. Während der restlichen Reisezeit hielt Amelia es dann so: Sie unternahm keinen Versuch, die Menschen in Ägypten kennenzulernen. Sie kostete weder ihr Essen, noch lernte sie ihre Sprache, und entgegen Murrays Versicherungen, daß sie sich um ihre Sicherheit kaum zu sorgen brauchte, verließ sie nach dieser ersten Erfahrung das Schiff nur noch mit mindestens zwei Männern der Besatzung als Leibwächtern, «um sicherzugehen, daß die Leute in angenehmer Entfernung blieben».

«Heute ist Weihnachten», schrieb sie einige Tage später. «Die Köche stehen bis zum Hals in Plumpudding, die Mannschaft bekommt zur Feier des Tages ein Schaf, und die Neuen sind angekommen.» Doch Amelia war nicht sehr weihnachtlich zumute. Sie und «L» hatten zwei sehr angenehme Wochen verbracht; sie waren auf dem Boot ungestört und hatten sich ihr Leben recht gut eingerichtet. Ab jetzt mußten sie nicht nur die Räumlichkeiten, sondern auch ihre Entscheidungen mit «vier Personen» teilen, deren Vorlieben und Abneigungen vielleicht ganz andere als die ihren waren.

Amelia konnte nicht einmal Andrew MacCallum, einen durchaus bekannten Maler, ohne den bissigen Kommentar begrüßen, daß er «genügend Rahmen, Leinwände, Zeichenpapier und Staffeleien mitgebracht hat, um eine Kunstschule auf dem Land einzurichten». Es stellte sich heraus, daß seine beiden Freunde, denen sie äußerst mißtrauisch gegenüberstand, auf Hochzeitsreise waren. Amelia taufte sie sofort und etwas säuerlich das «Glückliche Paar». «Der Bräutigam ist das, was man gemeinhin einen Müßiggänger nennt, das heißt, er ist gebildet, von zarter Gesundheit und faul. Zur Braut paßt es am besten, wenn ich sie die Kleine Dame nenne.» Die vierte Person, die Amelia vermutlich nur aufzählte, um das ganze Ausmaß der Invasion zu beschreiben, war das Dienstmädchen der Kleinen Dame. Sie wird nie wieder erwähnt.

Amelias Hang zu bildhaften Spitznamen führte dazu, daß die unglücklichen Flitterwöchner während der ganzen Nilreise gemeinschaftlich das «Glückliche Paar» und einzeln «Der Müßiggänger» und die «Kleine Dame» blieben. Sogar MacCallum war und blieb «Der Maler», während sie von sich selbst von jetzt an nur noch als «Die Schriftstellerin» sprach. Aus der armen «L» wurde nie «Die Strickerin», sie blieb einfach «L».

Die *Philae* bewegte sich mit ihren mißtrauisch sich beäugenden Passagieren manchmal unter Segeln, ab und zu getreidelt und manchmal gestakt langsam nach Süden. Der Himmel war wolkenlos, die Tage waren warm und die Abende wunderbar. Bei Windstille gingen die Tatkräftigeren an Land vor den kräftig ziehenden Matrosen her. An Bord malte der Maler, schrieb und las die Schriftstellerin, und der Müßiggänger, der sich große Hoffnungen auf eine beeindruckende Trophäe machte, die er mit nach Hause nehmen konnte, hielt gespannt nach Krokodilen Ausschau. «L» und die Kleine Dame verbrachten viel Zeit damit, die unglückseligen Kaninchen und das bunte Federvieh zu füttern, die auf dem Achterdeck ihrem Schicksal im Kochtopf entgegensahen – sehr zur Erheiterung des Steuermanns, der, da er sich nichts anderes vorstellen konnte, annahm, daß die Damen die Tiere mästeten.

Als die Jahreszeit weiter fortschritt, versuchte der Kapitän Amelia mit Hilfe des Dragoman davon zu überzeugen, daß sie ihre nicht in den üblichen Ablauf passenden Absichten ändern sollte. Doch obwohl der Dragoman mehr Mut aufbrachte als der Kapitän, war er nicht erfolgreicher. Amelias Entschluß stand fest.

Keinem Dragoman könnte man je die Bedeutung der historischen Reihenfolge bei einer Angelegenheit von solcher Bedeutung verständlich machen. Cheops, Ramses und die Ptolemäer sind alles eins für sie. Was die Bauwerke betrifft, so stammen sie ohnehin alle aus dem alten Ägypten, und eines ist so merkwürdig wie das andere. Es kann nicht jeder Mensch gebildet sein, aber wir können zumindest unser Bestes versuchen, um zu verstehen, was wir sehen. Einige Orte muß man auf dem Hinweg besuchen, gleich welche unbedeutende Verspätung das dann gerade verursacht und auch gegen jeden Widerstand aus Unkenntnis.

Glücklicherweise schienen zu dieser Zeit weder der Maler noch das Glückliche Paar etwas gegen Amelias geschäftige Planung des Reiseablaufs einzuwenden zu haben, und «L» war von ihrer undankbaren Freundin schon längst als «sträflich gleichgültig gegenüber wahrer Größe» abgeschrieben worden. Also setzte Amelia sich durch. Und man muß sagen, daß sie fast alles erreichte. Obwohl sich ihr Interesse am modernen Ägypten nach wie vor in engen Grenzen hielt, entwickelte sie eine wahre Leidenschaft für seine Vergangenheit. «Für viele Reisende ist der Besuch der Tempel eher eine Pflicht», schrieb sie. «Ich dagegen könnte in Tempeln frühstücken, zu Mittag und zu Abend essen. Mein Appetit ist unersättlich.» In Dendera blieb sie so lange bei den Skulpturen, daß bei Einbruch der Dunkelheit ein Suchtrupp nach ihr ausgeschickt werden mußte. Der große Tempel von Karnak erhielt den Hauptpreis, denn er machte sie sprachlos.

Es ist unmöglich, ihn zu beschreiben. Die Dimensionen sind zu groß, die Wirkung ist so erschütternd, das Gefühl der eigenen Beschränktheit, Winzigkeit und Unfähigkeit ist zu umfassend und niederschmetternd. Hier versiegen nicht mehr nur die Worte, sondern auch die Vorstellungen. Andere können dort vielleicht hinaufsteigen, Maße nehmen, Pläne anlegen – ich kann nur schauen und still sein.

Bis Assuan verlief Amelias Reise im wesentlichen kaum anders, als es heute noch auf derselben Strecke der Fall ist. Die tatsächlich vorhandenen Unterschiede waren eher gradueller Art. Sie reiste mit einem Segelboot – heute werden Motorschiffe eingesetzt. Viele der inzwischen berühmten Reichtümer – das Große Schiff des Cheops in Gise, das Grab des Tutanchamun in Theben – lagen noch unentdeckt unter Millionen Tonnen Sand.

Wer 1874 nach Assuan kam, wurde dort allerdings mit einem gewichtigen Hindernis konfrontiert, das dreißig Jahre später schon nicht mehr existierte. Ein Hindernis, das – so wie Amelia es sah – der oberhalb liegenden Strecke des Nil den zusätzlichen Vorzug verlieh, daß sie für normale Touristen nicht erreichbar war. Kein Dampfer von Cook und nur die besten Nil-Dahabijen konnten den berüchtigten Katarakt von Assuan passieren. Amelia war nicht sicher, ob die *Philae* es schaffen würde, vor allem nicht, nachdem sie Murrays Ausführungen darüber gelesen hatte.

Der Katarakt, der den Lauf des Nil hemmt, besteht aus einer Abfolge von Stromschnellen, Wirbeln und Strudeln, die zu befahren während einer Nilreise eher aufregend als angenehm ist. Dies wird vielleicht am ehesten dadurch deutlich, daß niemand, der je dort durchgefahren ist, dies freiwillig wiederholen würde – obwohl es ihm durchaus Spaß bereiten könnte, von einem Felsen am Ufer aus zuzuschauen. Für Damen ist dies ohnehin der am besten geeignete Platz.

1898 wurde mit dem Bau des ersten Damms bei Assuan begonnen, und ab 1904 konnten die Reisenden den Ersten Katarakt über die ruhigen Schleusen eines Kanals passieren. 1874 lag das Schicksal der Passagiere einer Dahabije in den Händen eines Mannes, der «Scheich des Katarakts» genannt wurde. Nur er hatte die Erfahrung, die Mannschaft und die Ausrüstung, um die Reisenden sicher über die Stromschnellen zu bringen.

Murray wies warnend darauf hin, daß Verhandlungen mit dem Scheich manchmal mehrere Tage Aufenthalt notwendig machten. Doch MacCallum, der schon einmal hiergewesen war, befand, daß die ganze Sache durch einen Besuch beim Gouverneur von Assuan vorangebracht werden könnte. Ausnahmsweise willigte Amelia ein, die Wortführung abzutreten, und der Maler – eingehüllt in eine voluminöse *keffije*, ein arabisches Schaltuch, und mit dem unvermeidlichen Spazierstock bewaffnet – sprang an Land, um den Gouverneur zu besuchen. Einige Stunden später kam dieser zum Gegenbesuch, gemeinsam mit dem Bürgermeister und dem Richter von Assuan, jeder in Begleitung seines Wasserpfeifenträgers.

Die Gäste wurden mit aller gebührenden Hochachtung im Salon empfangen. Die vornehmen Herren nahmen auf einem der Diwane Platz, und der Maler eröffnete die Unterhaltung, indem er ihnen Champagner, Rotwein, Portwein, Sherry, Curaçao, Brandy, Whisky und Angostura anbot.

Dieser Fauxpas hätte der ganzen Nilreise beinahe ein vorzeitiges Ende beschert. Obwohl der Gouverneur weltmännisch genug war, daß er sich belustigt zeigen konnte, waren sowohl der Bürgermeister als auch der Richter allein schon bei der bloßen Erwähnung dieser unheiligen Getränke zutiefst schockiert. Gerettet wurde die Situation durch einen Kellner, der Flaschen mit Sprudellimonade brachte, aus denen sich die drei Herren demonstrativ genußvoll bedienten.

Als sie sah, daß die Bemühungen der anderen um ein Haar

eine Katastrophe heraufbeschworen hätten, fand es Amelia an der Zeit, wieder die Kontrolle über die Verhandlungen zu übernehmen. Doch ihre eigenen Versuche endeten fast ebenso verheerend, denn ihre nächste Frage an die Gäste war, ob man denn unter Umständen den Sklavenmarkt von Assuan besichtigen könnte. Das Lächeln verschwand aus dem Gesicht des Gouverneurs. Der Bürgermeister setzte sein Glas mit Limonade nieder, ohne davon getrunken zu haben, und der Richter legte seine Wasserpfeife ab. «Wenn im Salon eine Granate explodiert wäre, hätte das kaum größere Bestürzung bei ihnen ausgelöst», schilderte Amelia die Situation.

Durch den Dolmetscher ließ ihr der Gouverneur versichern, daß es nirgendwo in Ägypten Sklaverei gebe und auch ganz sicher keinen Sklavenmarkt in Assuan. Amelia beeilte sich zu erklären, daß man ihnen in Kairo von absolut zuverlässiger Seite aus gesagt hatte, daß in Assuan noch Sklaven ge- und verkauft würden und daß sie als Reisende nicht ihre eigene eitle Neugier stillen, sondern einfach ein wenig zeichnen wollten. Die drei Besucher schüttelten weiter ihre Köpfe und blickten sehr ernst drein. Die folgende verlegene Stille machte Amelia deutlich klar, daß jetzt auch sie ziemlich danebengegriffen hatte. Sie besaß soviel Taktgefühl zuzugeben, daß ihr das sehr peinlich war. Dieses eine Mal erhielt sie nun auch Gelegenheit, der Kleinen Dame äußerst dankbar zu sein. Diese setzte sich nämlich ganz einfach ans Klavier und begann, das fröhlichste Stück zu spielen, das sie kannte; zufällig war es ein Walzer von Verdi.

Aus irgendeinem Grund war Verdi genau der richtige. Vielleicht lag es auch einfach an der dritten Flasche Limonade. Gouverneur, Bürgermeister und Richter gingen nach einer halben Stunde und versprachen, ihren Einfluß beim Scheich des Katarakts geltend zu machen, um die Dinge zu beschleunigen. Dann löste sich die Gesellschaft auf, um sich bis zur Weiterfahrt die Zeit zu vertreiben.

Der Maler verschwand mit seiner Staffelei, während «L»

und die Kleine Dame verkündeten, sie wollten jetzt Briefe schreiben. Damit stand die Schriftstellerin vor einer schwierigen Entscheidung. Sie hatte sich bisher den beiden Herren angeschlossen, die die einzig Aktiven dieser Reisegesellschaft waren. Wenn sie nun auf dem Boot bliebe, so gäbe sie sich damit der Passivität hin, die sie regelmäßig und in aller Freundlichkeit den anderen Damen zum Vorwurf machte. Die Alternative war jedoch, den Müßiggänger auf einen Ausflug zu begleiten, von dem sie jetzt schon wußte, daß er ihre Würde aufs Spiel setzte. Als die Entscheidung gefallen war, verbarg sie ihre Befürchtung unter dem Deckmantel der Verachtung.

Die Schriftstellerin und der Müßiggänger bestiegen unerschrocken Kamele und ritten hinaus in die Wüste. Dieser Ausritt gilt als krönendes Ereignis für jeden Touristen von Cook. Die Araber ihrerseits reiten allerdings möglichst nicht auf einem Kamel, wenn sie es vermeiden können; wesentlich schneller und angenehmer sind sie auf Eseln unterwegs. Doch für einen leicht zu beeindruckenden Reisenden ist ein Ritt auf einem Kamel aus Assuan ein Muß. Es ist eine sehr unerfreuliche Erfahrung. Man weiß, daß dieses Tier einen haßt, sobald man das erstemal darum herumgeht und sich dabei fragt, von wo aus und wie denn sein Buckel zu erklimmen wäre. Es flucht ganz offen auf Sie, während Sie sich niederlassen, fletscht die Zähne, wenn Sie sich nur ein wenig im Sattel bewegen, und starrt zornig vor sich hin, sobald Sie versuchen, es in Bewegung zu setzen. Falls Sie das weiter probieren, beißt es in Ihre Beine. Wenn Sie tatsächlich auf diesem abscheulichen Buckel sitzen bleiben, werden Sie entdecken, daß die Gangart dieses Tieres ebenso schrecklich wie seine Launenhaftigkeit ist. Es verfügt über vier Varianten: ein kurzer Schritt wie das Schlingern eines kleinen Bootes in einer aufgewühlten See; ein langer Schritt, der alle Knochen in Ihrem Körper durcheinanderrüttelt; ein Trab, der einen Idioten aus Ihnen macht, und ein Galopp wie eine Höllenfahrt.

Am Tag nach dieser ungemütlichen Expedition kam der Scheich des Katarakts mit einer Gruppe von Arbeitern. Zur Vorbereitung auf die Fahrt durch den Katarakt wurden die Fenster der *Philae* mit Läden versehen, Türen verschlossen und zerbrechliche Dinge an einem sicheren Platz verstaut, ganz so, als ob das Schiff auf einen schweren Sturm auf See vorbereitet würde. Unter günstigen Bedingungen und mit etwas Glück sollte die Durchfahrt zwölf Stunden dauern. Andererseits konnten alle möglichen kleinen Mißgeschicke bis zu vier Tage daraus werden lassen.

Amelia mißachtete den Hinweis von Murray, daß Damen besser daran täten, vom Ufer aus zuzusehen, und suchte sich einen Platz ganz vorn im Boot, um in jedem Fall alles ungehindert verfolgen zu können. Der erste Blick auf die Stromschnellen an der Einfahrt zum Katarakt überzeugte sie, daß sie besser vom Salon aus zusehen sollte: «Eine Kette aus kleinen Inseln versperrte den Weg. Sie teilten den Fluß in drei oder vier ungestüme Sturzbäche, die sich weiter unten wieder zu einem wilden Strom vereinigten.»

Während sie sich «diesem Berg aus bewegtem Wasser» näherten, rauchte der Scheich, «ein flachgesichtiger, fischäugiger alter Nubier», seelenruhig weiter seine Pfeife. Im letzten Moment und ohne dabei seine Pfeife aus dem Mund zu nehmen, sagte er nur das Wort «vorwärts». Sofort schwärmten seine Männer auf die Felsen aus, Taue wurden von dort auf das Schiff, andere vom Deck ans Ufer geworfen, und im Nu hatten sich mehr als hundert Arbeiter daran verteilt. Der Scheich gab ein Signal, und «unter wilden Gesängen und mit Bewegungen wie in einem Barbarentanz» begannen die Männer zu ziehen. In Anbetracht der Wassermassen, gegen die sie ankämpfen mußten, und der Größe des Bootes (mehr als dreißig Meter lang und neun Meter breit) schien ihr Vorhaben undurchführbar. Doch ganz unmerklich begann sich die *Philae* in Bewegung zu setzen. Zwei Stunden lang sangen und zogen sie; weißer Gischt donnerte an die Seiten, die verängstigten Passagiere im Salon wurden hin und her geworfen, die Seile spannten sich – und endlich glitt das Boot mit einem Schwung über die obere Kante des Wasserfalls und in vergleichsweise ruhiges Wasser.

Sechsmal sollte dies alles wiederholt werden, bis der Katarakt ganz durchfahren wäre. Bei der zweiten Stromschnelle riß ein Tau – die zwanzig Arbeiter, die daran hingen, fielen wie Dominosteine um, und die *Philae* drehte sich mit ihrer Breitseite zum Strom. Zum Glück hielten die anderen Taue, doch der Vorfall war zu viel für die Männer. Sie legten die Seile ab und gingen nach Hause. Der Scheich wunderte sich nicht im geringsten darüber und versprach, daß sie am nächsten Morgen alle wieder da wären. Amelia und ihre Gefährten wurden ziemlich verblüfft zwischen den beiden Stromschnellen vertäut zurückgelassen.

Am folgenden Tag war bis zum Mittag noch kein einziger Mann erschienen. Der Scheich rauchte und schüttelte den Kopf: «Am Katarakt gibt es wie auch anderswo gute und schlechte Tage, Tage, an denen sich die Männer zur Arbeit aufgelegt fühlen, und Tage, an denen es nicht so ist. Heute ist es anscheinend nicht so.»

Und wieder trat der Maler auf den Plan. Als praktisch veranlagter Mensch hatte er sich eine kleine Auswahl ausgesuchter arabischer Verwünschungen zugelegt, die er in seinem Notizbuch aufschrieb, um sie nötigenfalls gleich zur Hand zu haben. Die anderen Teilnehmer der Reise lachten darüber genauso wie über seinen Taschenrevolver, der nie geladen war, oder seine nagelneue Vogelflinte, die er nie benutzte. Doch der Scheich des Katarakts war zu weit gegangen. «Sein gleichmütiges Lächeln hätte den sanftmütigsten Mann wütend gemacht, und unser Maler gehörte nicht zu den sanftmütigsten Männern», erklärte Amelia. Also holte MacCallum sein Buch hervor, wählte ein passendes Zitat aus und trug es dem Scheich vor.

Der Scheich sprang wie von der Tarantel gestochen auf seine Füße – er schwor, die *Philae* könnte seinetwegen für immer und ewig bleiben, wo sie jetzt lag –, stieg in sein eigenes kleines, wackeliges Boot und überließ uns unserem Schicksal. Wir standen wie vom Donner gerührt. Jetzt war alles aus, jetzt würden wir Abu Simbel nie zu sehen bekommen. Was sollten wir tun? Dem Scheich die Stirn bieten oder ihn besänftigen? Sollten wir uns an den Gouverneur wenden? Oder den Maler opfern? Die Mehrheit war dafür, den Maler zu opfern.

Die zweite Nacht vor Anker im Katarakt war noch unangenehmer als die erste. Das Toben des Flusses in den nahen Stromschnellen ließ kaum jemanden schlafen, und die Passagiere waren ohnehin in ziemlich erregter Stimmung. Die Schriftstellerin beklagte sich laut, der Maler war trotzig und das Glückliche Paar äußerst aufgebracht. «L» ging auf Zehenspitzen und versuchte, sich aus allem herauszuhalten.

Am nächsten Morgen erschien zur Überraschung und großen Erleichterung aller der Scheich, lächelnd und von doppelt so vielen Männern begleitet wie zuvor. Er erklärte, daß der Maler sein Bruder und wir alle seine besten Freunde seien, daß es nichts gebe, was er nicht für uns tun würde. Dann schickte er seine Männer an die Taue. Von morgens bis abends zogen und schwitzten sie, bis die *Philae* bei Sonnenuntergang, als der Himmel im letzten Licht erstrahlte, die letzte Biegung nahm, die letzte Stromschnelle hinter sich brachte und in ruhiges Wasser glitt. Weder ich noch sonst jemand machte sich jemals wieder über das Fluchrepertoire des Malers lustig.

Am Rand des Ersten Katarakts sollte ein Jahrhundert später der Staudamm von Assuan errichtet werden, um die zeitweise verheerenden periodischen Überschwemmungen des Flusses zu regulieren. Seit 1960 sind die restlichen fünfhundert Kilometer von Amelias Fahrt nach Süden in den Fluten des Lake Nasser versunken. Das erste archäologische Gelände, das Amelia und ihre Reisegesellschaft oberhalb des Katarakts besuchten, war die kleine Insel Philae, nach der die Dahabije benannt war. Und an diesem Ort, zwischen den wunderbaren Statuen, Säulen und Innenhöfen der der Isis geweihten Tempel, vollzog sich eine grundlegende Veränderung in Amelias Haltung gegenüber den Altertümern Ägyptens.

In Gise und Luxor, Karnak, Dendera und jedem anderen Ort unterhalb des Ersten Katarakts schienen Souvenirverkäufer so sehr Bestandteil der Szene zu sein wie die Altertümer selbst. Obwohl sie sich gerühmt hatte, bei den Angaben über die Authentizität der angebotenen Skulpturen und Werkstücke nicht so leichtgläubig wie die meisten zu sein, hatte Amelia mit klarem Verstand um «echte alte Objekte» gefeilscht. In Sakkara hatte sie, wie sie gestand, «gelernt, mit genausowenig Gewissensbissen wie ein professioneller Leichenräuber zwischen staubigen Gräbern herumzuwühlen». In Memphis hatte sie voller Begeisterung «viele eigenartige Glas- und Tonscherben» mitgenommen sowie «ein Stück eines gravierten bronzenen Apis», und in Elephantine bei Assuan hatte sie einige beschriftete Terrakottastücke aufgesammelt, die aussahen, als ob sie von einem antiken Schutthaufen stammten.

In Philae war es anders. Es lag oberhalb und nicht unterhalb des Ersten Katarakts; das hatte den Ort vor dem großen Touristenstrom bewahrt. Der Platz war zwar ausgeplündert worden, frühere Schatzsucher hatten Straßenpflaster herausgerissen, einen ganzen Obelisken hatte man erst nach Kairo transportiert, und 1818 brachte ihn Giovanni Belzoni von dort nach England. Steine aus den Tempelmauern fanden beim Häuserbau in den umliegenden Dörfern Verwendung. Doch statt einer Atmosphäre von Zerfall und Vernachlässigung strahlten die Tempel von Philae «eine Frische und Klarheit aus, die uns glauben macht, die Arbeit sei nicht zerstört worden, sondern nur zum Stillstand gekommen». Die Bildhauer und Steinmetzen schienen nur für einen Moment ihre Werkzeuge beiseite gelegt zu haben und gleich wiederzukommen und weiterzuarbeiten. Hier gab es keine «Antiquitätenverkäufer», die in Scharen lautstark um Kundschaft buhlten, keine Papyrus-Hausierer, keine Betteleien um Bakschisch. «Die Heilige Insel Philae», schrieb Amelia, «wunderschön, unbelebt, die mit all ihrem Reichtum an Skulpturen, Malerei, Geschichte, Poesie, Tradition ein Teil der Vergangenheit ist», schien zu schlafen, bis dahin noch ungestört.

Der Kontrast öffnete Amelia die Augen für die zerstörerische Wirkung nicht nur des Tourismus, sondern auch der Wissenschaft. Es schien Schicksal jedes Denkmals zu sein, egal, ob groß oder klein, daß die Touristen überall Namen und Daten hineinkratzten, daß die Ägyptologiestudenten jeglichen Rest von Originalfarben ausschwemmten, wenn sie «feuchte Papierproben» entnahmen, und «Sammler» mußten anscheinend alles Wertvolle, dessen sie habhaft werden konnten, kaufen und mitnehmen. «Die Zerstörung geht immer weiter», klagte Amelia. Doch die Schuld konnte man nicht allein den Ausländern geben. Die antiken Wunder des Nil genossen keinen offiziellen Schutz; die Regierung schien sogar davon auszugehen, daß sich große Brocken des ägyptischen Erbes bestens als Gegenleistung für internationales Interesse und Kapital eigneten. Auch wenn ein Brite, Italiener, Franzose oder Amerikaner unbedingt ein Stück ägyptische Geschichte für sein Museum oder seinen Salon erwerben wollte, fand er problemlos einen Araber, der ihm gegen Bezahlung zeigte, wo so etwas zu finden sei.

Die Tempel von Abu Simbel, Amelias letztes Ziel, wurden durch eine andere Gefahr bedroht. Sie lagen zweihundert-

neunzig Kilometer südlich von Philae; der Schweizer Entdek-
ker Johann Burckhardt hatte 1812 als erster die europäischen
Archäologen auf sie aufmerksam gemacht. Die beiden Tempel
waren aus den Felswänden zweier gegenüberliegender Hügel
gehauen und durch eine tiefe Schlucht getrennt. Jahrhundertelang rieselte Sand durch diese Kluft und schichtete sich ähnlich einem großen Wasserfall – oben schmal und unten weit
aufgefächert – zu beiden Seiten an den Fassaden der Tempel
auf. Als Burckhardt in Abu Simbel eintraf, verdeckte die große
Verwehung den über sechs Meter hohen Haupteingang des
Großen Tempels bis zu einer Tiefe von neun Metern. Belzoni
beseitigte 1817 diese Verwehungen teilweise, Lepsius tat im
Jahr 1844 und danach Mariette 1869 das gleiche. Doch jedesmal kehrten die Sandmassen unweigerlich zurück. Abu Simbel wurde als das «ausweichende Wunder» des Nil bekannt.

Als Amelia und ihre Gefährten 1874 dorthin unterwegs waren, hatten sie nicht in Erfahrung bringen können, wie weit
der Sand in den fünf Jahren seit der letzten Säuberung vorgedrungen war. Doch die Ungewißheit erhöhte Amelias Spannung. Obwohl sie nicht hoffen konnte, daß die Anstrengungen
«einer einfachen Sterblichen und Engländerin» die Flut zu-
rückzudrängen vermochten, so konnte sie doch festhalten und
zeichnen, was noch nicht zugedeckt war, bevor das «ausweichende Wunder» wieder verschwand.

Südlich von Philae wurde das Klima deutlich wärmer und
schwüler. Es war jetzt zu heiß, um sich tagsüber auf dem
Oberdeck aufzuhalten, selbst wenn das Sonnensegel aufge-
spannt war, und die energische Miss Edwards mußte zugeben,
daß «ein Uferspaziergang eher Pflicht als Vergnügen» war.
Die Wüste lag nun zu beiden Seiten des Flusses nie weiter als
achthundert, manchmal nur fünf Meter entfernt und wirkte in
dieser Nähe bedrückend. Dem Maler raubte sie die Motive
für seine Bilder, «L» und die Kleine Dame sehnten sich nach
den lauschigeren Ufern am Unterlauf des Nil. Der Müßiggänger konnte nur schwer seine Enttäuschung darüber verbergen,

daß überhaupt keine Krokodile gesichtet wurden – seine Verstimmung nahm noch zu, als eine Dahabije vorbeifuhr, die sich auf dem Heimweg nach Norden befand und «vom Bug bis zum Heck mit Krokodilen bekränzt» war. Doch Amelia schien die gedrückte Stimmung ihrer Mitreisenden nicht wahrzunehmen. Als sie am 31. Januar kurz vor Mitternacht die letzte Flußbiegung vor Abu Simbel nahmen, konnte sie ihre Aufregung kaum beherrschen.

«Schließlich lag die Kurve hinter uns, und der Große Tempel erhob sich direkt vor uns. Obwohl es Nacht war, konnten wir die Vorderseite, die wie ein riesiges gerahmtes Bild in den Berg gesunken zu sein schien, deutlich erkennen.» Nach diesem ersten kurzen Blick auf die Wunder von Abu Simbel gingen «L» und das Glückliche Paar gleich zu Bett, sehr zu Amelias Mißvergnügen.

Doch der Maler und die Schriftstellerin hatten nicht die Geduld, bis zum Morgen zu warten. Fast noch ehe die *Philae* richtig festmachte, sprangen sie ans Ufer und begannen hinaufzusteigen. Schließlich standen sie am Fuß der riesigen Bauten, vor der Schwelle des weiten Portals. Die gigantischen Statuen erhoben sich hoch über ihnen. In weiter Ferne glitzerte der Fluß wie Stahl. Angespannte Stille herrschte, und gen Osten stieg das Kreuz des Südens empor. Zeit und Ort, sogar der Klang ihrer Stimmen, schienen unwirklich. Alles kam ihnen vor, als müßte es mit dem Mondlicht vergehen und vor dem Morgen verschwinden.

Im Sonnenlicht des nächsten Tages wirkte die Szenerie zwar nicht mehr so ätherisch, dafür aber noch beeindruckender. Ergriffen von der Größe der Statuen, der Schönheit und dem Reichtum der Reliefs und den ausgemalten Felsenkammern wanderte die Gruppe in den Tempelanlagen von Abu Simbel umher, «voller Staunen, wie Landvolk auf einem Jahrmarkt». Sehr schnell war klar, daß der Treibsand wieder in Bewegung war: Er bedeckte bereits zwei der zwanzig Meter hohen Statuen bis zur Mitte und den Boden des Großen Tempels sechzig Zentimeter hoch. Das unaufhaltsame Vordringen des Sandes bot sowohl der Feder der Schriftstellerin wie auch dem Pinsel des Malers neue Anregungen. Ungerührt von der glühenden Hitze, den Fliegenschwärmen, die in den Farbtiegeln ertranken, und dem Sand, der sich in Haaren, Augen und im Essen festsetzte, stellten sie ihre kleinen Sonnensegel auf und begannen, die Herrlichkeiten von Abu Simbel für die Nachwelt festzuhalten.

In seinem Handbuch hatte Murray für die Passagiere einer Dahabije einen, höchstens zwei Tage für die Besichtigung der Tempel von Abu Simbel vorgesehen. Als nach einer Woche weder die Schriftstellerin noch der Maler irgendwie erkennen ließen, daß die Reise weitergehen sollte, wurde aus den Mannschaftsquartieren der *Philae* Unmut geäußert. Der Dragoman erläuterte, daß die Männer nichts zu tun hätten. Der Maler fand eine Lösung. Bei der nördlichsten Statue von Ramses war das Gesicht noch durch Gipsreste von einem Abguß verunstaltet, den Hay fünfzig Jahre zuvor für das Britische Museum anfertigte. Die Mannschaft der *Philae* sollte das ausbessern. Unter Amelias wachsamen Augen kratzten die Matrosen daraufhin die Gipsbrocken ab und verwischten die Flecken, indem sie sie mit in schwarzen Kaffee getunkten Schwämmchen abtupften.

Kaum war die Frage der Beschäftigung für die Mannschaft geregelt, rebellierten Amelias bis dahin friedfertige Reisekumpane. Das Glückliche Paar tat kund, daß sie weiter nach Süden zum Zweiten Katarakt wollten, um vielleicht etwas anderes zu sehen zu bekommen und doch noch auf Krokodile zu stoßen. Da die Dahabije ihre einzige Wohnmöglichkeit war, konnte sich die Gruppe nicht teilen. Amelia erklärte sich widerstrebend zur Weiterfahrt nach Wadi Halfa bereit, vorausgesetzt, sie würden nach der Rückreise wieder mindestens genausolange in Abu Simbel bleiben. Doch ihrer Meinung nach war die Weiterreise Zeitverschwendung. «Wenn mich ein Reisender mit wenig Zeit fragen würde, ob er auch zum Zweiten Katarakt weiterfahren solle, würde ich ihm empfehlen, in Abu Simbel umzukehren», schrieb sie ärgerlich. «Für diese Strecke braucht man zwischen vier und sieben Tagen, die vierzig Meilen sind die langweiligsten des ganzen Flusses und müssen zweimal gefahren werden, der Zweite Katarakt ist nur ein müdes Abbild des Ersten, und es gibt nichts Schönes zu sehen.»

Sie räumte jedoch ein, daß diese letzte schiffbare Strecke des Flusses «aus weitaus gewichtigeren Gründen als ihrer Schönheit» von Interesse sei. Um diese Stelle zu erreichen, waren sie rund tausendsechshundert Kilometer gegen die Strömung gefahren, doch ab hier konnte niemand mehr mit Sicherheit sagen, wie viele Tausende Kilometer sich der Fluß noch zwischen dem Zweiten Katarakt bei Wadi Halfa und den beiden großen Seen erstreckte, dem Viktoria- und dem Tanganjika-See, die Speke und Burton entdeckt hatten. Auch wußte niemand, wie weit es von diesen Seen zur immer noch unentdeckten Quelle sein mochte. Bereits um das tausendeinhundert Kilometer südlich von Wadi Halfa gelegene Khartum zu erreichen, mußte man eine «Abkürzung» nehmen, weg von den zahllosen Stromschnellen des Flusses und durch ein Gebiet, das Murray als flach und langweilig beschrieb – ein mindestens sechswöchiger Ritt auf Kamelen. Amelia empfand das nicht als Herausforderung, sich ins Ungewisse aufzumachen, wie es vielleicht bei abenteuerlustigeren Menschen der Fall gewesen wäre. Sie bekundete ihre Hochachtung vor der nicht in Landkarten erfaßten Leere und wollte dann unbedingt wieder nach Abu Simbel zurück.

Als sie wieder ihren früheren Ankerplatz erreichten, schaukelte dort zu Amelias nicht geringer Überraschung eine Flotte aus sage und schreibe fünf Dahabijen sanft auf dem Wasser, und auf «ihrem» Gelände standen mehrere Sonnenzelte von Zeichnern. Drei Tage lang absolvierte sie «Begrüßungen und

Abschiede, gegenseitige Besuche, Präsentationen von Skizzen und verschiedenste gesellschaftliche Verpflichtungen», an denen sich das Glückliche Paar mit großem Vergnügen beteiligte. Die anderen Reisenden schienen jedoch wie Murray der Meinung zu sein, daß ein oder zwei Tage in Abu Simbel genug waren, und nach drei Tagen hatten die *Philae* und ihre Passagiere den Ort wieder ganz für sich.

Inzwischen war Mitte Februar und die Touristensaison am Nil in vollem Gange. Wenn der Müßiggänger nicht zufällig sein erstes Krokodil erspäht hätte, während die letzte der anderen Dahabijen davonfuhr, wäre Amelia möglicherweise um ihren ganz großen Augenblick gekommen. Der arme Kerl glaubte schon beinahe nicht mehr daran, daß es in Ägypten überhaupt Krokodile gab, und war so weit, daß er – auf Drängen der Kleinen Dame – vorschlug, die *Philae* solle den anderen Dahabijen in Richtung Norden folgen. Ein lautes Aufklatschen im Wasser auf der anderen Seite des Flusses, eine eilige Fahrt mit dem kleinen Ruderboot und der Anblick frischer Spuren im Sand reichten aus, um seinen Enthusiasmus neu zu beleben. «Auf der Stelle nahm er sein Gewehr», schrieb Amelia, «ein flaches Loch mußte in der Nähe der Spuren für ihn gegraben werden, und dort lag er dann ab morgens stundenlang in der prallen Sonne – geduldig ausgestreckt, gespannt, mit entsichertem Gewehr», und aus nicht näher erläuterten Gründen hatte er eine Ausgabe der Londoner Zeitschrift *Pall Mall Budget* unter den Rücken seiner Jacke gestopft.

So stand alles zu größter Zufriedenheit. Der Maler war auf dem besten Weg, ein Meisterwerk zu schaffen, und wollte es noch vor der Abreise fertigstellen, «L» und die Kleine Dame waren viel zu schüchtern, um überhaupt Vorschläge – und schon gar keine unwillkommenen – zu machen, und nun war der einzige Mensch, der Amelia zum Aufbruch hätte bewegen können, ganz und gar und aufs glücklichste beschäftigt. Die Schriftstellerin konnte daher nach Belieben schreiben, zeichnen oder einfach nur in den Tempelanlagen herumspazieren.

«Abu Simbel ist ein wunderbarer Ort, um allein zu sein»,
schrieb sie, «ein Ort, wo sogar Dunkelheit und Stille uralt
sind, wo selbst die Zeit zu schlafen scheint.»

Am fünften Tag nach ihrer Rückkehr von Wadi Halfa «ereignete sich etwas, das uns in ungewohnte Aufregung versetzte und für den Rest unserer Zeit unter Hochdruck hielt».
Der Dragoman läutete die Glocke der *Philae* zum Zeichen,
daß das Essen fertig sei. Der Müßiggänger, der immer noch
darauf wartete, daß sein Krokodil wieder auftauchte, arbeitete sich aus seinem Loch heraus und ruderte über den Fluß.
Die Schriftstellerin legte den Stift aus der Hand, schüttelte
den Sand aus ihren Röcken und ging zum Boot hinunter, wo
«L» und die Kleine Dame bereits bei Tisch saßen. Der Maler
war nicht zu sehen. Talhamy läutete ein zweites Mal, und als
er daraufhin immer noch nicht erschien, begann die Mahlzeit ohne ihn. Sie waren beinahe fertig, als einer aus der
Mannschaft mit einer gekritzelten Notiz kam. «Kommt unbedingt sofort», stand dort. «Ich habe den Eingang zu einem
Grab gefunden. Schickt mir ein paar Sandwiches.»

Mit einer Geschwindigkeit, die bei einem sonst so förmli-
chen Menschen ziemlich überraschte, sprang Amelia an
Land und lief den Hügel hinauf zum Maler. Ihm war ein
langer Riß aufgefallen an der Vorderseite eines Felsens, der
sich auf einem Sandhügel in der Nähe des Großen Tempels
befand. Als Amelia kam, hatte er mit seinen Händen schon
etwas Sand weggeschaufelt und ein ungefähr mannshohes
Loch freigelegt, das ganz knapp den Blick auf bemalte
Wände freigab.

Nachdem sie Murrays Handbuch ausführlich zu Rate gezogen hatten, wurden sie noch aufgeregter, denn dort fand
sich kein Hinweis auf einen Tempel, ein Grab oder etwas
Derartiges an dieser Stelle. Was auch immer MacCallum
entdeckt hatte, es war jedenfalls nicht erst in jüngster Zeit
vom Treibsand eingefordert worden. Diesen Bau kannten die
Menschen von heute nicht, und er lag vielleicht schon seit

dreitausend Jahren unter der großen, fächerförmigen Verwehung begraben.

Der Müßiggänger vergaß seine Krokodile, «L» und die Kleine Dame hörten auf zu stricken. Die ganze Besatzung wurde an die Stelle beordert, und alle begannen zu graben.

Den ganzen Nachmittag über arbeiteten wir auf Händen und Knien, ohne Rücksicht auf die Gefahr eines Sonnenstichs, ohne müde zu werden. Mit ein oder zwei Spaten oder einer Schubkarre hätten wir Wunder vollbringen können, doch wir besaßen nur eine kleine Feuerschaufel, einen Reisigbesen, ein paar Kohlenkörbe und ungefähr zwanzig Paar Hände. Was uns jedoch an Geräten fehlte, machten wir durch Methode wett. Einige kratzten den Sand ab, andere füllten ihn in die Körbe, wieder andere trugen die Körbe an den Rand des Felsens und leerten sie in den Fluß. Der Müßiggänger zeichnete sich dadurch aus, daß er dort, wo der Hang am steilsten war, einen Kanal aushob und die Arbeit so sehr erleichterte. Ohne Unterbrechung wurden die Körbe dort hinunter geleert, und der Sand floß wie Wasser in einem stetigen Strom.

Die Öffnung wurde schnell größer. Bei Sonnenuntergang waren der obere Teil eines Ganges und ein Bereich darunter freigelegt, groß genug, daß ein Mitglied der Mannschaft mit einer Kerze hineingeschickt werden konnte, um so die Luft dort unten zu prüfen. Er kam mit einem positiven Ergebnis zurück, und als nächste stieg Amelia hinunter. Sie kletterte mit einiger Mühe durch das Loch und konnte dann in eine kleine, rechteckige Kammer sehen, ungefähr vier auf sechs Meter groß und noch mehr als halb angefüllt von einem großen Sandhaufen. Es war hell genug, um jedes Detail deutlich erkennen zu können: der gemalte Fries, der direkt unter der Decke entlanglief, und die Basrelief-Figuren an den Wänden «in strahlenden, nicht verblichenen Farben».

Am nächsten Morgen wurde der Kapitän der *Philae* ins nächste Dorf geschickt, um fünfzig kräftige Einheimische zu holen. Mit deren Hilfe dauerte es nur zwei Tage, bis der restliche Sand aus der Kammer entfernt war. Die Dorfbewohner wurden ausbezahlt, und die triumphierenden Archäologen konnten in aller Ruhe ihre Entdeckung erkunden. Doch die Aufregungen waren noch nicht vorbei.

Während die Schriftstellerin fleißig die Malereien und Schriftzeichen kopierte und der Maler die Kammer vermaß und inspizierte, untersuchte der Müßiggänger einen Hohlraum in der Mitte einer der Außenmauern. Plötzlich berührten seine Finger einen festen Gegenstand, der im Sand vergraben lag. Als er seine Hand vorsichtig zurückzog, hielt er zu seinem Erstaunen einen menschlichen Schädel darin. Zunächst sagte er nichts, sondern tastete weiter im Sand umher; auf seinen überraschten Ausruf, als er als nächstes eine kleine Tonschale herauszog, liefen wir zu ihm. Gegen Ende des Nachmittags hatten wir noch eine Schale, einen zweiten, kleineren Schädel und zwei vollständige Skelette – alles bestens erhalten – freigelegt. Die Zähne waren gut, die Knochen sehr fein und spröde, und der zweite Schädel war so zart und zerbrechlich wie der Kelch einer Seerose.

Die Phantasie ging mit ihnen durch. Obwohl die Skelette und die Schalen mit ziemlicher Sicherheit aus neuerer Zeit stammten, war noch ungewiß, was unter ihnen im Sand lag.

Unserer Überzeugung nach waren wir auf eine Begräbniskapelle gestoßen. Das Loch in der Wand mußte zu einer Grabkammer führen, und wir würden dort unten wer weiß was finden. Vielleicht Mumien, Sarkophage und Grabfiguren und Juwelen und Papyri und Herrlichkeiten ohne Ende. Wenn oben Nubier aus unserer Zeit lagen, warum sollten unten nicht Ägypter aus früherer Zeit zu finden sein?

Die sorgfältigen Grabungen der folgenden Woche zerstörten all ihre großartigen Hoffnungen. Das Loch in der Wand führte tatsächlich nach unten, doch nur in einen leeren Raum. Die aufwendig ausgemalte Kammer, die Experten später als ehemalige Bibliothek identifizierten, war als einziges übriggeblieben von einem monumentalen Torturm, der – vielleicht durch ein Erdbeben – in der Regierungszeit von Ramses II. zerstört worden war.

Unsere Mumien lösten sich in Luft auf, und wir hatten keine Entschuldigung mehr, um die Grabungen weiter fortzusetzen. Vergeblich sagten wir uns, daß es wesentlich interessanter war, die Überreste eines großen Turms zu entdecken als ein Grab. Wir hatten uns ganz auf ein Grab eingestellt, und ich befürchte, daß wir uns viel weniger um den Turm gekümmert haben, als es notwendig gewesen wäre.

Amelias Enttäuschung währte nicht lange. Obwohl es keine Mumien und keinen Schatz gab, hatte sie ihr Scherflein zur Entdeckung der Altertümer Ägyptens beigetragen. Sie – ja, und natürlich auch der Maler – hatte eine hervorragend erhaltene und wunderbar ausgemalte Kammer gefunden, auf die einige der größten Archäologen des Jahrhunderts nicht gestoßen waren. Belzoni, Champollion und Lepsius hatten gesucht, Amelia Edwards und Andrew MacCallum waren fündig geworden.

Doch in ihren Stolz mischte sich auch Trauer. Durch ihren Fund begann sie sich für das Schicksal aller Altertümer Ägyptens verantwortlich zu fühlen. Als der Maler bekanntgab, er habe die Namen aller Reiseteilnehmer und das Datum ihrer Entdeckung über den Eingang zur Kammer geschrieben, wußte sie, daß ein Protest dagegen kleinlich erschienen wäre. Doch ihr war auch bewußt, daß dies der Beginn vom Ende der Reinheit war, die sie noch hatten erleben dürfen. Die Brillanz und Frische der Malereien waren durch ihre Grabungen bereits beeinträchtigt, und dort, wo die Arbeiter sich schwitzend mit dem Rücken an die Wand gelehnt hatten, verwischten die Farben. Wie ein Naturschützer, der eine seltene Pflanze findet, dies mitteilt und weiß, daß ihre Existenz durch gierig umherstolpernde Nachfolger unmittelbar bedroht ist, so konnte auch Amelia die Warnglocken für ihre Kammer läuten hören.

Täglich werden mehr Inschriften verstümmelt, mehr Gräber geplündert und Skulpturen verunstaltet. Im Louvre steht ein lebensgroßes Porträt von Sethos I., das als Ganzes aus den Mauern seiner Grabstätte im Tal der Königsgräber herausgeschnitten wurde. Die Museen in Berlin, Turin, Florenz sind reich an Beutestücken, die ihre eigene traurige Geschichte erzählen. Wenn die Wissenschaft den Weg ebnet, ist es dann verwunderlich, daß ihr die Unwissenheit folgt?

Sie verließen Abu Simbel am 18. Februar. Ab jetzt fuhren sie gegen den Wind, daher wurden die Masten und die Segeln der Dahabije verstaut. Die Rückfahrt hing von der Kraft der Ruderer und von der Strömung ab. Für kurze Zeit hatten die aufregenden Entdeckungen die Reisenden miteinander verbunden, doch nach ihrer Abfahrt von Abu Simbel dauerte es nicht lange, bis ihre Differenzen wieder aufbrachen. Der Maler hatte sein Meisterstück fertiggestellt und wollte jetzt nach Kairo zurück. Das Glückliche Paar fand schließlich den Mut, offen kundzutun, daß sie sich nach der Rückkehr in die moderne Zivilisation sehnten. Doch Amelia wollte von alldem nichts wissen. Sie hatte ihren Reiseplan und würde davon nicht abweichen. Und wie immer setzte sie sich durch. «Zwischen Abu Simbel und Assuan liegen vierzehn Tempel, und unterhalb des Katarakts hatten wir auch noch viele zu besichtigen. Auch wenn es doppelt so viele gewesen wären, so hätte ich keinen missen mögen; ich habe alle besucht, von jedem Notizen gemacht und Skizzen angefertigt.»

Die Fahrt den Katarakt von Assuan hinunter war noch wesentlich aufregender als die Fahrt hinauf, doch brauchte man jetzt nur «eine kurze, spannende halbe Stunde» und nicht vier anstrengende Tage. Als die *Philae* bis auf ein zerbrochenes Ruder unbeschädigt aus der haarsträubenden Stromschnelle auftauchte, konnte Amelia ein schadenfrohes Lachen kaum unterdrücken: Ein Dampfer von Cook hatte nichts Einfacheres versucht, als umzudrehen, war dabei auf einen Felsen aufgefahren und gesunken.

In dem Gedränge um den leckgeschlagenen Dampfer erkannte der Maler plötzlich seine Chance. Unter denen, die den gestrandeten Touristen von Cook ihre Hilfe anboten, war jemand, den Amelia beschrieb als «vornehmen Herzog, der auf einem Dampfboot seine Flitterwochen verbrachte» – und dieser Aristokrat war zufällig ein alter Freund von MacCallum. Innerhalb weniger Minuten hatte der Maler sein Meisterwerk, sein Gepäck und die ganzen Kleinigkeiten aus seinem Studio von der *Philae* auf das herzogliche Schiff gebracht und wurde nur noch gesehen, wie er vom Heck seinen früheren Reisegefährten Lebewohl winkte und auf dem Dampfboot «mit einer Geschwindigkeit von zwanzig Meilen pro Stunde vergnügt in die Ferne entschwand».

Das Glückliche Paar war alles andere als glücklich, ihn so abdampfen zu sehen. Sie hatten genug von Tempeln, genug davon, langsam den Fluß zwar mit der Strömung, aber doch gegen einen kräftigen Wind hinunterzufahren, doch vor allem hatten sie genug von Amelia; nichts wäre ihnen lieber gewesen, als mit MacCallum auf seinem schnellen neuen Schiff zu entfliehen. So wie es aussah, konnten sie sich jetzt auf eine noch langsamere Rückfahrt gefaßt machen, da Amelia allein über ihr Vorwärtskommen bestimmte. Sie hatten recht. Amelia ging in ihrer neuen Leidenschaft bis zur Besessenheit auf, und so schrieb, zeichnete und vermaß die Schriftstellerin alles, sie fand ihren Weg in jeden Tempel, um jede Statue und durch jedes Grab zwischen Assuan und Kairo. Als sie Ende

April wieder in der Hauptstadt eintrafen, hatten sie Murrays Zeitplan um glatte sechs Wochen überzogen.

Doch Amelia hatte ihre Berufung gefunden.

1880 kam eine überarbeitete Ausgabe von Murrays Handbuch heraus. Ein kleiner Absatz am Ende von Seite 543 beschrieb die Felsenkammer, «die von der Schriftstellerin Miss A. B. Edwards und dem Maler Mister A. MacCallum 1874 entdeckt wurde». Zu dieser Zeit erschien der Reisebericht der Schriftstellerin *A Thousand Miles up the Nile* gerade in einer zweiten sehr erfolgreichen Auflage, und die Schriftstellerin selbst hatte sich bereits eine beachtliche Reputation als Ägyptologin erworben. Bis zu ihrem Lebensende widmete sie sich mit Schreiben und Vorträgen der Aufgabe, die Schätze des Nil vor den Raubzügen der Historiker, Sammler, Touristen und Vandalen gleichermaßen zu schützen. 1882 war sie Mitbegründerin des in London ansässigen *Egypt Exploration Fund*, einer Gesellschaft zur Organisierung und Unterstützung archäologischer Forschung.

Nach ihrer Rückkehr aus Ägypten im Jahr 1874 hatten sie und die anhängliche «L» sich gemeinsam im West Country niedergelassen, und bis auf gelegentliche Vortragsreisen nach Europa und Amerika blieb dies achtzehn Jahre lang ihr Zuhause. Sie starben beide innerhalb weniger Monate im Jahr 1892, als Amelia einundsechzig Jahre alt war. Ihrer Leidenschaft blieb die Schriftstellerin treu bis zum Tod: Den größten Teil ihres Vermögens vermachte sie dem University College London, damit dort der erste Lehrstuhl für Ägyptologie in England gegründet werden konnte.

Als die großen Tempel von Abu Simbel in den sechziger Jahren Stück für Stück säuberlich an ihren neuen Platz umgesetzt wurden, fand man Amelias Felsenkammer nicht wichtig genug, um sie ebenfalls dieser Prozedur zu unterziehen. Die Kammer liegt jetzt von einer dicken Schicht Schlamm begraben unter den Fluten des Lake Nasser.

Kate Marsden

«Hochverehrte Miss Kate»

An einem eisigen Morgen im Februar 1891 ließ sich der Polizeichef der kleinen Stadt Slatoust zum Bahnhofsplatz fahren. Als er aus seinem Amtsschlitten stieg, begrüßte ihn ein Oberst der berittenen Polizeidivision, der mit zwanzig Mann seiner Truppe als Ehrenformation am Eingang des Bahnsteigs Aufstellung genommen hatte. Auf Befehl des Obersten wurde die kleine Gruppe neugieriger Dörfler, die in dem eiskalten Wind ausgeharrt hatte, auf respektvolle Distanz zurückgedrängt. Man erwartete den Zug aus Moskau; die Ehrengäste sollten gleich eintreffen und durften natürlich in keiner Weise behindert werden.

Mit viel Geratter, Gezische und mächtigen Dampfwolken kam die riesige Lokomotive zum Stehen. Die Polizeiabordnung schnellte in Hab-acht-Stellung, der Stationsvorsteher glättete seinen Kragen, die Zuschauer reckten die Hälse, ein Gepäckträger sprang vor und öffnete die Wagentür, und die mit Spannung erwarteten Gäste traten auf den schneebedeckten Bahnsteig.

Wenn der Polizeichef ihr Aussehen ziemlich komisch fand, so ließ er sich jedenfalls nichts anmerken. Eine der beiden Besucherinnen überreichte ihm ein Dokument, das er aufmerksam las und mit einer tiefen Verbeugung zurückgab; daraufhin geleitete er die Damen zu den Schlitten, die draußen auf sie warteten. Die Zuschauer benahmen sich weniger ehrerbietig: Als die offiziellen Gäste aus dem Bahnhofsgebäude kamen, zeigte sich in einigen Gesichtern offenes Erstaunen, andere grinsten, während die Kinder glotzten und mit Fingern auf sie zeigten.

Der Polizeichef war wütend. Das waren nicht irgendwelche Reisenden; sie hatten ein Empfehlungschreiben von niemand Geringerem als Ihrer Majestät der Zarin Maria Fedorowna persönlich, worin jedermann aufgetragen wurde, ihnen alle nur mögliche Unterstützung zu gewähren. Die Leute von Slatoust sollten sich ihrer Respektlosigkeit schämen.

Hätte er nur gewußt, daß die korpulentere der beiden hohen Besucherinnen an seiner Seite die Leute gut verstand und sich durch ihr Grinsen nicht im geringsten beleidigt fühlte. Sie wußte ja selbst, daß sie lächerlich aussah. Sie haßte es, lächerlich auszusehen, aber daran ließ sich leider überhaupt nichts ändern.

Kein Wunder, daß sie mich anstarrten. Ich war so sehr in die Breite und in die Länge gegangen, daß ich mich im Spiegel selbst nicht mehr erkannt hatte. Eine ganze Garnitur warmer Unterwäsche trug ich auf dem Leib, dazu ein lockeres, flanellgefüttertes Unterkleid, einen dick mit Eiderdaunen wattierten Ulster mit so langen Ärmeln, daß sie über meine Hände hingen, und einem hohen Pelzkragen, der Kopf und Gesicht bedeckte. Darüber ein Schaffell, das bis zu den Füßen reichte, mit einem Kragen, der noch über dem Pelzkragen lag. Über diesem Schaffell wiederum lag noch eine *datscha*, ein Mantel aus Rentierhaut. Aber auch das war noch nicht alles. Ich trug Strümpfe aus langhaarigem Garn, dann ein Paar der dicksten Socken wie die Herren bei der Jagd, darüber ein Paar russische Stiefel, die weit übers Knie hinauf reichten, und über diesen schließlich ein Paar braune filzene *walenkies*. Eine unermeßliche Menge von Wolle, Pelz und Häuten, um dieses Bißchen von einem zarten, schwachen Leib zu bedecken – dennoch war keine Unze davon zu viel, wie sich später herausstellen sollte.

Das «Bißchen von einem zarten, schwachen Leib» im Innern dieses formlosen Bündels war Miss Kate Marsden; ihre ähnlich ausstaffierte Begleiterin war Miss Ada Field, eine schattenhafte Gestalt, die an Amelia Edwards' namenlose Freundin «L» erinnerte. Die beiden Damen befanden sich auf dem Weg nach Sibirien.

Genauer gesagt waren sie auf dem Weg von Moskau in die ostsibirische Provinz Jakutsk; in der Luftlinie entspricht das fast genau der Entfernung von London bis Bombay oder von

New York bis Rio de Janeiro. Es war Miss Marsdens erster Aufenthalt in Rußland. Sie sprach kein einziges Wort Russisch, als sie abreiste, und elf Monate später, bei ihrer Rückkehr, hatte sie nicht sehr viel dazugelernt. Dreiviertel der Reise legte sie ohne ihre Reisegefährtin zurück. Denn für das, was sie vorhatte, sollte Jakutsk nur der Ausgangspunkt sein.

Wenn sie sich als «zart und schwach» beschreibt, dann meint Kate das glücklicherweise metaphorisch. Obwohl sie bei ihren Reisebeschreibungen mit persönlichen Einzelheiten geizte, gibt es doch hier und dort ein paar schüchterne Verweise auf ihre Zartheit oder Hilflosigkeit. Darin könnte sich ein Anflug von Wunschdenken ausdrücken – obwohl sie entsetzt gewesen wäre, hätte jemand sie solcher Frivolitäten verdächtigt. Viel wahrscheinlicher ist, daß es sich um den Versuch handelte, die Sympathie der Leser zu gewinnen; sie nahm wohl an, daß diese sich eher für die Probleme eines schwachen, hilflosen Geschöpfs interessierten als für die Schwierigkeiten, die eine starke, tüchtige Frau meisterte. Tatsächlich war die einunddreißigjährige Kate eine großgewachsene, eckige Frau mit unauffälligen Gesichtszügen, die neben einer ganzen Menge gesundem Menschenverstand über eine erstaunliche Durchhaltekraft und Zähigkeit verfügte.

Wahrscheinlich ist es nicht nötig, darauf hinzuweisen, daß sie nicht wie Amelia Edwards aus reinem Vergnügen reiste. Sie war aber auch nicht wie Anna Leonowens unterwegs, um ihren Lebensunterhalt zu verdienen. Sie reiste durch Rußland, wie Emily Eden durch Indien gereist war: Es war einfach ihre Pflicht. Während es sich bei Emilys Pflichtgefühl jedoch um eine Mischung aus Liebe, Konvention und Familienloyalität handelte, ging es bei Kate um etwas anderes. Ihre Auffassung von Pflicht war gottgegeben, zwanghaft – fast ein Kreuzzug. Sie ging nach Sibirien, um sich um Leprakranke zu kümmern.

Zwei Jahre zuvor, im Jahr 1889, hatte der Tod des belgischen

Priesters Pater Damien die Aufmerksamkeit der Öffentlichkeit auf die Not der Leprakranken in der Welt gelenkt. Während seiner Arbeit bei den Leprakranken auf der Hawaii-Insel Molokai, wo er freiwillig die gesellschaftliche Ausgestoßenheit mit ihnen teilte, hatte er sich schließlich selbst angesteckt und starb an dieser schrecklichen Krankheit. Der spätere König Eduard VII., damals Prinz von Wales, war von der außergewöhnlichen Leistung und Opferbereitschaft des Priesters so beeindruckt, daß er schrieb: «Das heldenhafte Leben und der Tod von Vater Damien haben im Vereinigten Königreich nicht nur Anteilnahme, sondern etwas Tiefergehendes erweckt: Uns wurde klargemacht, daß die Zustände in Indien und unserem gesamten großen Kolonialreich uns – zumindest zu einem gewissen Grad – verpflichten, seinem Beispiel zu folgen.»

Nach soviel Anerkennung von königlicher Seite wurde es bei den wohltätigen Damen der englischen Mittelschicht schick, sich für Lepra zu interessieren. Aber obwohl die Engländerin Kate Marsden der Mittelklasse angehörte, lockten sie die Diskussionszirkel, Nähkränzchen oder Wohltätigkeitsbasare ganz und gar nicht. Sie hatte etwas viel Handfesteres vorzuweisen: Sie war eine ausgebildete, erfahrene Krankenschwester und bereits mit den Schrecken der Lepra vertraut.

Kate wurde 1859 als Tochter eines Londoner Notars geboren, vier Jahre nachdem Florence Nightingale während des Krimkrieges dem Beruf der Krankenpflege Ansehen verschafft hatte. Als Kate elf Jahre alt war, stürzte der Tod der Mutter ihren bis dahin erfolgreichen Vater sowohl emotional wie beruflich in eine tiefe Krise. Seine Kanzlei ging nicht mehr gut, und der Wohlstand der Familie verringerte sich zusehends. Als er fünf Jahre später starb, blieb Kate und ihren Geschwistern nichts anderes übrig, als selbst für sich zu sorgen. Die Schwesternausbildung begann sie im strengen Evangelischen Tottenham Hospital im Londoner Vorort Edmonton, wo sie ihre Vorgesetzten durch ihr «ausgesprochenes

Talent für Krankenpflege» beeindruckte. Bereits nach acht Monaten fuhr sie mit einer Gruppe von Schwestern nach Bulgarien, um verwundete russische Soldaten aus dem russisch-türkischen Krieg zu versorgen. Hier kam sie mit kaum achtzehn Jahren erstmals in Kontakt mit Leprakranken.

Die Zerstörungen dieser schrecklichen Krankheit und der Anblick der armen, verstümmelten und hilflosen Bulgaren weckten Gefühle in mir, die ich kaum beschreiben kann. Wer kümmerte sich um sie? Welche medizinische Versorgung wurde ihnen zuteil? Welch liebevolle Frauenhand linderte ihre Leiden? Von ihren Mitmenschen abgeschnitten, gemieden und verachtet, ohne Heilmittel und Linderungsmöglichkeiten verdammt zu einem Leben im Tod – ganz sicher fordern vor allem diese geplagten Kreaturen unsere Hilfe in ganz besonderer und einzigartiger Weise.

Zwischen Kates erstem Kontakt mit Leprakranken und der Entscheidung, ihnen ihr Leben zu widmen, vergingen zehn Jahre. Nach der Rückkehr vom Balkan setzte sie ihre medizinische Ausbildung am Westminster Hospital fort und leitete vier Jahre ein Genesungsheim in Liverpool. 1884 fuhr sie nach Neuseeland, um ihre gefährlich an Tuberkulose erkrankte Schwester zu pflegen. Trotz der liebevollen Fürsorge starb die Schwester, aber Kate blieb in Neuseeland und nahm eine Stelle als Leitende Oberin des Wellington Hospital an. Sie half mit, die erste Ambulanzbrigade in Neuseeland aufzubauen, und hielt Vorlesungen über Hygiene und Erste Hilfe. Hier erfuhr sie auch vom Tod Vater Damiens.

Kate war eine typische Jungfer im England der Königin Viktoria. Ihre strenge protestantische Erziehung hatte sie gelehrt, daß Genuß in ihrem Leben eine geringe Rolle spielen würde; Barmherzigkeit und Menschenliebe waren feste Verpflichtungen, und für alles Gute, das sie zufällig tun konnte, mußte sie dem Allmächtigen dankbar sein. Sie war Christin aus Überzeugung und hatte einmal mit dem Gedanken gespielt, in ein Kloster einzutreten. Doch die Geschichte Vater Damiens zeigte ihr einen anderen Weg. Plötzlich erkannte sie die Zusammenhänge: die Tätigkeit als Pflegerin, der Kontakt mit Leprakranken in Bulgarien, ihre Erfahrungen im administrativen Bereich im Wellington Hospital und beim Aufbau der Ambulanzbrigade – all dies waren keine isoliert stehenden Zufälle, sondern Teile eines göttlichen Plans. «Schlagartig verstand ich meine Mission: Ich sollte mich denen widmen, die von allen Geschöpfen Gottes die geringste Aufmerksamkeit erfahren.»

Sie wandte sich sofort an die Regierung von Hawaii und bat um die Erlaubnis, in der Leprakolonie auf Molokai arbeiten zu dürfen. Doch durch das öffentliche Interesse nach Pater Damiens Tod gab es inzwischen bereits mehr als genug Freiwillige, und zudem hatten die Schwestern vom Heiligen Herzen die Leitung der Kolonie übernommen. Kate wurde abgewiesen. Eingedenk der Worte des Prinzen von Wales kehrte sie nach England zurück und beabsichtigte, sich auf die Leprakranken in Britisch-Indien zu konzentrieren.

In London erhielt sie gleich bei ihrer Rückkehr aus Neuseeland eine Einladung nach Rußland, die ihren Plänen eine andere Richtung gab. Das russische Rote Kreuz wollte sie in Anerkennung ihrer Verdienste während des russisch-türkischen Kriegs mit einer Medaille auszeichnen und lud sie daher nach Moskau ein. Wer so gläubig und begeisterungsfähig war wie Kate, konnte auch hierin leicht himmlische Vorsehung erkennen. Sie nahm die Einladung an und begann sofort, sich für die Schlacht gegen die Lepra im russischen Reich zu rüsten.

Mit einer Kühnheit, die sie als göttliche Inspiration deutete, wandte sie sich direkt an die Prinzessin von Wales, bat um Patronage und erhielt ein persönliches Empfehlungsschreiben an die Zarin. Als jedoch die Nachricht von der bevorstehenden Mission die feinen Damen in ihren Nähkränzchen erreichte, kochten sie vor Wut. Sie waren fest entschlossen, sich bei ihren eigenen wohltätigen Werken nicht von den ehrgeizigeren Plänen Miss Marsdens ausstechen zu lassen. Sofort schärften sie ihre Zungen und ihre Schreibfedern ebenso eifrig, wie sie vorher mit ihren Nadeln geklappert hatten. Kate wurde vorgeworfen, sie sei geltungssüchtig und verstoße gegen die anerkannte Regel «Wohltätigkeit beginnt zu Hause», außerdem verdächtigte man sie, auf einen «Vergnügungsurlaub» nach Rußland fahren zu wollen.

Die erste Anschuldigung war schnell abgetan: Natürlich suchte sie Publicity – wie hätte sie denn sonst hoffen können, Spenden und Unterstützung für ihre Aufgabe zu erhalten? Auch die zweite ließ sich entkräften – natürlich gab es auch in England Krankheit und Leid, aber hier existierten Kirchen, Hospitäler und wohltätige Organisationen, wo alle Armen und Kranken leicht Hilfe erhalten konnten. Sie wollte sich der Not derjenigen widmen, für die es eben keine solchen Einrichtungen gab.

Die dritte Anschuldigung jedoch empfand sie als so ungerecht, daß sie sich mit einer scharfen Erwiderung zur Wehr setzen mußte.

Man mag mich eine Schwärmerin nennen oder eine Frau, die nach dem Applaus der Menge giert. Mir ist es gleichgültig, wie man mich nennt oder was man über mich denkt, solange ich das Ziel meiner Wünsche erreiche. Einige Leute haben behauptet, ich wolle mich auf eine «Vergnügungsreise» begeben. Nun gut. Im Sinne der Anklage bekenne ich mich schuldig – unter einer Bedingung: All jene Damen, die meine Reise so verlockend finden, sollen sich bereit erklären, selbst eine solche zu unternehmen.

Vor ihrer Abreise nach Moskau wollte sie unbedingt alles über Lepra und die gängigen Behandlungsmethoden herausfinden – vorausgesetzt, daß solche existierten. Gleichzeitig informierte sie sich über die Lebensbedingungen derjenigen Leprakranken, die keine Behandlung erhielten. In einigen Teilen der Welt existierten angeblich gut ausgerüstete Hospitäler für Leprakranke mit ausgebildetem medizinischem Personal. An anderen Orten fehlten nicht nur derartige Einrichtungen, sondern dort wurden die Kranken beschämend vernachlässigt und manchmal regelrecht verfolgt. Angesichts solch widersprüchlicher Aussagen erkannte Kate, daß sie sich selbst ein Bild machen mußte, ohne sich «auf Berichte aus zweiter Hand zu verlassen».

Über das Schwarze Meer und den Kaukasus reiste sie nach Moskau, wo sie im November 1890 eintraf. «Wer jemals drei Tage und drei Nächte ohne Zwischenhalt durch ein fremdes Land gefahren ist, dessen Sprache er nicht beherrscht, kann mein Gefühl der Erleichterung gut verstehen ... Besonders großgewachsene Menschen werden wissen, wie unbequem es ist, lange Zeit in einem Eisenbahnwaggon eingequetscht zu sein.» Trotz der stechenden Kälte, die durch ihre englischen Wollkleider drang, war sie fasziniert: Überall in den malerischen Straßen bewegten sich Pferdeschlitten so leise durch den Schnee, daß die Kutscher ständig Warnrufe ausstoßen mußten; man wunderte sich, ob die tief in ihre Pelze vermummten Menschen die Schlitten überhaupt sehen und die Rufe hören konnten; die zahllosen Kirchen mit goldenen Kuppeln und weißen Mauern, abgesetzt in Grün, Blau oder Lavendel – all diese neuen und wunderbaren Eindrücke fesselten ihre Aufmerksamkeit für einen ganzen Nachmittag. Aber dann galt es, sich an die Arbeit zu machen.

Gleich nach der Ordensverleihung bat sie ihre neuen Freunde vom Roten Kreuz, ihr zu den richtigen Verbindungen zu verhelfen. Man brachte sie in Kontakt mit Fürst Dolgorukow, Gouverneur von Moskau, der ihr eine Audienz gewährte.

Bei einer solchen Audienz verlangt die Etikette ein feines Tageskleid. Glücklicherweise hatte ich meine Schwesterntracht dabei, die für alle Gelegenheiten paßt. Also bürstete ich sie auf und versah meine etwas abgetragene Haube mit einer neuen Kordel – das war meine ganze Toilette. Nicht ohne eine gewisse Nervosität, die ich unglücklicherweise nur selten abschütteln kann, machte ich mich auf den Weg. Im Palast wurde ich sofort zum Fürsten geführt, durch dessen liebenswürdige Art und freundliche Stimme gleich alle Befangenheit verflog. Ich erzählte ihm von meiner Mission und bat ihn um die Erlaubnis, die Hospitäler der Stadt und, falls vorhanden, die Leprakranken besuchen zu dürfen.

Der Prinz erwies sich als überaus kooperativ. Er ließ den Aufsichtsbeamten über die Hospitäler rufen und befahl ihm, Kates Arbeit in jeder möglichen Weise zu erleichtern. Zu diesem Zeitpunkt hatte Kate vermutlich noch nie etwas von Jakutsk gehört – sicherlich hatte sie Sibirien vorher nicht in ihrer Reiseroute eingeplant. Die Hilfsbereitschaft des Fürsten ließ ihre Aufgabe plötzlich ganz einfach erscheinen. Doch dies sollte sich alles ändern, als sie der Zarin den Empfehlungsbrief der Prinzessin von Wales vorlegte und ihre Pläne umriß. Innerhalb weniger Wochen legte Kate zweimal die zwölfstündige Reise nach St. Petersburg zurück, wo die Zarin «meine philanthropischen Vorschläge bereitwillig und mit großer Sympathie unterstützte». Sie bestätigte auch das Gerücht, das Kate sowohl in Konstantinopel wie in Tiflis gehört hatte: Es sollte eine Pflanze existieren, der man eine Linderung der Lepraleiden zuschrieb. Maria Fedorowna sah als einziges Problem dabei, daß diese Pflanze angeblich nur in der entlegenen Provinz Jakutsk in Sibirien wuchs, wo man zufälligerweise ebenfalls eine erhebliche Anzahl von Leprakranken vermutete.

Für Kate konnte die Sache gar nicht klarer sein. Der Allmächtige hatte sie zuerst nach Rußland geführt, und nun hatte Er ihr genau gezeigt, wo ihre Aufgabe lag. Sie würde nach Sibirien gehen. Sie würde alles über die Leprakranken herausfinden, und sie würde diese magische Pflanze aufspüren und zurück nach Moskau bringen.

Sowohl in Moskau wie in London gab es Leute, die an der Richtigkeit und dem Wert von Kates Mission zweifelten. Ihr Entschluß zu einer solch ungewöhnlichen Reise brachte tatsächlich einige auf den Verdacht, sie sei eine Spionin – «nicht eben lustig» ermahnte sie Leser, die diese Vorstellung vielleicht lächerlich finden mochten. Aber es gab auch eine Menge Damen, die Kates Reise mit Geld, Sachgütern und Rat unterstützten; insbesondere als bekannt wurde, daß die Zarin dem Unternehmen ihren Segen gegeben hatte.

Als wir uns den Fragen der Ausrüstung und Kleidung zuwendeten, kam ziemlich prickelnde Erregung auf. Ich muß gestehen, daß die Überlegungen, was man anziehen sollte und welche Vorkehrungen zu treffen waren, selbst mich für einen Moment von den Leprakranken ablenkten. Alle waren erpicht darauf, uns gleichermaßen haltbaren wie wohlschmeckenden Proviant vorzuschlagen. Unglaublich viele Arten von eingemachtem Fleisch und Fisch und verschiedene Sorten eingelegter Früchte standen zur Debatte. Schließlich wurde aber entschieden, daß wir nur ein paar Kisten mit Sardinenbüchsen, Keksen, etwas Brot, Tee und ein paar weitere Kleinigkeiten brauchten, nicht zu vergessen vierzig Pfund Plumpudding! Dieses köstliche Gericht würde sich bei Kälte sicher halten, wie allen Hausfrauen wohl bekannt ist, und da ich ihn gern mag, ließ ich mich überzeugen, ihn als Hauptnahrungsmittel auf die Reise mitzunehmen. Dennoch habe ich meine Freunde vermutlich immer wieder irritiert, wenn ich inmitten solcher Diskussionen plötzlich vom Thema abkam und über die Leprakranken und ihre Bedürfnisse zu sprechen begann.

Kate erhielt Empfehlungsschreiben an einflußreiche Persönlichkeiten in Sibirien, Kleider wurden angefertigt, und nach ein paar Wochen war alles bereit für die «gefährliche, lange Reise ins Ungewisse». Da eine respektable unverheiratete Dame eine solche Unternehmung unmöglich allein angehen konnte, mußte Kate eine passende Begleiterin finden. Miss Ada Field zeichnete sich durch zwei Vorzüge aus: Erstens konnte sie im Gegensatz zu Kate Russisch, und zweitens war sie zu schüchtern, um sich mit ihrer resoluten Freundin auf Diskussionen einzulassen. So geschah es, daß die beiden Damen und ihr Plumpudding auf dem Bahnhof von Slatoust vom Polizeichef eskortiert wurden. «Diese Ehrenbezeugung galt natürlich Ihrer Majestät und nicht mir.»

Zehn Jahre später wäre Kates Reise in die Wildnis wesentlich einfacher verlaufen, denn 1885 hatte man den grundsätzlichen Beschluß gefaßt, eine transsibirische Eisenbahn zu bauen. Allerdings wurde der erste Bauabschnitt, die dreitausend Kilometer vom Ural bis nach Irkutsk am Ufer des Baikalsees, erst sechs Monate nach Kates Abreise in Angriff genommen. Obwohl an fünf verschiedenen Punkten entlang der geplanten Strecke mit dem Gleisbau begonnen wurde, war diese Hauptlinie erst 1898 fertig und erst 1916 als letzter Abschnitt die Verbindung zur pazifischen Küste. Im Februar 1891 jedoch endete die Verbindung von Moskau nach Sibirien noch in Slatoust, am Fuß des Ural.

Nach der Überquerung dieses Gebirges waren sie praktisch in Sibirien, dennoch lag ihr Reiseziel, die Provinz Jakutsk, noch weitere viertausendachthundert Kilometer vor ihnen. Von der Fahrt über den Ural berichtet Kate wenig – vermutlich war sie zu benommen, um viel mitzubekommen. Dennoch achtete sie darauf, daß ihre Leser nicht den Eindruck hatten, sie sei wohlig eingepackt in malerischen Weihnachtsschlitten sanft über die russischen Landstraßen geglitten. Sie ließ keinerlei Zweifel daran, daß eine Schlittenreise durch Rußland nichts mit Gleiten und noch weniger mit Gemütlichkeit und Komfort zu tun hatte.

Die Schlitten für die großen Überlandstrecken glichen abgeflachten Kohlenkästen, ohne Polster, Federung oder Sitze. Die Holzkisten mit Kleidung und Proviant wurden in den «Laderaum» gepackt und mit einer Lage Stroh bedeckt. Auf dem Stroh saßen oder lagen dann halb zurückgelehnt die Passagiere, die sich festkeilten und mit Decken und Pelzen zudeckten. «Diese verklemmte Haltung ist für einen Menschen von unabhängigem Naturell recht schwierig, besonders weil man sich nirgendwo mit den Füßen richtig abstützen kann.» Obwohl sie das geschlossene Ende des Schlittens von hinten schützte, wirkte die offene Vorderfront wie eine Schaufel. Die Pferde von Kates Schlitten hatten außerdem die unangenehme Angewohnheit, in vollem Galopp durch frische Schneewehen zu rasen. Regelmäßig wurden die Damen unter einer Ladung Schnee begraben, der «sich erst auf die Kragen unserer Mäntel legte, dann schmolz und am Hals hinabtropfte. Zuweilen wehte es ihn sogar in die Ärmel.»

Das hätte an Schwierigkeiten schon gereicht, wenn die Straßen wenigstens einigermaßen eben gewesen wären. Aber tatsächlich waren die Straßen – wenn man sie überhaupt als solche bezeichnen konnte – voller Furchen und Schlaglöcher: «Gelegentlich mußte der Kutscher anhalten und aussteigen, um nachzusehen, wie tief das nächste Loch war.»

Holterdiepolter ging es über riesige gefrorene Schneeklumpen, hinein in Schlaglöcher und hinauf und hinunter entlang schrecklicher Bodenwellen und Rinnen. Zuerst schlägt der Kopf gegen die Überdachung, dann macht das Gefährt einen Satz, und man erhält einen unerwarteten Schlag in die Seite. Dann geht's über eine Bodenrinne: Man knallt mit Wucht gegen den Kutscher, und danach wird man genauso schnell zurückgeschleudert. Diese Art von Gymnastik ist über die Entfernung von wenigen Meilen ganz in Ordnung, aber nach einiger Zeit wirkt sie in ihrer Monotonität doch sehr ermüdend. Der ganze Körper schmerzt von

Kopf bis Fuß, und überall hat man blaue Flecken. Pochende Schmerzen martern das Hirn so lange, bis man sich durch einen hysterischen Aufschrei Luft macht; dann rutscht noch die Kopfbedeckung herunter, und natürlich sinkt durch all das auch die Laune um einiges. Am Ende des Tages wird man halb ohnmächtig vom Schlitten gezerrt, und sobald man wieder festen Boden unter den Füßen spürt, fühlt man sich eher wie ein alter zerhauener Mahagonibalken denn als eine zarte Engländerin.

In halsbrecherischer Geschwindigkeit, der Gnade von Kutschern ausgeliefert, die Kate als «volltrunkene Raser, die ständig ihren geliebten Wodka süffelten», beschreibt, fuhren die beiden Frauen auf polterndem Schlitten nach Osten. Sie kamen durch Dörfer und Wälder, überquerten zugefrorene Seen und Flüsse, was doppelt trügerisch war, da sich bereits die ersten Anzeichen von frühlingshaftem Tauwetter zeigten. In Jekaterinburg wohnten sie in einem «hervorragenden amerikanischen Hotel» und besuchten das «schlecht gelüftete, düstere und heruntergekommene» Gefängnis. In Tjumen wurden sie vom Vertreter der Britischen und Ausländischen Bibelgesellschaft eingeladen und fragten sich beim Abschied, ob sie je wieder in ein englisches Gesicht blicken würden.

Außer diesen seltenen komfortablen Paradiesen gab es als einzige Unterkunftsmöglichkeiten nur die Poststationen, die in bestimmten Abständen am Wegrand standen. Dies waren kleine, massiv gebaute Holzhütten, in denen streng nach dem Prinzip «wer zuerst kommt, mahlt zuerst» verfahren wurde, obwohl es keine zahlenmäßige Begrenzung der Gäste zu geben schien. Es gab weder Personal noch irgendwelchen Service und auch kein Mobiliar, nur große Öfen, auf denen man sich mit eigenem Proviant ein Essen zubereiten konnte; an den Wänden gab es riesige Mengen «wandernder Flecken verschiedener Größe und Stammeszugehörigkeit» zu bewundern. In der Mitte des Raumes lag ein Stapel verlauste Schaffelle und Decken zur Auswahl, um sich daraus ein Bett zu bauen.

Am Anfang ist man für die Hitze in diesen Unterkünften dankbar und findet es angenehm. Aber die Beschaffenheit der Luftverhältnisse am Morgen, nachdem eine Reihe von Menschen, eingehüllt in schmutzige Schaffelle, in diesem Raum ohne die mindeste Belüftung die Nacht verbracht haben, überlasse ich der Vorstellungskraft meiner Leser. Bereits einige Stunden vor Sonnenaufgang sehnt man sich nach der eisigen Kälte draußen und schwört heilige Eide, nie mehr in seinem Leben in solch ein stickiges Loch hineinzugehen. Aber ach, der Mensch ist ein wechselhaftes Geschöpf. Gleich in der nächsten Nacht und vermutlich in vielen anderen Nächten sucht man gierig diese schützenden warmen Behausungen auf und schläft dort friedlich, bis einen wieder das Gefühl des bevorstehenden Erstickungstods aufweckt.

Als sie nach einer Strecke von fast tausend Kilometern in Omsk ankamen, wären beide Damen «unter normalen Umständen reif für den Arzt» gewesen. Glücklicherweise war ihnen die Nachricht von ihrer bevorstehenden Ankunft vorausgeeilt, und sie wurden vom Gouverneur mit der Einladung empfangen, in seinem Haus zu wohnen. «Welch frohe Nachricht – wir hatten natürlich in keiner Weise etwas dagegen, unsere Bekanntschaft mit Federbetten und den anderen Annehmlichkeiten eines Familienkreises zu erneuern.»

Zwei Wochen solch häuslichen Komforts genügten, um Miss Marsdens kräftige Gesundheit wiederherzustellen. Die arme Miss Field war jedoch nicht so widerstandsfähig. Kein noch so inständiges Bitten von Kate konnte sie dazu bringen, auch nur einen Schritt weiter mitzufahren. Sie hatte genug, sie war zu krank, sie mußte nach Moskau zurück.

Obwohl sie die Krankheit und die Abreise ihrer Freundin

schade fand, schienen die Fragen der Schicklichkeit, die Kate in Moskau noch als so wichtig empfunden hatte, nun keine Bedeutung mehr zu haben. Es kam ihr niemals in den Sinn, ihre Mission aufzugeben, weil sie nun keine passende Gefährtin mehr hatte. Sehr zu ihrem Bedauern sprach sie kein einziges Wort Russisch, sonst hätte es ihr nichts ausgemacht, ihre Reise allein fortzusetzen. Doch der Gouverneur von Omsk wollte unbedingt dem kaiserlichen Befehl nachkommen, daß Kate alle mögliche Unterstützung erhalten sollte, und wollte sich daher mit solch einem Plan nicht einverstanden erklären. Tatsächlich war er entsetzt, als er hörte, wie leichtfertig «volltrunkene» Kutscher mit ihrem Leben gespielt hatten – nicht weniger als siebenmal hatten sie den Schlitten in Schneewehen zum Umkippen gebracht. Daraufhin beschloß er, daß zu ihrem Schutz «ein fähiger Mann hermußte, nicht bloß ein gemeiner Soldat». Als Kate Ende März Omsk verließ, wurde sie von einem der Attachés des Gouverneurs begleitet, «einem alten Soldaten, der Französisch und ein wenig Englisch sprechen und sich auch in seiner Landessprache sehr gut ausdrükken konnte. So verschwanden alle Ängste vor zukünftigen Notfällen.»

Kate war nun seit zwei Monaten unterwegs. Obwohl sie nicht erwartet hatte, schneller voranzukommen, platzte sie fast vor Arbeitseifer. Da sie bis jetzt noch keinen Leprakranken beistehen konnte, wandte sie ihre Aufmerksamkeit einer anderen Gruppe Unglückseliger zu, von denen es in dieser Gegend eine ganze Menge gab – den Gefangenen.

Nach ihrer ersten Gefängnisvisite in Jekaterinburg hatte sie es sich zur Gewohnheit gemacht, in jeder Stadt, durch die sie kam, die Erlaubnis für die Besichtigung des Gefängnisses zu erbitten. Wie das erste waren einige von erschütternder Erbärmlichkeit. Andere, wo ein ausgesprochen aufgeklärter Gouverneur oder eine «Gemeinde wahrer Christen» die Verantwortung trugen, waren besser gebaut und besser eingerichtet. Doch überall hatte sie der ängstliche, verzweifelte Ausdruck in den Gesichtern der zitternden Insassen und das furchterregende Gerassel der Ketten erschüttert, mit denen sie von der Taille bis zu den Fußgelenken gefesselt waren.

Sie schätzte, daß zur Zeit ihrer Reise rund 40 000 Gefangene aus allen Teilen des russischen Reichs in sibirischen Kerkern saßen oder von einem Arbeitslager in ein anderes verbracht wurden.

Sooft sie die Nachricht erhielt, daß sich Gefangene in ihrer Nähe befanden, machte sie sich mit kleinen Paketen aus Tee und Zucker zu Besuchen auf. Doch nicht nur die Leiber galt es zu stärken, auch die Seelen wurden durch fromme Gesänge erfreut.

Nie konnte ich von Kopf bis Fuß in Pelze gehüllt zu ihnen gehen, wo sie doch selbst so dünn gekleidet waren, daß jeder Windhauch ihnen durch und durch ging. Also legte ich einige meiner Pelze ab. Die großen Taschen meines Ulsters stopfte ich mit Tee und Zucker voll, hängte mir zwei Beutel über die Schultern, ging zu den Gefangenen und stellte mich mitten unter sie. Da meine bloßen Hände in der Kälte gefühllos wurden und der eiskalte Wind durch meine Kleider pfiff, teilte ich in geringem Maß das physische Leiden, dem sie ausgesetzt waren. Die doppelte Menge gab ich an Frauen, die manchmal noch Kinder zu stillen hatten. Ihre dankbaren Blicke, wenn ich den Tee, den Zucker und eine Bibel in ihre Hände legte, waren alle jetzigen und zukünftigen Prüfungen wert, die ich auszustehen hatte.

In der Gefangenenfürsorge bot sich Kate genau die richtige Zwischenbeschäftigung, der sie sich mit Hingabe widmen konnte. Das befriedigende Gefühl, sich nützlich zu machen, versetzte sie in beste Stimmung, und die tausenddreihundert Kilometer bis Tomsk wurden reibungslos zurückgelegt. Es war nun Ende April, und trotz gelegentlicher Nachtfröste war der meiste Schnee geschmolzen: Nach weiteren achthundert Kilometern mußte sie den Schlitten in Krasnojarsk gegen einen *Tarantas* eintauschen, worunter man laut Wörterbuch eine vierrädrige Reisekutsche zu verstehen hat, die ohne Federung nur auf einem Stangengestell ruht. Laut Kate Marsdens Beschreibung allerdings handelt es sich um eine «scheußliche Konstruktion, bei der man sich nach einer Tagesfahrt einen ganzen Monat lang erholen muß».

Tausendsechshundert Kilometer mit diesem unsäglichen Gefährt über Furchen und durch Schlaglöcher zurückzulegen genügte, um selbst die kräftige Miss Marsden in ein zitterndes Wrack zu verwandeln. Aber wenigstens kam man damit schneller voran als mit dem Schlitten, und Mitte Mai erreichte sie Irkutsk. Nun war sie kurz vor ihrem Ziel. Irkutsk war die Verwaltungshauptstadt von Zentralsibirien, und hier würde sie die Ärzte, Kirchenleute und Beamte treffen, die sie mit all den nötigen Informationen über Leprakranke versorgen konnten, deretwegen sie die weite Reise gemacht hatte.

Nach zwei Tagen Ruhepause besuchte ich den Generalgouverneur, der mich sehr freundlich empfing und alles bestätigte, was ich über den Zustand der Kranken von Jakutsk gehört hatte. Ich schlug vor, ein Komitee einflußreicher Bürger von Irkutsk zu gründen, das die Sympathie und Hilfsbereitschaft der Kaufleute der Stadt für ihre armen, verlorenen Brüder im Norden erwecken konnte. Seine Exzellenz hatte die Güte, meinem Vorschlag zuzustimmen, und er gab mir einen offiziellen Bericht, der die gegenwärtige Lage der Leprakranken darstellte, um mich auf meine Aufgabe umfassend vorzubereiten.

In dem Bericht las Kate von achtzig Leprafällen in der Region von Jakutsk, aber man nahm an, daß es sich um weit mehr handeln mußte. Angesteckte taten alles mögliche, um ihre Infektion zu verbergen, aus Angst, von der Gemeinde verstoßen zu werden – das unausweichliche Schicksal jedes Leprakranken. Die Gründe für die Krankheit wurden in den primitiven Lebensverhältnissen der Jakuten gesehen: den riesigen Wäldern und endlosen Sümpfen, der hohen Luftfeuchtigkeit, der mangelnden Hygiene, der Nahrung aus verdorbenem Fisch, dem Wasser aus Sümpfen und Seen. Dazu kam die ungenügende Versorgung mit Brot, Fleisch, Salz und anderen Grundnahrungsmitteln und schließlich die regelmäßig wiederkehrenden Hungersnöte, die das Land befielen. Obwohl im Jahr 1860 ein kleines Hospital für vierzig Kranke in Sredni Wiljuisk gebaut worden war, mußte es drei Jahre später aufgrund fehlender Mittel wieder geschlossen werden. Seitdem hatte es keine Möglichkeit mehr gegeben, Spenden für eine Leprastation aufzutreiben.

Das düstere Bild, das dieser Bericht zeichnete, überzeugte Kate davon, daß ihre Arbeit lebenswichtig war, doch vermutlich hatte sie daran auch nie gezweifelt. Dieses Bewußtsein gab ihr die Sicherheit, an der Seite eines Übersetzers vor einem Honoratiorenkomitee von Irkutsk aufzutreten, eine Versammlung, wo man sie mit «ausgesuchter Liebenswürdigkeit und Höflichkeit behandelte, wo jeder versuchte, den anderen an Aufmerksamkeit und Freundlichkeit zu übertreffen. Sie versprachen, jeden Vorschlag durchzuführen, und verpflichteten sich, in jeder erdenklichen Weise zu helfen». Die Versammlung endete damit, daß Kate zur offiziellen Untersuchungsabgeordneten der Behörden von Irkutsk ernannt wurde und den Sonderauftrag erhielt, die genaue Anzahl von Leprakranken in der Region von Wiljuisk festzustellen, über deren Lebensbedingungen zu berichten und Empfehlungen abzugeben, auf welche Weise ihre Leiden am besten behoben werden könnten.

Sie war außer sich vor Freude. Das waren genau die Dinge, deretwegen sie hierhergekommen war. Nun hatte sie nicht nur die kaiserliche Unterstützung, sondern einen ganz offiziellen Auftrag – sie mußte einfach Erfolg haben. Mit neuer

Kraft sprang sie in den *Tarantas* und machte sich nach Jakutsk auf, der letzten Station der Reise.

Nach zweihundertvierzig Kilometern erreichten wir den Fluß Lena und setzten die Reise jetzt auf dem Wasserweg fort. Die flache Schaluppe, auf der wir fuhren, war nicht viel besser als ein Floß und beförderte Fracht zwischen Irkutsk und Jakutsk. Ich mußte zwischen der Ladung schlafen, und während der drei Wochen, die dieser Teil der Reise dauerte, mußten wir in jeder Hinsicht so anspruchslos wie möglich leben.

Aus Angst, die Leser durch die Aufzählung der vielen Unannehmlichkeiten und Schwierigkeiten auf der Schaluppe zu langweilen, «die allein einen Band hätte füllen können», beschränkte sich Kate darauf, Gott zu danken, daß er ihr Leben lange genug verschont hatte, um ihr Ziel zu erreichen. Mitte Juni 1891 ging sie in Jakutsk an Land.

Ostsibirien ist eine Region, die extremere Klimaunterschiede aufweist, als man sie sonst irgendwo auf der Erde antrifft. Von einer Rekordtiefe von −45° C im Winter kann die Temperatur im Sommer auf +38° C steigen. Die Provinz Jakutsk erstreckt sich über ein Gebiet von mehr als vier Millionen Quadratkilometern – eine Fläche, größer als ganz Frankreich, aus weitläufigen Wäldern, Sümpfen und Seen, und wurde am Ende des neunzehnten Jahrhunderts von weniger als hunderttausend Menschen bewohnt. Obwohl eine Straße eingezeichnet war auf der Karte, die Kate erhalten hatte, fand sie bald heraus, daß diese Straße «nur in der Vorstellung des Kartenzeichners existierte».

Von der Stadt Jakutsk hielt sie nicht viel. «Kein hübscher Ort, armselig und öde», doch über die Warmherzigkeit der Begrüßung konnte sie sich nicht beklagen. Die lokalen Würdenträger eilten herbei, um sie willkommen zu heißen, und der Bischof versprach, alles in seiner Macht Stehende zu tun, um ihre Mission zu unterstützen. Zu Kates großer Freude bestätigte auch er die Existenz der Pflanze, die sie unbedingt finden wollte.

Als ich auf die Pflanze zu sprechen kam, sagte er zu meinem Erstaunen, daß er ein paar Exemplare besitze, und bevor ich ging, überreichte er mir einige davon. Über ihre heilenden oder lindernden Eigenschaften konnte er keine genaueren Angaben machen, dennoch war ich zufrieden darüber, daß die Gerüchte, die ich gehört hatte, nicht vollkommen aus der Luft gegriffen waren.

Der zweite Glücksfall in Jakutsk war die Bekanntschaft mit Jean Procopieff. Dieser Herr, ein älterer Kosake, war von Kates Bemühungen für die Leprakranken so beeindruckt, daß er ihr für die Weiterreise nicht nur Männer und Pferde zur Verfügung stellte, sondern sich selbst, zumindest bis Wiljuisk, als «Leiter der Kavalkade» empfahl. Kate nahm das Angebot erfreut an.

«Es war eine merkwürdige Kavalkade. Sie bestand aus fünfzehn Mann, dreißig Pferden und mir selbst.» Sie erklärte, daß diese Eskorte nicht nur für den Transport des vielen Proviants notwendig war, sondern auch zum Schutz gegen «die Gefahren, denen man begegnen würde, wobei die zuhauf in den Wäldern lebenden Bären nicht einmal die geringste darstellten».

Offensichtlich hatte es keinen Sinn, die Reise in einem *Tarantas* fortzusetzen. «Ein solches Gefährt wäre im Wald unweigerlich steckengeblieben oder in irgendeinem trügerischen Morast versunken, bevor man nur eine Meile weit gekommen wäre.» Wenn sie also zu den bemitleidenswerten, ausgestoßenen Leprakranken gelangen wollte, die sich im Wald verkrochen hatten, mußte sie sich an eine dritte Form der Fortbewegung gewöhnen – zu Pferd. Aber die Unwegsamkeit des Geländes und der sprichwörtliche Eigensinn der Pferde von

Jakutsk ließen es nicht zu, daß sie auf einem Damensattel ritt, selbst wenn solch ein Ding in Sibirien aufzutreiben gewesen wäre. Daraus folgte, daß sie nach «Männerart» reiten und sich auch dementsprechend kleiden mußte – ein Umstand, der sie ziemlich in Verlegenheit brachte

Aus verschiedenen Gründen mußte ich wie ein Mann reiten – erstens, weil die Pferde aus Jakutsk so wild sind, daß man sie unmöglich in einem Damensattel reiten kann. Zweitens, weil keine Frau auf einem Damensattel dreitausend Werst durchsteht. Drittens gibt es keine Straße, daher entwickelt das Pferd die unangenehme Angewohnheit, über Steine und über die Baumwurzeln zu stolpern, die diesen Urwald wie ein perfektes Netzwerk durchziehen; den unglücklichen Reiter schleudert es daraufhin zu Boden. Viertens schließlich versinkt das Pferd ständig bis zu den Füßen des Reiters im Schlamm; wenn es dann wieder Boden gewinnt, jagt es wie wild durch Buschwerk und Geäst und kümmert sich dabei absolut nicht darum, daß das Reitkostüm einer Dame (vorausgesetzt sie trägt ein solches) in Fetzen gerissen wird. Aus diesen Gründen, denke ich, wird mich niemand dafür verurteilen, daß ich gegen die zu erwartenden blauen Flecken, Quetschwunden etc. angemessene Vorkehrungen getroffen habe. Vor einer Beschreibung meines Aufzugs schrecke ich allerdings zurück, denn es war ausgesprochen unelegant.

Aber vermutlich haben ihr die Hosen, das Jackett, die Jägermütze und die dicken Lederstiefel ganz gut gestanden. Sicherlich wurde durch diese Ausstattung der nächste Reiseabschnitt zwar nicht komfortabel, aber wenigstens doch erträglich gemacht. Zum Schutz gegen Bären trug sie auch einen Revolver; da sie aber keine Ahnung hatte, wie man damit umging, gab sie ihn einem Mitglied der Begleitmannschaft, um nicht aus Versehen einen Mann zu erschießen.

Wenn Kate die Reise nach Jakutsk auch wie eine Tortur vorkam, so erschien sie ihr im Rückblick doch bald als die einfachste Sache der Welt. Sie war zuvor nicht nur selten auf einem Pferd gesessen, sondern war vor allem niemals im Herrensitz geritten, und noch nie war ihr so etwas Unbequemes wie dieser breite, rohe und extrem harte Holzsattel begegnet. Doch jetzt mußte sie bis zu zwölf Stunden auf diesem Folterinstrument sitzen und durch weglose Sümpfe und dichten, dornigen Wald reiten. In der drückenden Hitze und den regelmäßig herabstürzenden Regenschauern erstickte sie entweder halb oder wurde vollkommen durchnäßt. Sie wagte nicht die Zügel loszulassen, aus Angst, das Pferd könnte durchgehen; daher konnte sie die Moskito- und Fliegenschwärme nicht verjagen, die sie Tag und Nacht beständig umschwirrten; sie drangen in jeden Spalt ihrer Kleidung ein und ließen Hände, Gelenke und Gesicht in grotesken Ausmaßen aufquellen.

Am Ende jeder Tagesreise war sie so erschöpft, daß man sie aus dem Sattel heben mußte; sehr oft legte sie sich nieder und schlief, ohne etwas zu essen, auf der Stelle ein. Und dennoch: Selbst wenn sie sich in den schlimmsten Momenten fragte, ob es nicht besser wäre, tot zu sein, wußte sie trotzdem ganz genau, daß sie nirgendwo sonst auf der Erde lieber sein mochte.

Nach zwei Wochen erreichten sie vierhundert Kilometer nordwestlich von Jakutsk das Gebiet von Wiljuisk, wo es Leprakranke geben sollte. Am darauffolgenden Tag führte der örtliche Priester Kate zu dem Hospital, das 1860 erbaut worden war und wegen Mangel an Spenden 1863 geschlossen werden mußte. Von dem Gebäude war nichts übrig außer ein paar Holzpfosten im Boden, die anzeigten, wo es gestanden hatte. Die Jakuten, die sie begleitet hatten, wagten sich noch nicht einmal an diese Stelle heran, so groß war ihre Angst vor der Krankheit. Dann führte der Priester Kate in die Wälder der Umgebung.

Schließlich glaubte ich, vor mir einen See und dahinter zwei Hütten zu erkennen. Mein Instinkt hatte mich nicht getrogen, und die merkwürdige Erregung, die meinen ganzen Körper erfaßte, bedeutete, daß ich schließlich, Gott sei Dank, nach all den Monaten der Reise jene armen Geschöpfe gefunden hatte, zu deren Hilfe ich gekommen war. Jetzt war es nur noch ein kurzer Ritt im Zickzack auf dem ermüdenden Pfad, dann blickte ich plötzlich auf und sah vor mir die Hütten und eine kleine Gruppe von Menschen. Einige humpelten herbei, andere lehnten sich auf Stöcke, um mit eigenen Augen unsere Ankunft zu sehen; ihre Gesichter und Glieder waren von den entsetzlichen Verwüstungen der Krankheit schwer gezeichnet. Eine der armen Kreaturen konnte sich nur mit Hilfe eines Hockers kriechend vorwärts bewegen, und allen stand der gleiche, unbeschreiblich hoffnungslose Ausdruck in den Augen. Ich stieg schnell vom Pferd und ging auf sie zu.

Die Geschichten, die Kate über die Leiden dieser verlassenen «menschlichen Wracks» erzählt, sind eine harte Lektüre. Sobald nur vermutet wurde, daß jemand an Lepra erkrankt war, wurde er oder sie buchstäblich aus der Gemeinschaft vertrieben und durfte sich einem Dorf fortan nur noch bis auf eine Distanz von vier oder fünf Kilometern nähern. Das Essen, das man ihnen überließ, war immer alt und verdorben, als Kleider gab man ihnen nur Lumpen. Der medizinische Inspektor der Provinz Jakutsk sah sich außerstande, eine vollständige Beschreibung der Jurten zu liefern, in denen sie wohnten. Denn so sehr er auch am Inneren dieser Zelte interessiert war, konnte er «wegen des Gestanks, der dem eines verwesenden Leichnams glich, doch nicht hineingehen. Der Gestank kam nicht allein von den Kranken, sondern ebenso von der Nahrung, die sie zu sich nahmen und die hauptsächlich aus verdorbenem Fisch bestand». Sie erhielten keinerlei medizinische Versorgung, weder für ihre eiternden Wunden noch für andere Infektionen, denen sie aufgrund ihres geschwächten Zustands leicht zum Opfer fielen. Selbst geistliche Hilfe wurde den meisten verweigert, denn nur der selbstloseste Priester wagte, ihnen öfters als nur einmal im Jahr eine Visite abzustatten, wobei er aus sicherer Distanz die Lebenden segnete und über den Gräbern der Toten ein Gebet sprach, bevor er wieder davonhastete.

In einem Dorf erfuhr Kate die Geschichte eines Waisenjungen von sechs oder sieben Jahren, bei dem Lepra vermutet, jedoch nicht festgestellt wurde. Sein Onkel brachte ihn mitten in den dichten Wald dieser Gegend und ließ ihn dort mit nichts als einem schäbigen Unterschlupf aus Pflöcken und getrocknetem Kuhdung zurück, um sich vor dem sibirischen Winter zu schützen. «Ohne Nahrung, ohne Wärme und verängstigt durch die Geräusche wilder Tiere, zitternd vor Kälte und entsetzt vom Geheul des Windes, der in den Bäumen tobte, wurde er an den Rand des Wahnsinns getrieben. Da es den Weg zum Haus seines Onkels unmöglich wiederfinden konnte, war dem armen Kind der Tod sicher.»

Unter den Leprakranken einer Siedlung traf sie auf ein achtzehnjähriges Mädchen, bei deren Mutter die Krankheit während der Schwangerschaft ausgebrochen war. Obwohl die Tochter gesund geboren wurde und nie an Lepra litt, erlaubten ihr die Verwandten nicht, in ihr Dorf zurückzukehren; sie war gezwungen, ihr ganzes Leben als Ausgestoßene unter Kranken, Verkrüppelten und Sterbenden zu verbringen. Kates Einfluß läßt sich daran ermessen, daß der örtliche Polizeiinspektor auf ihre dringende Bitte hin zustimmte, das arme Mädchen von ihrem Schicksal zu erlösen, und sie als Angestellte in sein Haus aufnahm.

Obwohl Kate auf schlechte Zustände vorbereitet gewesen war, hatte sie doch nicht die blasseste Ahnung davon gehabt, welch furchtbare Wirklichkeit sie tatsächlich erwartete. Sie besuchte noch drei andere Siedlungen im Gebiet von Sredni Wiljuisk, eine schlimmer als die andere, und die Schrecken, die ihr vor Augen kamen, ließen sie fast ohnmächtig werden. Aber der Zorn hielt sie aufrecht, ebenso ihre finstere Entschlossenheit, daß jeder Beamte, jeder Priester, jeder Soldat und jeder gesunde Bauer zur Hilfe für die Aussätzigen aufgerüttelt werden mußte.

Einen Monat lang durchstreifte sie mit ihren Begleitern die Wälder. Es war nun Ende Juli, und das Licht der Sommertage erlaubte ihnen, zwischen achtzig und hundert Kilometer pro Tag zurückzulegen. Der Speisezettel war in der Zwischenzeit auf Proviant zusammengeschrumpft, der Mißgeschicke wie durchgehende Packpferde und alles durchnässende Gewitter überstanden hatte – zumeist «trockenes, fast steinhartes Brot, das man in Tee eintunken mußte, bevor man es essen konnte». Unweigerlich forderte die emotionale und physische Anstrengung ihren Tribut. Eine besonders zermürbende Expedition zu einer abgelegenen Siedlung erforderte erst einen langen Ritt von fünfundzwanzig Kilometer, dann sechs Kilometer Bootsfahrt und schließlich sechzehn Kilometer Fußmarsch.

Da ich vierundzwanzig Stunden nicht geschlafen und zwölf Stunden nichts gegessen hatte, befand ich mich nicht gerade in bester Verfassung für einen solchen Fußmarsch. Während der ersten drei Meilen ging es noch ganz gut, dann brach ich einfach zusammen.

Jetzt schritten ihre Begleiter ein. Da sie die strikte Anordnung hatten, daß Kate nichts zustoßen durfte, ignorierten sie ihren Protest und trugen sie trotz ihrer Versicherung, sich in ein paar Minuten wieder zu erholen, zum Fluß zurück. Nachdem sie sie hinübergerudert hatten, wurde sie auf ihr Pferd gebunden und direkt nach Wiljuisk gebracht. «Danach legte ich mich ins Bett und schlief vierundzwanzig Stunden. Diese Ruhepause war wirklich ein Geschenk des Himmels, denn kurz darauf mußten wir zu einer Reise von sechshundert Meilen aufbrechen.»

Als sie sich zwei Tage später auf den Weg machten, ging es nach Nordosten in Richtung Werchojansk, am Rand des Polarkreises. Obwohl sie bereits acht verschiedene Gruppen von Leprakranken aufgespürt hatten, wußte Kate, daß es noch mehr zu finden gab. Aber selbst die Schrecken, die schon hinter ihr lagen, bereiteten sie nicht auf jene vor, die ihr noch bevorstanden.

Als wir bei der Leprasiedlung Hatignach ankamen, bot sich meinen Augen ein unbeschreiblich furchtbares Bild. Zwölf Menschen – Männer, Frauen und Kinder –, spärlich und schmutzig gekleidet, waren in zwei kleinen Hütten voller Ungeziefer zusammengepfercht. Der Gestank war schauerlich; ein Mann lag im Sterben, zwei Männer hatten ihre Zehen und den halben Fuß verloren, und um sich fortbewegen zu können, hatten sie sich Holzbretter unter die Knie geschnallt. Die Fetzen ihrer zerlumpten Kleidungsstücke klebten auf ihren offenen, nässenden Wunden. Zwei der Kinder waren nackt, sie hatten überhaupt nichts anzuziehen, und außer ein paar Lumpen haben sie auch im Winter nicht mehr. Während ich bei ihnen saß, peinigten die Fliegen ihre eiternden Schwären, und einige von ihnen wanden sich in Todesqualen. Es gab Bärenspuren in der Gegend, und ich begann mich zu fragen, warum sich einige der Kranken in ihrer Verzweiflung nicht den Bären vorwarfen, um so ihr Elend zu beenden.

Fast genauso wie der physische Zustand der Leprakranken rührte sie die Freude, mit der sie von jeder Gruppe bei ihrer Ankunft begrüßt wurde. Sie hatte ihnen nichts anzubieten außer einigen Päckchen Tee, manchmal eine Decke, die Versicherung, sie nicht in Vergessenheit geraten zu lassen, und ihre Gebete. Selbst bei diesen geringen Zuwendungen fielen sie vor Dankbarkeit auf die Knie, und Kate verließ tränengeblendet die Waldlichtungen. Angesichts ihrer Verlassenheit und dem wenigen, das sie tun konnte, klangen die Dankesworte in Kates Ohren immer mehr wie Schmerzensschreie. Wie konnten sie ihr danken, wo aller Wahrscheinlichkeit nach die meisten lang gestorben waren, bevor irgendeine echte Hilfe sie erreichen konnte?

Zu diesem Zeitpunkt war ihr klargeworden, daß sich die Zustände nur bessern konnten, wenn sich die Haltung der örtlichen Behörden änderte. Wenn es spezielle Kolonien gäbe, wie die von Pater Damien auf Molokai, die gut ausgestattet und auf die Bedürfnisse der Kranken eingestellt waren, dann würde niemand mehr diejenigen, die man für infiziert hielt, wie Tiere in die Wälder treiben. Ohne ein solch schreckliches Schicksal vor Augen würden Leprakranke im Anfangsstadium der Krankheit ihren Zustand nicht zu verbergen versuchen und damit riskieren, daß sich die Infektion unter ihren Mitmenschen ausbreitete. Isolation wäre zwar noch immer notwendig, aber die Kranken könnten ein angenehmeres Leben voll Sinn und Würde führen – die schrecklichen Waldghettos wären ein Ding der Vergangenheit.

Kate scherte sich nicht länger um Diplomatie, sondern marschierte mit der Bibel in der einen und dem Empfehlungsschreiben der Zarin in der anderen Hand in Wohnungen, Büros und Kirchen zu den leitenden Persönlichkeiten jeder Gemeinde, in die sie kam. Sie kommandierte, erteilte Rügen, schmeichelte und drohte – sicher wollte doch dieser oder jener Bürgermeister/Priester/ Beamte nicht der einzige in der ganzen Provinz Jakutsk sein, der einen Ukas mißachtete? Sie wußte, daß sie intelligente, mitfühlende Menschen waren, die die Lage verstehen und richtig einschätzen würden. Wenn sie ein Komitee gründeten, um für solch eine Kolonie Spenden einzutreiben, wäre es ihr eine Ehre, den Vorsitz zu übernehmen, und sie würde sicherlich nicht vergessen, solche Bemühungen in ihrem Bericht an Ihre Majestät in St. Petersburg lobend zu erwähnen.

Die Leute in verantwortlichen Positionen waren sich fast

ausnahmslos der Bedingungen durchaus bewußt, unter denen die Leprakranken zu überleben versuchten. Aber Wiljuisk war eine entlegene, verarmte Region ohne weitere Bedeutung für die Zentralbehörden, die die Mittel zur Verbesserung der Lage hätten bereitstellen können. Während all der Jahre waren sämtliche Anstrengungen der örtlichen Behörden an Organisationsmangel und öfter noch wegen fehlender Finanzierungen zusammengebrochen. Das Resultat war, daß selbst die menschenfreundlichsten Beamten völlig resigniert hatten.

Kate stellte geschmeichelt fest, daß der Grund für die Begeisterung, mit der man sie aufnahm, den vergangenen Fehlschlägen zuzuschreiben war, sowie dem Schreiben der Zarin. Und die Aufmerksamkeit, die in Jakutsk, Irkutsk und selbst im entfernten Moskau und St. Petersburg durch ihre Geschichte entstehen würde, schien fast soviel zu bewirken wie alle ihre Gebete.

Ein ebenso großes Hindernis wie der Mangel an Versorgungseinrichtungen war jedoch die Furcht und Unwissenheit der «Eingeborenen» selbst. Obwohl die Leprakranken auch von amtlicher Seite (sofern man davon überhaupt sprechen konnte) isoliert wurden, lag in der Angst der Dorfbewohner selbst, sich anzustecken, der Grund dafür, daß sie die Kranken mit so rücksichtsloser Grausamkeit behandelten. Kate gab zu, daß sie bei diesem Aspekt des Problems weniger erfolgreich war. Zum einen, weil sie die Sprache nicht beherrschte, zum anderen, weil ihr so wenig Zeit zur Verfügung stand.

In einem Dorf schaffte sie es, die Einwohner zu überreden, den Leprakranken ihres Distrikts einen Schlitten und ein Pferd zur Verfügung zu stellen, damit sie nicht meilenweit von ihren Hütten bis zu der Stelle kriechen mußten, wo man zuweilen Essen für sie zurückließ. In einem anderen Dorf versuchte sie zu erklären, daß diese Menschen dennoch Gottes Geschöpfe seien und daß sie sicherlich bessere Nahrung verdienten als verdorbenen Fisch und gelegentlich eine Schale saurer Milch – damit wurden sie gegenwärtig versorgt, und sie konnten sich noch nicht einmal darauf verlassen, daß sie dieses wenige regelmäßig erhielten.

Die Leidenschaft, mit der Kate andere von ihrer Sache zu überzeugen suchte, führte zu einer gefährlichen Vernachlässigung ihrer eigenen Gesundheit. Bis Mitte September legten sie und ihr wildes Jakuti-Pferd dreitausend Kilometer zurück und besuchten dreizehn verschiedene Gruppen Leprakranker; sie sprach mit sechsundsechzig aussätzigen Männern, Frauen und Kindern. Dafür quälte sie sich durch endlose Sümpfe, hatte Waldbrände, Gewitter und Bärenangriffe überlebt, und einige Male war ihr ungebärdiges Pferd mit ihr in den dichtesten, pechschwarzen Wald durchgegangen. Sie hatte «abstoßend schmutziges Wasser getrunken, wie nur Leute es trinken, die sehr durstig sind», und hatte nächtelang in nassen Kleidern geschlafen. Sie war am Ende.

Noch nie war ich geistig und körperlich so vollkommen erschöpft. Meine Hände konnten buchstäblich die Zügel nicht mehr halten; dort lagen die Zügel, ich wußte, daß ich sie halten mußte, aber ich war absolut außerstande, meinen Händen dies zu befehlen. Außerdem litt ich an einem akuten inneren Abszeß, der vom ständigen Reiten herrührte. Mein Kopf fühlte sich an wie ein Klumpen Blei; ich band die Zügel um meine Handgelenke und ließ das Pferd machen, was es wollte. Meine Begleitmannschaft fand an solchen Reitkunststücken keinen Gefallen, und sie beschafften einen Wagen; auf dessen Boden schütteten sie Heu und setzten mich darauf. So kam ich nach Jakutsk zurück.

Ihre Rückreise dauerte drei Monate. In Irkutsk, Krasnojarsk, Tomsk, Omsk und Jekaterinburg war sie so weit bei Kräften, um all jene aufzusuchen, die ihr Unterstützung versprochen hatten, und gab ihnen einen Bericht von ihren Erlebnissen. Sie schilderte die Zustände, die sie in Jakutsk angetroffen hatte, und drängte darauf, sich mehr für die Kranken einzusetzen. Die Stationen zwischen diesen Städten verwischten sich in ihrer späteren Beschreibung vollständig. Einmal erschreckten sich die Pferde, die ihren *Tarantas* zogen, und gingen durch, wobei der Kutscher aus seinem Sitz geschleudert und unter den stampfenden Hufen zu Tode getrampelt wurde. Ein andermal konnte sie den Schmutz der Poststationen nicht mehr ertragen; als Alternative gab es nur das Angebot eines bäuerlichen Ehepaares, mit ihnen das Bett zu teilen, in dem allerdings auch noch die Brüder des Ehemannes übernachteten. Doch meistens bedeutete die Fahrt einfach, bis auf die Knochen durchgeschüttelt zu werden, Kälte, Flöhe, Schmerzen und Erschöpfung zu ertragen.

Die treue Miss Ada Field war Kate bis Tjumen entgegengekommen. «Das Wenige an Lebenskraft, das noch in mir war, wurde durch ihre unermüdliche Fürsorge und unablässige Wachsamkeit vor dem Erlöschen bewahrt. Wie dankbar war ich meinem Schöpfer, daß meine frühere treue Gefährtin wieder an meiner Seite war.»

Im Dezember 1891, elf Monate nach ihrer Abfahrt, kehrte Kate nach Moskau zurück. Nach drei Tagen reiste sie nach St. Petersburg weiter, wo sie das «Hauptquartier einer wissenschaftlichen Gesellschaft zur Erforschung der Lage Leprakranker» einzurichten hoffte, das gleichzeitig «Kontrollmaßnahmen zur Unterstützung aller Aussätzigen im ganzen russischen Zarenreich übernehmen sollte».

Noch weitere sechs Monate blieb sie in Rußland. Sie hielt Vorträge, organisierte Spenden, diskutierte Pläne für die angestrebte Leprakolonie in Wiljuisk und wurde von den philanthropischen Gesellschaften von Moskau und St. Petersburg gefeiert. Die Zarin gewährte ihr eine weitere Audienz, wobei Ihre Majestät sich freiwillig erbot, sich selbst an die Spitze von Kates Spendenliste zu setzen. Als Kate im Mai 1892 nach England abreiste, waren für die Errichtung der Kolonie fünfundzwanzigtausend Rubel zusammengekommen, und vier

Nonnen vom Orden der Barmherzigen Schwestern in Moskau waren bereits auf dem Weg nach Jakutsk, um dort Kates Arbeit zu übernehmen. Ihre Gebete waren erhört worden. Sie war nur traurig, daß sie keine Spur der magischen Pflanze finden konnte, die irgendwo in Jakutsk wachsen sollte; die Exemplare, die sie bekommen hatte, waren auf der Rückreise nach Moskau verdorben.

Kurz bevor sie abreiste, wurde sie eingeladen, als Ehrengast in der jährlichen Versammlung der Moskauer Dermatologengesellschaft teilzunehmen. Der Vizepräsident richtete folgende Worte an die Versammlung:

Wenn ein Tourist eine lange Reise unternimmt, geschieht dies sicherlich, um seine persönliche Neugier zu befriedigen. Wenn aber eine Frau sich entschließt, in ein fernes Land zu fahren, das Tausende von Meilen von ihrer Heimat entfernt liegt, wenn sie freiwillig all die Unbilden der Reise auf sich nimmt – die strenge Kälte der Wildnis, den Hunger und die Erschöpfung – und als Lohn nur die Hoffnung kennt, die Leiden der Opfer jener schrecklichen Krankheit, der Lepra, zu lindern, dann verdient die Reise einer solchen Frau nicht nur die Hochachtung von seiten der Wissenschaftler und Philanthropen, sondern ihre ganze Persönlichkeit erweckt unseren Respekt und unsere Bewunderung.

Obwohl sie sich beeilte, «ihren Erfolg nicht menschlichem Tun, sondern der direkten Führung und Hilfe Gottes» zuzuschreiben, war Kate doch menschlich genug, um ihren Erfolg in Moskau zu genießen. Aber sie schien zu wissen, daß der Empfang in England etwas anders ausfallen würde. So war es auch. Die *Royal Geographical Society* ehrte ihre Verdienste, indem sie sie als eines der ersten weiblichen Mitglieder aufnahm, und Königin Viktoria persönlich überreichte Kate eine goldene Brosche als Zeichen ihrer Anerkennung. Doch selbst der

Anhang zu ihrem Buch, wo auf über dreißig Seiten praktisch alle Priester, Prinzessinnen, Gesundheitsinspektoren, Soldaten und Nonnen, denen sie begegnet war, Zeugnis über Kates Einsatz ablegten, schien nicht ausreichend, um ihre Kritiker davon zu überzeugen, daß sie auf ihrer «Vergnügungsreise» irgend etwas von Bedeutung erreicht hatte. Gegen diese Kritiker kämpfte sie offensichtlich noch im Jahr 1921, diesmal durch die Veröffentlichung von *A Vindication of My Mission in Siberia*. Aber auch diese Rechtfertigung schien nichts zu nützen.

1897 wurde in Wiljuisk eine Leprakolonie eröffnet. Sie bestand aus zehn Häusern für die Kranken, zwei Hospitälern, einem Arzt, einem Labor, einer Kirche und einer Bibliothek – ganz wie Kate es geplant hatte. Sie hätte triumphieren sollen. Statt dessen verfiel sie einer Depression, von der sie sich nie mehr ganz erholte. Es gab nichts, was sie jemals wieder so sehr erfüllen und bereichern konnte wie ihre zwanzigtausend Kilometer lange Reise durch Rußland. Aber sie hatte ihre Gesundheit ruiniert, und sie war nie mehr in der Lage, sich noch einmal aufzumachen. 1931 starb sie in Londen.

Gertrude Bell

Wüstentaufe

«Wer war Gertrude Bell?» Auf diese Frage würden sechs Personen sehr wahrscheinlich sechs unterschiedliche Antworten geben. Einige kennen sie als Dichterin, andere als Bergsteigerin. Wieder andere erinnern sich an sie als Archäologin oder Historikerin. Manche wissen vielleicht, daß sie Diplomatin oder Politikerin war, und schließlich ist sie einigen noch als die Reisende bekannt, die ihre Haute-couture-Garderobe durch die Wüsten Arabiens geschleppt hat.

Da nicht einmal ihre Zeitgenossen ein einheitliches Bild von ihr vermitteln, fällt es beinahe schwer zu glauben, daß sich all diese Angaben auf ein und dieselbe Person beziehen würden. «Eine herrische Frau, die alles unter ihrer Kontrolle hält», schrieb Virginia Woolf. «Ein dummer, schnatternder Windbeutel» und «eine blöd daherredende Gans» zog der Diplomat Mark Sykes über sie her, ein Reisegefährte von Gertrude Bell. Doch ihre Stiefmutter war überzeugt, daß Gertrudes Wesen sich auf «ihr tiefes Gefühlsleben» gründete. «Ihre leidenschaftliche und magnetische Persönlichkeit zog auf ihrem Weg die Leben anderer in ihr eigenes hinein.»

Auf dem Gipfel ihrer Laufbahn war Gertrude Bell als mächtigste Frau im Mittleren Osten geachtet. Ihre lange Verbundenheit mit den Völkern und Ländern in Kleinasien, Syrien und Mesopotamien erreichte ihren höchsten Ausdruck in der Berufung auf den Posten des Orientsekretärs beim britischen Hochkommissar im gerade neu gegründeten Irak. Gertrude war nach dem Ersten Weltkrieg intensiv an den Grenzziehungen im Mittleren Osten beteiligt, und ihre energische Unterstützung von Feisals Anspruch auf den irakischen Thron bescherte ihr den Beinamen «Königsmacherin». In Wertschätzung ihrer Verdienste um seine Person und in Anerkennung ihrer Erfahrung als Archäologin ernannte König Feisal sie schließlich zur ersten Direktorin der Altertümer des Irak und beauftragte sie mit der Gründung des Nationalmuseums.

«Der Irak war genau das Richtige für sie», schrieb Vita Sackville-West, die sie 1926 in Bagdad besuchte. «Sie hatte dort ihr eigenes Haus, ein Büro in der Stadt, in einer Ecke des Gartens stand ihr weißes Pony. Sie hatte arabische Diener, ihre englischen Bücher, Tonscherben aus Babylon lagen auf dem Kaminsims; außerdem war da noch ihre lange, dünne Nase und nie versiegende Lebenslust. Sie verfügte über die Gabe, einem klarzumachen, daß ... das Leben voll und reich und aufregend war.»

Doch Vita war, wie so viele vor ihr, nicht in der Lage, Gertrudes emotionales Versteckspiel zu durchschauen. Obwohl es ihr immer noch gelang, andere aufzubauen und anzuregen, erschöpfte sich für sie selbst ihre eigene «nie versiegende Lebenslust». Vier Monate nach Vitas Besuch und zwei Tage vor ihrem 58. Geburtstag starb Gertrude Bell an einer Überdosis Beruhigungsmittel.

Wie es damals üblich war, wurde das Wort «Selbstmord» nicht öffentlich ausgesprochen, und für ihren Vater, ihre Stiefmutter und ihren Bruder war sie «friedlich im Schlaf gestorben». Doch ihr Tod war für alle, die sie jemals kennengelernt hatten, ein unglaublicher Schock – es schien einfach unmöglich, daß so viel Energie und Talent, so viel Wissen und Begeisterung so plötzlich aufhören konnten zu existieren.

Gertrude Margaret Lowthian Bell wurde 1868 nicht nur mit einem silbernen Löffel im Mund geboren, sondern bekam in die eine Hand auch eine piekfeine Einladung, in die andere eine Enzyklopädie, und zu ihren Füßen lag ein noch nicht ausgerollter fliegender Teppich. Das Vermögen der Familie Bell stammte von ihrem Großvater Sir Isaac Lowthian Bell, einem äußerst geschickten Kohlengrubenbesitzer und Eisenfabrikanten, der in der Grafschaft Durham ein erfolgreiches Industrieimperium gegründet hatte. Sein Sohn Hugh, Gertrudes Vater, erhielt von dem hart arbeitenden und ehrgeizigen Isaac den Hauptanteil aus einem Erbe von einer Million Pfund, ohne einen Handschlag dafür zu tun. Doch es galt dabei der ungeschriebene Kodex, daß er das Vermögen für den endgültigen Aufstieg der Familie Bell zu «gesellschaftlichem Ansehen» zu verwenden hatte.

Hugh Bell hielt sich an seinen Auftrag. Gertrude wurde nach den besten Traditionen des einfachen englischen Adels erzogen. Sie lebte in einem großen Haus, wo dreimal mehr Menschen «oben»* lebten als «unten», wo Kindermädchen und Erzieherinnen herrschten, Gärtner den samtigen Rasen pflegten und die Blumenbeete das ganze Jahr über ein Augenschmaus waren. In dieser eleganten Umgebung ereignete sich eine Tragödie, die zu verstehen Gertrude damals noch zu klein war: Als sie drei Jahre alt war, starb ihre Mutter wenige Tage nach der Geburt eines Sohnes – Maurice –, und Hugh war jahrelang untröstlich. Doch 1877 heiratete er zum zweiten Mal.

Florence Olliffe war mit der künstlerischen und literarischen Elite von Paris aufgewachsen und entweder durch Blutsverwandtschaft, Heirat oder Freundschaft mit vielen der bekanntesten Familien Englands verbunden. Sie brachte all die Kultur, künstlerische Phantasie und das ganze «gesellschaftliche Ansehen» in die Familie Bell, von dem der alte Sir Isaac geträumt hatte, und sie brachte auch Hugh und seinen Kindern großes Glück. Ihr Verhältnis zu ihrer Stieftochter war vorbildlich, von Beginn an nannte Gertrude sie gern ihre «Mutter».

Bis zu ihrem fünfzehnten Lebensjahr wurde Gertrude zu Hause unterrichtet, und immer neue Erzieherinnen bemühten sich angestrengt, sie für so damenhafte Beschäftigungen wie Sticken, Kochen und Klavierspiel irgendwie zu interessieren. Doch schon früh wurde ihre Begabung für etwas gehaltvollere Betätigungen offensichtlich, und als ihr Bruder Maurice nach Eton kam, beschlossen Florence und Hugh, daß auch für Gertrude eine methodischere Ausbildung angebracht wäre. 1884

* Anm. d. Ü.: Das Personal wohnte in diesen Häusern meistens in den oberen Stockwerken.

fuhr sie nach London, quartierte sich bei Lady Olliffe, der Mutter von Florence, ein und besuchte das Queen's College in der Harley Street. Der Geschichtslehrer dort war von Gertrudes Intelligenz – und besonders von ihrem Talent für sein Fachgebiet – so beeindruckt, daß er Hugh und Florence am Ende des Schuljahrs einen Vorschlag unterbreitete.

Er legte uns sehr eindringlich nahe, sie nach Oxford in das Historische Seminar zu schicken [schrieb Florence]. Es war damals noch nicht die Zeit, in der es selbstverständlich wurde, daß Mädchen studierten, und so stimmten wir mit einigen Bedenken zu. Doch das Ergebnis rechtfertigte unsere Entscheidung. 1886 kam Gertrude, noch bevor sie achtzehn wurde, nach Lady Margaret Hall und schloß 1888, kurz vor ihrem zwanzigsten Geburtstag, mit der Bestnote in Zeitgeschichte ab.

Die meisten Bilder und Fotografien aus Gertrudes Mädchenzeit sind einfache Studioporträts. Sie zeigen ein eindrucksvolles Gesicht mit weit auseinanderliegenden Augen und einem kräftigen Kinn – vielleicht fehlt nur ein wenig Weichheit, um das gute Aussehen in Schönheit zu verwandeln. Ihre Zielstrebigkeit ist deutlich erkennbar und die Selbstsicherheit unübersehbar. Doch ein wesentlich genaueres Bild ihrer außerordentlichen Energie und Begeisterungsfähigkeit ergibt sich aus den Erinnerungen ihrer Familie und Freunde und aus ihren eigenen Briefen. Janet Hogarth, eine Freundin von Gertrude und zur gleichen Zeit wie sie in Oxford, sagte über sie: «Mit ihren klugen Beiträgen, ihrem jugendlichen Selbstvertrauen, ihrem Vater und der lebhaften intellektuellen Welt, in der sie groß geworden war, eroberte sie unsere Herzen im Sturm. Sie war die auffallendste Studentin, die es in Lady Margaret Hall damals gab — immer die lebendigste, mit nie ermüdender Energie, großartiger Lebensfreude und unbegrenzter Kraft zu arbeiten, zu reden und zu feiern.»

1892 kam Gertrude erstmals mit dem Mittleren Osten in Berührung. Die Neuankömmlinge im Bagdad der zwanziger Jahre, die von ihrer Selbstsicherheit so beeindruckt waren, hätten beruhigt sein können: Auch Gertrude selbst reagierte auf diese fremde Welt zuerst atemlos und überwältigt.

Wie groß die Welt ist, wie groß und wie wunderbar. Mir erscheint es lächerlich und anmaßend, daß ich kleines Etwas es wagen könnte, so weit – bis zur Hälfte – dort einzudringen, und ganz kühn versuchen will, Dinge zu ermessen, für die ich vielleicht gar kein passendes Maßsystem habe.

Mit ihrem Aufenthalt in Teheran nahm Gertrude das erste Mal die Gastlichkeit wahr, die die äußerst günstig verteilt lebende Verwandtschaft von Florence ihr bieten konnte. In den folgenden Jahren öffneten sich ihr in fast allen Ländern, die sie bereiste, bereitwillig die Türen der Botschaften Frankreichs und Großbritanniens, sobald ihre Mutter erwähnt wurde. Dieses Mal hatten Mary Lascelles, die Schwester von Florence, und ihr Ehemann Frank, der britische Botschafter in Teheran, sie als Teil einer ausgedehnten Reise durch Europas Hauptstädte zu einem Besuch eingeladen.

Gertrude, die fließend Französisch und Deutsch sprach, hatte als Vorbereitung auf die Reise nach Teheran ein halbes Jahr vorher begonnen, Persisch lesen, schreiben und sprechen zu lernen. In ihren Reaktionen auf das Land zeigte sich eine Fähigkeit, die Florence sehr früh an ihr erkannte: «Sie hatte die Gabe, sich innerhalb kurzer Zeit ein Bild von Orten und Menschen machen zu können.»

Hier bin ich nun, wie jede Frau ein leeres Gefäß, das nach Belieben gefüllt werden kann, und bin erfüllt von einem Genuß, den ich in England nie erfahren hatte. In diesem Land tragen Männer fließende Gewänder in Grün, Weiß und Braun, und wie eine Madonna von Raffael heben die

Frauen ihren Schleier, um mich im Vorübergehen anzusehen. Wo Wasser fließt, entfaltet sich eine üppige Vegetation, wo keines ist, gibt es nichts als Steine und Wüste. Oh, die Wüste um Teheran! Meilenweit wächst nichts, einfach *nichts.* Bevor ich hierherkam, wußte ich nicht, was Wüste ist. Sie ist wirklich etwas Wunderbares.

In den sechs Monaten, die Gertrude bei den Lascelles in Persien verbrachte, setzte sie ihre Sprachstudien fort und schloß sich mit ihrer gewohnten Begeisterung dem Leben in den Diplomatenkreisen an. Bei diesem ersten selbständigen Ausflug jenseits der Grenzen des überaus konventionellen Familienlebens im viktorianischen England passierte, was eigentlich vorauszusehen war: Sie verliebte sich. Henry Cadogan war auf den ersten Blick gar keine so schlechte Wahl: Sekretär der britischen Gesandtschaft, zehn Jahre älter als Gertrude, gut aussehend, charmant, ein begeisterter Sportler und mit einem Interesse für Geschichte und Literatur, das ihrem ebenbürtig schien.

Die Romanze entwickelte sich. Drei Monate lang trafen sie sich fast jeden Tag, besuchten Partys und Picknicks, spielten Tennis, lasen Gedichte, unternahmen lange Reitausflüge in die Wüste, und schließlich hielt Henry um Gertrudes Hand an. Hugh und Florence erhielten einen ekstatischen Brief, in dem Gertrude sie um die Erlaubnis zur Verlobung bat. Die Eltern weigerten sich.

An Mr. Cadogans Herkunft gab es zwar nichts auszusetzen – er war immerhin Enkel eines Grafen –, doch sie hatten einige unschöne Gerüchte über ihn selbst gehört. Er war nicht nur ein mittelloser Diplomat, der vermutlich nie in eine Spitzenposition aufsteigen würde, sondern war angeblich auch ein Spieler, der seine Schulden nicht immer pünktlich zurückzahlte. Man konnte auf keinen Fall zulassen, daß Gertrude einen solchen Mann heiratete; es wäre im Gegenteil sogar am besten, wenn sie sogleich nach England zurückkehrte.

Obwohl Gertrude alles versuchte, um Hugh und Florence von dieser Haltung abzubringen, wäre es ihr nie in den Sinn gekommen, sich nicht zu fügen.

Wenn Papa sagt, daß das nicht in Frage kommt, dann bleibt ihm [Henry] natürlich nichts anderes übrig, als mindestens noch ein Jahr in Persien zu bleiben, und wir beide müssen warten, bis er Botschafter oder sonst etwas Aufregendes und Lukratives geworden ist ... Manche Menschen erfahren ihr ganzes Leben lang nichts von diesem Wunder. Nun habe ich es wenigstens einmal kennengelernt und habe all die Möglichkeiten, die das Leben bereithält, plötzlich offen vor mir gesehen. Man muß nur ein wenig weinen, wenn man das aufgeben und das frühere enge Leben wiederaufnehmen soll.

Im Dezember 1892 war sie wieder zu Hause in England – doch das lange Warten blieb ihr erspart. Neun Monate später fiel Henry Cadogan in Südpersien vom Pferd, stürzte in einen eisigen Fluß und starb an einer Lungenentzündung. In dem Dreivierteljahr ihrer Trennung hatte sich an Gertrudes Gefühlen nichts geändert, und sie trauerte lange um ihn. Erst nach zwanzig Jahren sollte sie sich wieder verlieben.

Gertrudes Achtung gegenüber den Wünschen ihres Vaters – bei einer so wichtigen Angelegenheit wie ihrer Heirat vielleicht nicht ganz so überraschend – ist in ihrem ganzen Leben ein ziemlich auffallender Aspekt. Sogar als erfolgreiche vierzigjährige Karrierefrau bat sie ihn, vielleicht auch nur der Form halber, um seinen Rat und um seine Zustimmung bei neuen abenteuerlichen Unternehmungen. Nach ihrer Rückkehr nach England ermutigte er sie, ihr Studium der persischen Sprache fortzusetzen, und unterstützte voll und ganz ihren ausdrücklichen Wunsch, mehr von «dieser unendlich weiten Welt» zu sehen. Sooft er konnte, begleitete er sie sogar.

In den nächsten sieben Jahren war Gertrude entweder in

Begleitung ihres Vaters oder ihres Bruders Maurice viel im Ausland unterwegs. Sie reiste durch Frankreich, Algerien, Deutschland und Griechenland; sie vertiefte sich in die Kunstschätze Italiens und lernte in der Schweiz zum ersten Mal den neuen Modesport Bergsteigen kennen. Auch die Lascelles traf sie wieder, diesmal allerdings in Berlin. Frank war inzwischen dort Botschafter, und bei einer Teegesellschaft wurde Gertrude auch Kaiser Wilhelm vorgestellt. 1897 unternahm sie mit Maurice eine Weltreise. Zwischenzeitlich studierte sie weiter Persisch in London; 1894 wurde ihr erstes Buch veröffentlicht, *Safar Nameh – Persian Pictures,* und 1896 beendete sie ihre Übersetzung des Gedichtbandes, den sie erstmals mit Henry Cadogan in Teheran gelesen hatte: den «Diwan» des Hafis. Florence notierte einmal, daß Gertrude «ihr Leben lang leidenschaftlich gern Gedichte las, was bei einem Menschen, der gelegentlich zu sehr großer Härte neigt und wenig Rücksicht auf Gefühle nimmt, doch ungewöhnlich und interessant erscheint; dazu war sie in ihren geistigen Fähigkeiten auch sehr auf das praktische Leben orientiert». Mit ihrer Übersetzung des «Diwan» bot Gertrude ein hervorragendes Beispiel für den Einsatz ihrer «geistigen Fähigkeiten» im Dienst ihrer Liebe zur Poesie; sie erwarb sich damit auch die Anerkennung von einigen ausgezeichneten Gelehrten im damaligen Persien. Im Oktober 1899 konnte sie endlich in den Mittleren Osten zurückkehren. In Teheran hatte sie sich seinerzeit mit Dr. Rosen, dem deutschen Generalkonsul, und seiner Frau Nina angefreundet, die eine ehemalige Mitschülerin von Florence war. Fritz Rosen war inzwischen deutscher Generalkonsul in Jerusalem, und Nina lud Gertrude zu einem ausgedehnten Aufenthalt ein. Am 12. Dezember traf sie in Jerusalem ein.

Das Haus, in dem Fritz und Nina Rosen wohnten, war nicht sehr groß, und Gertrude beschloß, in einem kleinen Hotel zu bleiben, das nur zwei Minuten Fußweg entfernt vom deutschen Konsulat lag. Zum einen wollte sie sich nicht aufdrängen, zum anderen zog sie es vermutlich vor, unabhängig zu bleiben. Mit der großzügigen Unterstützung, die Hugh ihr gewährte, konnte sie recht angenehm leben: «Meine Wohnung besteht aus einem sehr netten Schlafzimmer und einem großen Wohnraum; beide führen auf einen kleinen Gang, der den ganzen ersten Stock des Hotels entlangläuft. Mein Zimmermädchen ist ein zuvorkommender Herr mit Fes; jeden Morgen richtet er mir mein heißes Bad und steht jederzeit zu meinen Diensten.» Nach ihrer Ankunft fand sie innerhalb von vierundzwanzig Stunden einen Arabischlehrer und kaufte sich ein Pferd.

Ich bin auf angenehme Weise voll beschäftigt, doch kann ich mir nicht vorstellen, jemals Arabisch zu lernen – es gibt allein fünf Wörter für «Mauer» und sechsunddreißig verschiedene Arten, den Plural zu bilden, und der Rest ist auch nicht viel anders. Doch ich werde weiterkämpfen, in der Hoffnung, daß meine Ausdauer diesen schlechten Aussichten den Garaus machen wird. Mein Zimmermädchen – das mit dem Fes – kann ich inzwischen mit einigen gestotterten Worten ansprechen, was ihn sehr freut.

Ein halbes Jahr lang durchstreifte sie Jerusalem zu Fuß. Die Umgebung der Stadt erkundete sie zu Pferd und schrieb unzählige Briefe nach Hause an ihren Vater, einer begeisterter als der andere. Mit dem Ehepaar Rosen reiste sie zum Toten Meer und dann weiter nach Süden, um die Ruinenstadt Petra zu besichtigen; von diesem Erlebnis erzählte sie Hugh in einem siebenseitigen Jubelbrief. Sie ritt zum Dschebel Druz nördlich von Jerusalem und über die Ebenen weiter nach Damaskus. Als die Energie und der Enthusiasmus von Fritz und Nina Rosen erschöpft waren und sie auch keine Zeit mehr hatten, verabschiedete sie sich sehr herzlich von ihnen und sauste weiter, nur von einem Koch und einigen Maultiertreibern begleitet.

Auch als inzwischen Einunddreißigjährige fand sie es offenbar immer noch nicht ganz passend, allein zu reisen; immer wieder entschuldigte sie sich in ihren Briefen ausführlich bei Hugh, daß sie für diesen oder jenen Ausflug nicht seine ausdrückliche Erlaubnis eingeholt hatte. Doch sie genoß es, auf den Reisen im Ausland von den strengen Regeln des Lebens in England befreit zu sein. Dies galt in besonderem Maße für den Mittleren Osten, wo von jedem Mann und jeder Frau, wie eigenartig sie auch sein mochten, angenommen wurde, daß sie nur ihrem eigenen Schicksal folgten. Nach Gertrudes Meinung hieß diese Toleranz für einen Menschen aus Europa, nicht zu versuchen, «sich bei den Orientalen einzuschmeicheln, indem man ihre Sitten nachzuahmen beginnt. Die Gesetze der anderen müssen natürlich respektiert werden, doch am meisten Achtung wird einem entgegengebracht, wenn man sich ebenfalls strikt an die eigenen hält. Diese Regel ist gerade für Frauen von allergrößter Bedeutung, denn eine Frau kann sich nie wirklich verstellen. Wenn man dann über sie weiß, daß sie aus einer bedeutenden·und ehrbaren Familie mit untadeligem Ruf kommt, kann sie am ehesten Anspruch auf Respekt erheben.»

Da sie zunehmend besser Arabisch sprach, begann sie gern mit den ungewöhnlichsten und manchmal auch mit sehr unangenehmen Menschen eine Unterhaltung, einfach aus purer Freude darüber, daß sie sich mit ihnen in ihrer Sprache verständigen konnte. Sie weigerte sich, jemals die Möglichkeit von Gefahren in Betracht zu ziehen, die in den wilden, unbekannten Gegenden ihrer Streifzüge auf eine allein reisende Frau lauern könnten. Nur einmal fühlte sie sich als Frau benachteiligt: als sie voller Zorn erkennen mußte, daß ihre Körperkraft nicht ausreichte, um einigen besonders faulen Bediensteten die ihrer Ansicht nach unbedingt notwendigen Peitschenhiebe zu verpassen. Ihrem Vater erklärte sie, daß es im Leben einer Frau allerdings einige Requisiten gab, auf die sie gern verzichtete:

Die größte Annehmlichkeit dieser Reise bedeutet sowohl für mich wie auch für das Pferd mein Herrensattel. Nie wieder werde ich zu Pferd anders reisen; bis jetzt wußte ich nicht, wie angenehm Reiten wirklich sein kann. Solange ich nichts sage, denken die Leute immer, ich sei ein Mann. Du darfst jetzt nicht annehmen, ich trüge etwa nicht einen überaus eleganten und schicklich geteilten Rock. Doch da hier auch die Männer alle möglichen Arten von Röcken tragen, bin ich allein dadurch noch nicht gleich zu unterscheiden.

Eine der Eigenschaften, mit denen Gertrude auf sich aufmerksam machte, war ihre Leidenschaft für schöne Kleider. Vita Sackville-West begegnete Gertrude das erste Mal in Konstantinopel, «als sie gerade aus der Wüste zurückkam, mit all den Abendkleidern und dem Besteck, das sie immer unbedingt auf ihren Touren mitnehmen mußte». Noch in ihrer Londoner Zeit war sie dafür bekannt gewesen, daß sie ein Kleid nie zweimal zu Festen anzog, und in all den Jahren in der Wüste fehlte in fast keinem Brief nach Hause die dringende Bitte um das eine oder andere absolut unverzichtbare Stück, um ihre Garderobe zu vervollständigen. «Hätte ich doch bloß mehr Kleider mitgenommen» war ein ständig wiederkehrender Seufzer, und die arme Florence las wohl schon mit Grauen die Worte: «Schickst Du mir bitte, wenn möglich ... », denn das bedeutete unweigerlich, daß sie hierhin und dorthin rennen mußte, um beispielsweise ein «gestreiftes Seidenkleid» oder «einen Winterhut, am liebsten in Dunkelviolett», zu besorgen.

Bis Juni 1900 besuchte sie noch die Ruinen von Palmyra, sah in Baalbek die Zedern des Libanon und war dann bereit, wieder nach Hause zu fahren. «Liebster Vater, bitte sei Dir im klaren darüber, daß ich über kurz oder lang wieder hiersein werde. Man kann vom Orient nicht mehr lassen, wenn man ihn bereits so gut kennt wie ich.» Doch erst fünf Jahre später kehrte sie wieder in den Mittleren Osten zurück, um länger als nur für einen kurzen Besuch zu bleiben. Sie konnte sich jetzt noch nicht mit ganzem Herzen für eine Ecke dieser Welt entscheiden, so faszinierend es dort auch war. Es gab auch anderswo noch viel zu sehen und zu tun.

Beispielsweise mußten Berge bestiegen werden – ganz wörtlich gemeint. Die Reisen mit Hugh in die Alpen in den Jahren 1893 und 1899 hatten Gertrudes Appetit auf die hohen Gipfel geweckt, und kurz nach ihrer Rückkehr aus den syrischen Felswüsten war sie «mit wahnsinnig viel Spaß» in den Schneewüsten der Schweiz unterwegs. Bald kannte man sie als geschickte und mutige Bergsteigerin.

Aber es trieb sie immer noch weiter. 1902 pausierte sie mit der Bergsteigerei und reiste ein zweites Mal, diesmal mit ihrem Halbbruder Hugo, um die Welt. Im Januar 1903 erlebten sie als Gäste des Vizekönigs, Lord Curzon, die großen Durbar-Feierlichkeiten in Delhi. Von Indien aus reisten sie über Burma und Java nach Hongkong, China und Japan. Gertrude nahm dabei jede neue Sprache so schnell und vollständig auf wie andere Leute Aspirin schlucken. In Amerika fand sie Zeit für ein paar herausfordernde Gipfel der Rocky Mountains, und im Juli war sie mit Hugo wieder in England.

Jetzt allerdings sah es schon fast so aus, als ob sie vom Reisen als Selbstzweck genug hätte. Sehenswürdigkeiten, neue Sprachen und die aufwendigen Vergnügungen der Diplomaten – auch wenn diese meistens Verwandte oder Freunde der Familie waren –, das alles hatte seine Grenzen. Gertrude brauchte geistige Anregung, etwas, das ihren Verstand in dem Maß forderte, wie Berge und Wüsten ihren Körper beanspruchten.

Eine Zufallsbegegnung in Paris eröffnete ihr neue Perspektiven. Salomon Reinach, Philologe, Archäologe und Kunsthistoriker, war der «ausgesprochen kenntnisreiche» Kustos des Nationalmuseums in Saint-Germain-en-Laye. Er war ein untersetzter, lebhafter und äußerst charmanter Mittvierziger, der neben seiner Arbeit nur zwei Leidenschaften kannte: sehr schöne Frauen und sehr kluge Frauen. Seine Beziehungen bewegten sich zwar meist auf rein geistiger Ebene – er war mit einer sowohl schönen wie klugen Ärztin glücklich verheiratet –, denn er genoß einfach ihre Gesellschaft. Er sammelte Freundinnen mit derselben Liebe und Kompetenz, wie er byzantinische Mosaiken oder alte ägyptische Handschriften sammelte. Gertrude fand er unwiderstehlich – ein Gefühl, das erwidert wurde.

Wir unterhielten uns stundenlang, ohne Unterbrechung. Er ist ein bemerkenswerter Mann, der . . . einfach alles weiß. Er gab mir ein Empfehlungsschreiben an einen der Direktoren der Nationalbibliothek, und als ich heute hinging, wurde ich mit offenen Armen aufgenommen. Den ganzen Tag lang studierte ich dort Handschriften. Welch ein Vergnügen – am liebsten würde ich sechs Monate lang nichts anderes tun.

Reinachs offensichtlich grenzenloses Wissen und seine nachdrückliche Ermutigung regten Gertrude zu Recherchen über die Ruinen an, die sie in Syrien so fasziniert hatten. Drei Wochen lang war sie in Bibliotheken und Museen zu Hause, und ihre Briefe an Hugh spiegeln die Freude über diese neue Erfahrung wider: «Gestern war ich mit Reinach in einem Museum für byzantinische Kunst, das für die Öffentlichkeit noch nicht zugänglich ist.» – «Ich habe den ganzen Nachmittag im Louvre verbracht.» – «Heute werde ich bei Reinach essen und abends in seiner Bibliothek arbeiten.» – «Was für ein lieber Mann; in diesen wenigen Tagen habe ich mehr gelernt, als ich es allein innerhalb eines ganzen Jahres vermocht hätte.» – «Gestern abend hat er eine Art Prüfung veranstaltet; ich glaube schon, daß ich bestanden habe. Reinach war sehr angetan, aber er mag mich so gern, daß er vermutlich nicht streng genug ist.»

Reinach konnte Gertrudes Fähigkeiten allerdings sehr gut beurteilen – und indem er sie vorsichtig in die Richtung lenkte, die er als Gertrudes Berufung erkannt hatte, brachte er sie auf einen Weg, dem sie ihr Leben lang folgen sollte. Kurz nach dem «Examen» bei ihm beauftragte er sie mit der Verfassung einiger Artikel für seine wissenschaftliche Zeitschrift *«Revue Archéologique»*, und im Januar 1905 war sie wieder im Mittleren Osten.

Haifa, 25. Januar. Es tut so gut, wieder Arabisch zu sprechen. Wie eine Flut steigt es in mir hoch, und jedesmal, wenn ich den Mund aufmache und Kröten erwarte, kommen Perlen heraus, zumindest kleine Perlen. Während ich heute durch die Basare streifte und noch verschiedenen Kram für meine Reise einkaufte, empfand ich solche Freude, wieder im Osten zu sein und dazuzugehören, einfach mit allem schon so vertraut zu sein, wie ich es inzwischen bin. Zum Beispiel weiß ich durch den Akzent und die Kleidung der Menschen gleich, woher sie kommen, und kann sie dann ganz selbstverständlich mit dem passenden Gruß ansprechen. Heute war ein so guter Tag. Ich habe mit Persern zu Mittag gegessen, bei meinem Pferdehändler Tee getrunken, mich stundenlang mit meinem Hauswirt unterhalten und alle besucht, die ich in Haifa kenne. Morgen früh breche ich auf.

Diese Reise war von allen, die sie im Mittleren Osten noch unternehmen sollte, ohne Zweifel die erfreulichste und sorgloseste. Dank Reinach war die Archäologie Gertrudes große Leidenschaft geworden, und seine Artikelaufträge boten einen guten Grund, dieser Leidenschaft nachzugehen. Gertrudes Reisepläne waren ziemlich vage, doch das förderte nur den Reiz des ganzen Abenteuers.

Von Jerusalem aus wollte sie ihre frühere Route über den Dschebel Druz nach Damaskus aufnehmen und dann nach

Norden durch Syrien in die heutige Türkei. Wenn sie sich sowohl an ihre eigenen Erfahrungen hielt wie auch an das, was sie unterwegs erfuhr, dann konnte sie völlig ungebunden alle möglichen Umwege und Abstecher zu den interessantesten Ruinen machen. Und sie hatte jede Menge Zeit.

Sie schwang sich in ihren «Männersattel» und verließ in Begleitung von drei Maultiertreibern und einem Koch am 5. Januar jauchzend die Stadt Jerusalem. «Vom Mittelmeer wehte der Westwind herüber, brachte der Stadt die Nachricht von kommendem Regen und raste weiter, im Gefolge wildes Sturmgeheul. Niemand, der nur ein bißchen Leben in den Knochen hatte, konnte an solch einem Tag zu Hause bleiben.» In der Nähe von Jericho überquerten sie «auf der Holzbrücke, die vom Okzident in den Orient führt», den Jordan, und gegen Ende des ersten Tages befand sich Gertrude «mitten im Tratsch des Ostens – ich hätte weinen können vor Freude darüber, daß ich das wieder hören konnte».

Mit gewohnter Großspurigkeit machte sie sich schnell Freunde, sie erwartete – und erlebte – in jedem Dorf und an jedem Lagerfeuer zwischen Amman und Aleppo freundliche Aufnahme. Charakteristischerweise suchte sie die Gesellschaft der Männer. In Arabien wie in Europa ließ Gertrude als einzige Kriterien für ihre Selbsteinschätzung männliche Billigung ihrer Gegenwart gelten, männliche Wertschätzung ihrer Bemühungen und männliche Anerkennung ihrer Fähigkeiten und Tüchtigkeit auf Gebieten, in denen Frauen traditionsgemäß nicht vertreten waren. Für Gertrude hätte es – auch zu Hause – keinen Triumph bedeutet, von anderen Frauen akzeptiert zu werden oder sich mit ihnen zu messen; ihrer Meinung nach waren sie weder interessante Herausforderinnen noch anregende Gesprächspartnerinnen. Die Situation der Frauen war ihr in erschreckender Weise egal, und in späteren Jahren wurde sie zu einer vehementen Gegnerin des Frauenstimmrechts. Sie schien der Meinung zu sein, daß Frauen, die etwas zu sagen hatten, dies ohnehin tun würden, und diejenigen, von denen nichts zu erwarten war, auch keine Stimme erhalten sollten. Da sie wenig Zeit für ihre Geschlechtsgenossinnen im christlichen Abendland aufbrachte, ist es nicht verwunderlich, wenn sie die eingeschlossenen und in wesentlich stärkerer Unterdrückung lebenden Frauen des vornehmlich islamischen Orients so gut wie gar nicht wahrnahm.

Obwohl die Altertümer Gertrudes Hauptthema bildeten, entpuppte sie sich in ihren Briefen nach England in den folgenden vier Monaten als zwanghafte Sammlerin jeder Art von Information. In größter Ausführlichkeit schilderte sie alles, von religiöser Bigotterie über Ziegenhaltung und den Stand der Sterne bis zu Bedeutungen einzelner Wörter und den Farben der Blumen. Sie schrieb über Scharmützel und Blutrache, über Geschichte, Geographie und Politik. Doch fast nie erwähnte sie das Leben der Frauen im Mittleren Osten.

Während der ersten Wochen ihrer Reise regnete es. Hinter Amman fiel der Regen so heftig, daß sie gezwungen waren, mitsamt den Maultieren, Pferden, Zelten und allem Gepäck Unterschlupf in einer Höhle zu suchen, die bereits von einigen Männern des Stammes der Beni Sachr belegt war. Vom Wetter aus ihren schwarzen Zelten vertrieben, hatten die Männer ihre Frauen und Kinder im Schlamm, zwischen den Pfützen und Löchern zurückgelassen, es sich um ein großes Feuer herum bequem gemacht und tranken ihren Kaffee. Gertrude, selbst eine unverbesserliche Raucherin, reichte Zigaretten aus ihrem eigenen Vorrat herum, und bald «herrschte zwischen mir und den Männern der Beni Sachr eine freundschaftliche Atmosphäre».

Bei Salt hielt sie an, um Angehörigen der Schararat zuzusehen, die von den Beni Sachr Getreide kaufen wollten. «Meine Gegenwart paßte zwar nicht ins Bild, und es war auch ein Sprung über einige tausend Jahre, doch für mich hätten diese Leute Jakobs Söhne sein können, die aus Ägypten kamen und mit ihrem Bruder Joseph über das Gewicht der Kornsäcke streiten.» In der Stadt Salt stellte sie sich dann im Haus des «Schwagers der Tochter des Mannes» vor, «bei dem ich Arabischunterricht genommen und der mir versichert hatte, jemanden zu kennen, der mich in den Dschebel Druz führen konnte».

Aus dem gleichen Grund, der Alexandra David-Néel veranlaßte, nach Lhasa zu gehen, wollte Gertrude Bell in das Zentrum des Dschebel Druz eindringen: Es war verboten. Die nicht orthodoxen und äußerst freiheitsliebenden Drusen hatten die Herrschaft der Türken* nie akzeptiert, und die Türken hatten sich entschlossen, sie – zum Teil, weil das Gebiet schwer zugänglich war – weitgehend sich selbst zu überlassen. Doch Ausländer durften die Region nicht besuchen, da man befürchtete, sie würden Unzufriedenheit und aufrührerische Gedanken verbreiten. Gertrude konnte der Herausforderung nicht widerstehen.

Es macht schrecklich viel Spaß – wir fühlen uns wie Verschwörer, und meine Bediensteten sind ganz in die Sache mit eingestiegen. Sobald ich es schaffe, Verbindung mit den Drusen aufzunehmen, ist alles in Ordnung. Wenn wir erst einmal in ihrem Land sind, werden wir in flottem Tempo weiterziehen; für die Türken wird es dann schwer, mich zu kriegen, da sie furchtbare Angst vor den Drusen haben.

Noch vor dem Morgengrauen brach sie auf, machte einen weiten Bogen um alle Dörfer und wurde vom «Schwager der Tochter des alten Arabischlehrers» durch die Wüste in das verbotene Hügelland geführt. Von da an konnte sie einer freundlichen Aufnahme sicher sein – alle, die imstande waren, die Türken zu überlisten, galten automatisch als gute Freunde der Drusen. Die Nachricht von ihrer Ankunft eilte ihr voraus, und drei Wochen lang war Gertrude in bester Stimmung im

---

* Der Nahe Osten gehörte zum Osmanischen Reich.

Dschebel Druz unterwegs. «Man interessiert sich ziemlich für mich, denn ich bin bisher die erste Ausländerin in dieser Gegend.» Eine willkommene Zugabe war, daß es auf der ganzen steinigen Ebene um Sahle im Herzen des Dschebel-Druz- Gebietes zahlreiche Ruinen von Dörfern gab, die seit der Invasion der Truppen Mohammeds verlassen lagen. Als Gertrude auf diese archäologisch ergiebigen Jagdgründe stieß, dachte sie bald nicht mehr an ihren Sieg über die Behörden, sondern war vollauf mit Notizbuch, Stift und Maßband dort beschäftigt. «Diese Welt ist ohne Zweifel einfach wunderbar. Der Tag begann für mich damit, daß ich Inschriften kopierte – ich fand einige griechische, eine kufische und eine nabathäische – weiß der Himmel, was sie bedeuten. Ich habe sie brav abgeschrieben, und wer es kann, soll sie lesen.»

In den Bergen war es kalt und Gertrude daher ausgesprochen froh, daß sie nicht nur einen Pelzmantel, sondern auch eine Wärmflasche mitgenommen hatte. Ihr Gepäck enthielt wie immer auch genügend Geschirr und Besteck für ein stilvolles Abendessen selbst noch im entlegensten Winkel, außerdem hatte sie eine faltbare Badewanne dabei. Jeden Abend entfachten ihre Diener ein Feuer, die Wanne wurde aufgebaut, und kurz darauf konnte Gertrude «im größten Luxus des ganzen Zeltlagers schwelgen».

In der Nähe der Stadt Salchad erlebte sie etwas, das weit über die übliche Gastfreundschaft hinausging. Sie hatte eben zu Abend gegessen und überlegte gerade, ob sie bei der beißenden Kälte an ihrem Tagebuch weiterschreiben sollte, als «wilde Gesänge durch die Nacht schallten. Es war ein Ruf zu den Waffen.» Gertrude warf sich schnell ihren Pelzmantel über und lief dann in die mondhelle Nacht hinaus, wo sich drusische Männer und Jungen zu einem wilden Zug gegen die Türken versammelten.

Sie waren alle mit Schwertern und Messern bewaffnet und brüllten, als ob die Wut ihres Aufbegehrens nie enden würde. Einer sah, daß ich alles beobachtete, kam zu mir herüber, schwang sein Schwert über dem Kopf und rief: «Lady, die Engländer und die Drusen sind Brüder!» Ich sagte: «Gott sei gepriesen, auch wir sind ein Volk von Kämpfern.» In diesem Augenblick schien es nichts Herrlicheres geben zu können, als loszuziehen und den Feind zu schlagen. Als die Kampfesschwüre vorbei waren, rannten die Krieger, zu denen ich nun wohl auch gehörte, den Hügel hinunter zur Stadt.

Für kurze Zeit ließ sich Gertrude von der aufgewühlten Menge davontragen. Doch sie wußte, daß es in der Stadt einen türkischen Repräsentanten gab, und als die Demonstranten die Richtung zu seinem Wohnsitz einschlugen, siegte ihre Vernunft. «Ich machte mich in die Dunkelheit davon, lief zu meinen Zelten zurück und wurde wieder zu einer Europäerin, die friedliche Interessen verfolgt und mit den rohen, primitiven Leidenschaften der Männer nichts zu tun hat.» Die türkischen Behörden zu überlisten war eine Sache, etwas ganz anderes war es, bei einem Aufruhr gegen sie mitzumachen. Wäre Gertrudes Anwesenheit bei einer solchen Aktion ruchbar geworden, hätte man ihr die friedlichen Absichten ihrer Reise wahrscheinlich nicht mehr abgenommen.

Als sie schließlich weiterzog, fragte sie sich, ob sie mit ihrem Ausflug ins Drusengebirge nicht doch einen Fehler gemacht hatte. Derart übermütige Mätzchen paßten ganz und gar nicht zu ihrer neuen Rolle als ernsthafte Studentin der Archäologie; es wäre tragisch, wenn ihre weitere Reise dadurch gefährdet würde. Als sie eine Woche nach ihrem Aufbruch aus Salchad in Damaskus eintraf, ging sie direkt zum türkischen Gouverneur der Stadt, beichtete ihr Vergehen und entschuldigte sich ausgiebig für ihren fehlenden Respekt vor seiner Autorität. Der Gouverneur war die Höflichkeit in Person. Er versicherte ihr, daß ihre Entschuldigung nicht nötig war und sie sich in Syrien ohne Einschränkungen bewegen dürfte – sie könnte reisen, wohin sie wollte. Doch Gertrude stellte bald fest, daß man das auch anders verstehen konnte. Jedesmal, wenn sie während ihres Aufenthalts in Damaskus das Haus verließ, folgte ihr ein Polizist, der über ihre Sicherheit wachen sollte. Als sie weiterreisen wollte, bestand der Gouverneur darauf, einer so berühmten Reisenden wie ihr eine bewaffnete Eskorte zur Begleitung mitzugeben.

Gertrude beschloß, diese Überwachung als Kompliment an ihre Ehrlichkeit anzusehen und nicht als subtile Form der Bestrafung für ihre Eskapade in den Dschebel Druz.

Hiermit verzichte ich voll Trauer auf die Hoffnung, jemals wieder einfach und glücklich reisen zu können. Die türkische Verwaltung sieht mich jetzt als große Berühmtheit, und nichts wird sie vom Gegenteil überzeugen können. Das ist zum Heulen und außerdem sehr teuer – aber was kann ich schon tun?

Glücklicherweise legte sich das Interesse der Behörden an ihren Aktivitäten, nachdem sie den Herrschaftsbereich des Gouverneurs von Damaskus verlassen hatte; danach konnte sie wieder «einfach und glücklich reisen».

Gertrude kopierte Inschriften, vermaß Säulen, machte Notizen und kam so immer weiter nach Norden. Mit ihrem steigenden Interesse an Archäologie veränderten sich auch ihre Einstellungen zur Umwelt. Doch als sie das Drusengebirge verließ, mußte man ihrer Meinung nach den Bauern dankbar sein, daß sie «die Grenzen des kultivierten Gebiets immer weiter ausdehnen ... und dadurch den Wert des Bodens steigern». Einige Wochen später begann sie diese Entwicklung in den nördlichen Provinzen Syriens als Bedrohung zu sehen. Der Anblick von Familien, die sich in alten Ruinen niederließen und in dem vormals unbestellten Land Getreide anbauten, «würde ohne Zweifel das Herz jedes Menschenfreunds erfreuen, doch den Archäologen tut es in der Seele weh. Nichts kann so zerstören wie ein Pflugschar und niemand so wie ein Bauer, der passende Steine für sein Haus sucht.»

In Aleppo blieb sie gerade lange genug, um ihre arabisch sprechenden libanesischen Maultiertreiber auszuzahlen und neue einzustellen, die türkisch sprachen. Dann verließ sie Syrien und betrat Kleinasien. Zu dieser Zeit bestand ihr türkischer Wortschatz aus drei Begriffen – Ei, Milch und Piaster –, «aber ich muß türkisch sprechen, daran führt kein Weg vorbei. Es ist zwar ein furchtbares Kauderwelsch bei mir, aber ich hoffe, in ein oder zwei Wochen besser zurechtzukommen.» Es muß nicht betont werden, daß sie sich einen Monat später bei ihrer Ankunft in Konya mit allen und jedem in ihrer neu gelernten Sprache bestens unterhalten konnte.

Gertrudes erster Eindruck von der Türkei und ihren Bewohnern versetzte sie in helle Begeisterung: «Ich bin den Türken hoffnungslos verfallen, sie sind äußerst charmante Menschen.» Doch ihre in Aleppo neu eingestellten Bediensteten dämpften diesen Enthusiasmus.

Obwohl [Türken] sehr angenehme Gesellschafter sind, sind sie als Diener furchtbar. Sie sind bereit, ohne jede Verpflichtung jede Menge Unannehmlichkeiten auf sich zu nehmen, doch als Angestellte, die arbeiten sollen, tun sie keinen Handschlag mehr. Mit den türkischen Maultiertreibern stehe ich Folterqualen durch. Wenn sie im Zeltlager eingetroffen sind und die Tiere entladen haben, setzen sie sich auf irgendein Gepäckstück und zünden seelenruhig und mit einer völlig unbeteiligten Miene genüßlich eine Zigarette an. Ich bin schon so weit, daß ich sie ohne Rücksicht mit meiner kurzen Reitpeitsche aufscheuche. Es nützt rein gar nichts. Sie suchen sich eine neue Sitzgelegenheit und lassen sich dort nieder, dabei lächeln sie die ganze Zeit. Es gibt Momente, wo die Tatsache, eine

Frau zu sein, die Schwierigkeiten vergrößert. Diese Kerle müssen richtig verdroschen werden – wäre ich ein Mann, würde ich es tun.

In dieser wenig hilfsbereiten Mannschaft gab es allerdings auch ein Juwel: «Fattuh, er sei gesegnet, ist der beste Diener, den ich je hatte: jederzeit bereit, mein Essen zu kochen, ein Maultier anzutreiben oder eine Inschrift auszugraben. Unterwegs erzählt er mir endlose Geschichten von seinen Reisen, da er mit zehn Jahren Maultiertreiber wurde und inzwischen jeden Fußbreit zwischen Aleppo und Bagdad kennt.» Auf all ihren Reisen in den folgenden elf Jahren war Fattuh Gertrudes Begleiter und Diener.

Nachdem sie noch zwei Wochen in den Ruinen der byzantinischen Kirchen von Anatolien geforscht hatte, kam Gertrude Mitte Mai in Konya an und hatte dort eine überraschende Begegnung. «Ich traf hier Professor Ramsay, der dieses Land besser kennt als irgend jemand sonst; wir fielen uns in die Arme und verstanden uns gleich ausgezeichnet.» Mit Professor (später Sir William) Ramsays Werk war sie bereits vertraut und wußte, daß er eine ausgiebige archäologische und historische Forschungsarbeit über die Kirchen in Anatolien plante. Vor ihrer Abreise nach England überredete sie ihn dazu, sie auf seine nächste Expedition im folgenden Jahr mitzunehmen.

1906 veröffentlichte Gertrude *The Desert and The Sown* («Durch die Wüsten und Kulturstätten Syriens»), ihren Reisebericht aus Syrien und Kleinasien. Mit dem Erfolg dieses Buches und der großen Anerkennung der Wissenschaftler für ihr zweites, *The Thousand and One Churches,* das sie 1908 gemeinsam mit Ramsay herausbrachte, setzte sie sich als Schriftstellerin und Archäologin durch.

«Der unvergleichliche Fattuh», ihr christlich-armenisches «Juwel» aus Aleppo, betreute 1907 Gertrudes Zeltlager, während sie mit Ramsay über die Kirchen in Anatolien arbeitete. 1909 war er dabei, als sie ein halbes Jahr lang die römischen und byzantinischen Ruinen Mesopotamiens erforschte, und er führte auch 1911 ihre kleine Karawane bei einer halsbrecherischen Durchquerung der Syrischen Wüste von Damaskus nach Bagdad. Doch als sie im Dezember 1913 von Damaskus zur schwierigsten Reise ihrer Laufbahn aufbrach, war Fattuh nicht an ihrer Seite. Er hatte Typhus und war zu Hause in Aleppo. Normalerweise hätte Gertrude ihre Abreise verschoben, bis er sich von seiner Krankheit erholt hatte. Doch dieses Mal konnte sie nicht warten.

Gertrude wollte nach Hail, in die Wüstenstadt im Zentrum des heutigen Saudi-Arabien, achthundert Kilometer südlich von Damaskus. Diese Reise stand bereits seit einigen Jahren auf ihrem Plan. Da die Route durch landschaftlich rauhe und politisch instabile Gebiete ging, mußte Gertrude für den Aufbruch den richtigen Moment abpassen.

Lieber Vater, mein Plan nimmt Gestalt an, und das Glück scheint auf meiner Seite zu sein. In der Wüste herrscht eine fast unwahrscheinliche Ruhe – die ärgsten Feinde halten Frieden, und der Herbst brachte wunderbaren Regen –, daher werde ich genügend Gras und Trinkwasser finden. Bassan konnte heute in Damaskus einige Kamele günstig für mich kaufen – ein unglaublicher Glückstreffer; eigentlich ging ich davon aus, daß ich Kamele erst nach langem Feilschen irgendwo in der Wildnis finden würde. Ich habe jetzt zwanzig eigene Tiere und fühle mich schon fast wie ein arabischer Scheich.

Hugh und Florence gegenüber stellte Gertrude alles so dar, als ob sie nur einen seit acht Jahren gehegten Wunsch in die Tat umsetzte, und diese Illusion hielt sie auch sorgsam aufrecht. Doch ihre Heiterkeit war vorgetäuscht, ihre Fröhlichkeit reine Maskerade. Gertrude war hoffnungslos und äußerst unglücklich verliebt.

Major Charles Hotham Montagu Doughty-Wylie von den *Royal Welch Fusiliers*, von seinen Freunden Richard oder Dick genannt, war der Neffe von Charles Doughty, dem berühmtesten Arabienreisenden seiner Zeit. Das erste Mal begegnete Gertrude ihm 1909 in Konya, wo er britischer Konsul war. Drei Jahre später kreuzten sich ihre Wege in London wieder, als man ihn beim Roten Kreuz zum Leiter der Hilfsorganisation für die Opfer des Balkan-Krieges ernannt hatte. Privat trafen sie sich nur selten und kurz, doch gegen Ende des Jahres 1912 führten sie einen immer leidenschaftlicheren Briefwechsel. In Richards Briefen an Gertrude wird die starke gegenseitige Anziehung deutlich:

Meine liebe Gertrude, heute morgen erhielt ich Dein Buch und einen Brief. Den ganzen Tag habe ich in dem Buch gelesen – es ist wunderbar, und ich liebe es und dabei auch Dich. Ich kann dazu noch nichts sagen – das könnte nur das noch nicht geschriebene Buch meiner Seele ... Möchtest Du gern einen Liebesbrief von mir? Einen, in dem ich in zartem Flüsterton sage, was die Gedanken hinausschreien – wie glücklich und dankbar und zufrieden ich bin, wenn ich an Dich denke? ... Ich küsse Deine Hände und Deine Füße, geliebte Frau meines Herzens, Du bist herrlich und klug und stark und so, wie ich Dich in meiner Seele liebe.

Oberflächlich betrachtet paßten die beiden hervorragend zusammen: der ausgezeichnete Soldat und Diplomat und die brillante Schriftstellerin, Wissenschaftlerin und Reisende. Für ihre Liebe gab es allerdings keine Zukunft, denn Richard war bereits verheiratet. Wenn er seine Frau verlassen hätte, wäre das das Aus für seine berufliche Karriere und für sein Ansehen im Privatleben gewesen; sosehr er auch Gertrude liebte, war er doch nicht in der Lage, sie alle dem unvermeidlichen Skandal auszusetzen. Zwei Jahre lang hatte Gertrude das Unmögliche erhofft. Plötzlich konnte sie es nicht mehr aushalten.

Seit dem Tod von Henry Cadogan im Jahr 1893 hatte sie alle Gedanken an Heirat weggeschoben und sich ganz auf ihre Reisen konzentriert. Im Alter von fünfundvierzig Jahren wurde sie nun in ihrem angenehm sicheren Gefühl, daß sie sich in ihrem Leben gut eingerichtet hatte, erschüttert. All ihre früheren Träume tauchten wieder auf, verfolgten und verhöhnten sie. Vor ihnen lief die sonst so furchtlose Gertrude jetzt davon. «Ich möchte alle Verbindungen zu dieser Welt abbrechen, und das geht am besten und geschicktesten auf diese Art und Weise.»

Gertrudes Vater Hugh, der früher selbst viel reiste, mußte wegen seiner angegriffenen Gesundheit seit einiger Zeit das Haus hüten und konnte an den Streifzügen seiner berühmten Tochter nur noch in Gedanken teilnehmen. Sein Vergnügen sollte durch ihren persönlichen Liebesschmerz nicht getrübt werden, deshalb schilderte sie ihm in ihren Briefen weiterhin nur die Annehmlichkeiten und die Neuigkeiten aus der Wüste. Nur Sir Valentine Chirol, Auslandschef der *Times* und ein lebenslanger Freund von Gertrude, wußte über das tatsächliche Ausmaß ihres Unglücks Bescheid – und er war auch der einzige, dem sie sich anvertrauen konnte.

Wenn Du wüßtest, welche Höllenqualen ich in den vergangenen Monaten ohne Unterbrechung durchlitten habe, dann würdest Du mir recht geben darin, daß ich irgendeinen Ausweg suche. Ich weiß nicht, ob ich eine endgültige Lösung finde, aber ich muß es jedenfalls versuchen. Wie Du bereits weißt, liegt die Schuld vor allem bei mir, aber das ändert nichts daran, daß das alles – für uns beide – ein nicht wiedergutzumachendes Unglück bedeutet. Ich möchte jetzt Abstand gewinnen, die Zeit tötet selbst die heftigsten Gefühle. Unterwegs sein, Dämmerung, Sonne, Wind und Regen, das Lagerfeuer unter den Sternen, schlafen und wieder weiterziehen – wir werden sehen, was dabei herauskommt. Wenn das alles nichts hilft, dann weiß ich nicht weiter.

Nachdem sie sich einmal entschlossen hatte, mußte sie auf der Stelle aufbrechen, bevor noch irgend jemand oder irgend etwas sie wieder davon abbringen konnte. Deshalb mußte sie in Damaskus auf Fattuh verzichten.

Gertrude hatte nie vorgehabt, mit dieser oder einer anderen ihrer Reisen Pioniertaten zu vollbringen. Mehrere europäische Reisende waren bereits in Hail gewesen, die bekanntesten sind William Gifford Palgrave, Wilfred und Lady Anne Blunt, Charles Doughty. Doch Gertrude war keine Entdeckerin, sie reiste als Wissenschaftlerin und Archäologin, um erst als Studentin, später als Expertin die verschiedenen Kulturen im Mittleren Osten kennenzulernen und zu erforschen. Ihre Reise nach Hail war ein weiterer, allerdings sehr abenteuerlicher Schritt in diesem Lernprozeß.

Das erste Stück – südlich von Damaskus um den Dschebel Druz bis Madeba im Nordosten des Toten Meeres – war vertrautes Gelände. Diese Strecke lag noch zu nah an der Zivilisation, um Gertrudes Bedürfnis nach völliger Isolation zu befriedigen; ihre Bitterkeit wurde noch gesteigert, weil sie Fattuh vermißte. «Da kein Mann dabei ist, der schon früher mit Europäern unterwegs war, kannst Du Dir vorstellen, wie es zugeht. Ich mußte ihnen [den neuen Dienern] alles zeigen und alles selbst machen ... Sie konnten meine englischen Zelte nicht aufstellen und noch nicht einmal ein Ei kochen.» Als sie drei Wochen später El-Jisah erreichten, hatte sie es «mit Geduld und rechtzeitigen Anweisungen» geschafft, die Diener fast zu ihrer Zufriedenheit anzulernen.

Wenn es möglich gewesen wäre, hätte sie sogar um diesen kleinen Außenposten der Zivilisation einen weiten Bogen gemacht: Ihr Entschluß stand noch auf recht wackeligen Beinen und konnte durch ein Wort oder eine Berührung umgestoßen werden. Aber die Eisenbahnstrecke Damaskus–Hedschas führte durch El-Jisah, und es war vereinbart, daß Fattuh hierherkommen sollte. Gertrude biß die Zähne zusammen und fragte in der Station nach Post. Es war nichts angekommen.

Mindestens zwei Monate lang war sie ab jetzt per Post nicht mehr erreichbar. Sie war froh und gleichzeitig traurig darüber, von Richard keine verzweifelte, unwiderstehliche Bitte um ihre Rückkehr vorzufinden, und begann, für die bevorstehende Tour die Vorräte für ihre Karawane zu besorgen. Als dann endlich Fattuh eintraf – «er ist noch blaß und dünn, hat aber eine Bestätigung vom Arzt, daß er wieder ganz gesund ist – ich habe ihn schmerzlich vermißt und er ist auch überglücklich, wieder bei uns zu sein» –, konnte sie aufbrechen.

Und so zogen wir los. Meine Gastgeber drückten mir die Hand und verabschiedeten uns mit vielen wohlklingenden Segenswünschen. Ich wandte mich Arabien zu.

Um Hail zu erreichen, das tief in der Wüste Nedschd bzw. im zentralarabischen Hochland liegt, mußte Gertrude erst durch einige andere Wüstengebiete, an die sich weit im Süden die Große Sandwüste anschließt. Laut William Gifford Palgrave, der 1862 nach Hail reiste, waren diese Wüstengürtel leicht voneinander zu unterscheiden; allerdings wirkte sogar der erste und am einfachsten zu durchquerende alles andere als einladend:

Südlich der Syrischen Wüste erstreckt sich vom Toten Meer im Westen bis zum Tal des Euphrat im Osten ein breiter Gürtel ebenen Landes, hart und steinig, mit wenig Wasser selbst im Winter ... Vor uns breitete sich in allen Richtungen eine trostlose Ebene in schwarzer, lebloser Monotonie aus. Auf allen Seiten täuschten Luftspiegelungen mit ihren klaren und deutlichen Bildern das Auge, während da und dort irgendein dunkler Basaltfelsen durch die Lichtbrechungen in der glühend heißen Luft wie eine große, bizarr geformte Klippe oder ein überhängender Berg erschien. Ein trostloses Land des Todes, in dessen extremer Einsamkeit selbst das Gesicht eines Feindes fast schon eine Freude wäre.

Theoretisch suchte Gertrude genau diese Einsamkeit. Je mehr ihr die Route und die tägliche Wegstrecke abverlangten, desto deutlicher konnte sie die Entfernung zwischen sich und dem Anlaß ihres Unglücks spüren, und desto weniger Zeit hatte sie auch zum Nachdenken. Tapfer bemühte sie sich, den gewohnten leichten Tonfall in ihren Briefen beizubehalten, und schrieb an Hugh und Florence: «Es ist ein wunderschönes Land... Ich fühle mich ausgezeichnet.» Doch gegenüber Valentine Chirol stellte sie es völlig anders dar.

Ich habe jetzt zum ersten Mal erlebt, wie es ist, wenn man sich in der Einsamkeit verlassen fühlt. Auf den langen Kamelritten tagsüber und an den langen Abenden im Winterlager wanderten meine Gedanken weit weg vom Lagerfeuer an Orte, die ich mir weniger gefühlsbeladen wünschte. Wenn ich schlafen ging, war mir das Herz manchmal so schwer, daß ich glaubte, den nächsten Tag nicht mehr zu erleben. Dann kommt zart und wohltuend die Dämmerung, schmeichelt sich über das weite Land und die weiten Abhänge der Niederungen hinunter und am Ende auch in mein dunkles Herz hinein. Das ist das Beste, was ich finden kann: durch die Einsamkeit etwas Weisheit erfahren, lernen, mich zu fügen und den Schmerz zu ertragen, ohne laut zu schreien.

Nach zwei Wochen in diesem «trostlosen Land des Todes» kam Gertrude mit ihrer Karawane zum Wadi Sirhan, dem «Tal der Wölfe». Diese fast hundertsechzig Kilometer lange Senke führt in einem weiten Bogen südostwärts in den nächsten breiten Streifen Sandwüste. Obwohl man das Tal nicht als fruchtbar bezeichnen konnte, war es doch nicht ganz ohne Vegetation, und da man außerdem schnell auf Grundwasser stieß, war es die wichtigste Handelsstraße zwischen dem Norden und der ersten großen Oase im Süden, El-

Dschof. Doch Gertrude wußte, daß diese Route aufgrund der ständigen Stammesfehden in der Region ziemlich berüchtigt war.

Die drei wichtigsten Stämme im Gebiet des Wadi Sirhan waren die Suchur, die Ruwalla und die Howeitat. Die Howeitat waren am mächtigsten und lagen zu jeder Zeit mit den Ruwalla in Fehde. Währenddessen bezogen die Suchur als dritte Gruppe eine unglückliche Mittelposition, da sie sich kaum aus den Feindseligkeiten der beiden anderen würden heraushalten können. Für alle Reisenden war absehbar, daß sie mit irgendeinem dieser Stämme, mit allen drei oder mit einem halben Dutzend kleinerer konfrontiert wurden, egal, wie neutral oder versöhnlich man sich verhielt.

Gertrude regte das nicht weiter auf. Sie kannte die Araber. Sie wußte über ihre komplizierten Beziehungen untereinander Bescheid, war mit den Regeln und Sitten der Wüste vertraut, und vor allem sprach sie Arabisch. Noch nie war sie auf einer ihrer Reisen in all den Jahren in eine Situation geraten, mit der sie nicht fertig geworden wäre. Doch für ihren Gleichmut gab es noch einen anderen Grund. «Gelegentlich bemühte ich mich, einen Blick auf die Zukunft zu erhaschen, und manchmal frage ich mich tatsächlich, ob ich aus diesem Abenteuer lebend herauskommen werde. Doch in dieser Frage liegt keine Spur von Ängstlichkeit – mir ist es ganz gleichgültig.»

Fast zwangsläufig wurden sie auf ihrem Weg durch das Wadi Sirhan von einem Stoßtrupp der Suchur angegriffen. Reiter mit verfilztem schwarzem Haar stürzten sich mit Gebrüll aus den Sanddünen auf die Karawane, kreisten sie ein und schossen «wie Verrückte» in die Luft. Gertrudes Leute mußten absteigen, und die Angreifer holten sich ihre Gewehre, Patronengürtel und Decken. Früher hätte Gertrude sich hingestellt und ihnen unmißverständlich gesagt, was sie von solchem Benehmen hielt. Doch dieses Mal war es anders. «Da wir nichts tun konnten, außer ruhig dazusitzen und zu warten, tat ich genau das.»

Als einer von Gertrudes Kameltreibern einen Mann aus der Bande erkannte, löste sich der ganze Wirbel auf. Die wilden Reiter verwandelten sich in höfliche Herren der Wüste, gaben die gestohlenen Gewehre zurück, und dann «ritt man zusammen in Frieden und Eintracht weiter». Als ein Kundschafter jedoch von einem Lager der Howeitat berichtete, das hinter dem nächsten Hügel aufgeschlagen war, lösten sich die Suchur augenblicklich in Luft auf. Gertrude blieb nichts anderes übrig, als sich und ihre Gruppe dem Scheich der Howeitat vorzustellen, und versicherte ihm, daß sie nur harmlose Reisende seien. Sie machte das so gut, daß er ihr am Abend ewige Freundschaft erklärte.

Die Abu Tayyi sind die großen Scheichs der Howeitat, und Muhammad Abu Tayyi ist eine beeindruckende Persönlichkeit, hochgewachsen, kräftig, mit blitzenden Augen – nicht so ein schmächtiger Beduine am Lagerfeuer. Daß die Howeitat den Teufel nicht fürchten, steht ihm ins Gesicht geschrieben, und ich möchte ihn wirklich nicht im Zorn erleben. Aber er ist ein guter Kerl, und ich vertraue ihm. Drei Tage blieben wir bei ihm. Abends saßen wir in seinem großen Zelt – er ist ein mächtiger Mann –, und ich hörte die Geschichten und Lieder der Wüste, die romantischen Abenteuer der Fürsten der Nedschd. Muhammad saß in einem Mantel aus Schaffell neben mir auf den Decken, die über den sauberen weichen Sand gebreitet waren. Als es schon lange dunkel war, kamen die *naga,* die Mutterkamele, mit ihren Jungen und legten sich vor dem offenen Zelt in den Sand. Muhammad stand auf, zog seine Kleider fester um sich, ging mit einer großen Holzschale hinaus und brachte sie bis zum Rand voll mit Kamelmilch wieder – ein köstliches Getränk. Ich glaube, wenn man am Lagerfeuer der Abu Tayyi die Milch der *naga* getrunken hat, dann ist das die Wüstentaufe, und danach gibt es kein Zurück mehr. Es war so interessant, daß ich länger geblieben bin als geplant.

Es war jetzt Anfang Februar – gut zwei Monate seit Gertrudes Aufbruch aus Damaskus –, und langsam fand sie in der Wüste den Frieden, den sie suchte. Die Probleme, mit denen sie sich auseinandersetzen, und die Entscheidungen, die sie treffen mußte, bezogen sich alle auf die unmittelbare Gegenwart. In welche Richtung ging es weiter? Wie weit war es noch bis zur nächsten Wasserstelle? Warum machte das eine Kamel Schwierigkeiten, und weshalb kränkelte ein anderes? Diese vertrauten Fragen, die sie ganz in Anspruch nahmen, waren ein Segen, denn die Antworten konnte sie in ihren eigenen Erfahrungen finden. Wenn sie nur alle ihre Sorgen so eindeutig und so leicht lösen könnte!

Muhammad Abu Tayyi warnte sie vor der Weiterreise nach El-Dschof. Er erklärte ihr, daß es auf dieser Strecke «von Räubern der Ruwalla nur so wimmelte, die uns nachts überfallen und ausrauben würden, wenn nicht noch Schlimmeres». Nach dieser beunruhigenden Ankündigung flehten ihre Begleiter sie an, doch Muhammads Angebot anzunehmen, sie auf einer direkten Route durch die Sanddünen der Nefud nach Süden zu den Bergen der Nedschd-Wüste zu führen. Gertrude hatte keine Ahnung, ob die Geschichten über die Ruwalla stimmten, aber «es verstößt einfach gegen die Spielregeln, wenn man unbedingt einen Weg einschlagen will, vor dem man so eindringlich gewarnt wurde». Also stimmte sie zu und änderte ihre Pläne.

Es tat ihr nicht leid um El-Dschof, denn über diese Stadt hatte sie nichts Aufregendes gehört. Muhammads Route war wenig bekannt, sie war einsam und gefahrvoll, vor allem drohten Futter- und Wassermangel für die Kamele. Doch daß diese Strecke auf den Landkarten noch nicht eingezeichnet war, fand Gertrude gerade besonders anziehend. Mit ihrem Interesse für Archäologie hatte sie bereits als Studentin eine Leidenschaft für das Zeichnen von Plänen und Landkarten entwickelt. Theodolit und Kompaß führte sie in ihrem Gepäck immer mit, und die direkte Route in die Nedschd bot ihr – wie

sie ihrem Vater erklärte – eine ideale Möglichkeit, beides einzusetzen.

Die Nefud besteht sieben oder acht Tagesreisen weit nur
aus Sandhügeln. Mir gefällt diese so berühmte Wildnis,
aber es ist eine harte Strecke – ein Auf und Ab von endlosen Wellen aus weichem, hellem Sand. Eine Landkarte an-
zulegen ist überhaupt nicht anstrengend, sondern eigentlich eine ganz nette Beschäftigung während der Stunden
und Stunden, die wir reiten oder zu Fuß gehen. Allerdings
finde ich nur wenige Fixpunkte für meine Kompaßpeilun-
gen. In der Luftlinie legen wir schätzungsweise nur knapp
eine Meile in der Stunde zurück, aber das macht nichts. Ich
werde nie müde, die rotgoldene Landschaft anzuschauen,
und staune über ihre große Einsamkeit. Manchmal frage
ich mich, ob ich wirklich jemals irgendwo ankommen will.
Es kommt mir vor, als ob ich hier geboren und großgewor-
den wäre und die Welt der Nefud die einzige wäre, die ich
kenne. Gibt es überhaupt noch eine andere Welt?

Doch der Reiz des Neuen hielt nicht lange vor. Das langsame
Tempo, die Monotonie der Landschaft, die vollkommene
Windlosigkeit und die durchdringende Stille wirkten in Verbindung mit Gertrudes großem Kummer niederdrückend. Als
sie die Südgrenze der Nefud erreichten, notierte sie in ihr Ta-
gebuch: «Ich leide unter einem ernsten depressiven Anfall ...
[Diese Reise] bringt rein gar nichts an neuem Wissen ... Es
lohnt sich nicht aufzuzählen, was ich in den letzten zehn Ta-
gen zufällig auf diesem Weg gesehen habe: zwei Brunnen, an
mehr kann ich mich nicht erinnern. Ich befürchte, daß ich am
Ende feststellen muß, daß alles reine Zeitverschwendung war.
Dieser Gedanke entmutigt mich und kommt, wie alle weisen
Einsichten, zu spät.»
Ihre Depression hielt sich bis zum letzten Tag der Reise.
Als sie Ende Februar in Hail ankam, war sie völlig ausgelaugt.

Ihre große Reise ins Herz Arabiens war rundum ein Fehlschlag: Es gab nichts kartographisch oder archäologisch Bemerkenswertes zu finden, und ihre schmerzvolle Sehnsucht nach Richard war trotz Zeit und Entfernung nur noch größer geworden.

Sogar Hail wurde dann eine Enttäuschung. Gertrude wurde nicht, wie erhofft, vom Emir begrüßt, mit dem sie bereits eine sehr herzliche Freundschaft verband, die sie gern aufgefrischt hätte, sondern von seinem Onkel Ibrahim al Raschid. Er teilte ihr mit, der Emir habe einen Überfall vor und werde wahrscheinlich erst in einem Monat zurückkommen. Ibrahim war sehr höflich zu ihr und führte sie in ein Gästehaus am Stadtrand. Als sie jedoch am nächsten Morgen einen Spaziergang durch Hail unternehmen wollte, hielten die Torhüter sie auf und wiesen sie darauf hin, daß sie das Haus nicht ohne Erlaubnis verlassen durfte. «Ich bin offenbar eine Gefangene.»

Diese unangenehme Veränderung der Situation war eine Folge der an Panik grenzenden Nervosität, in der sich die Raschids befanden. Seit ihre Rivalen, die Sauds, vor zehn Jahren die Stadt Riad zurückeroberten und die Raschids von dort vertrieben, hatten diese viel von ihrer Macht eingebüßt. Einige Jahre schon tobte jetzt ein verbissener Machtkampf zwischen den einzelnen Parteien des Clans, in dessen Verlauf mehrere Emire – manchmal mit ihrem gesamten Gefolge – ermordet wurden. Auch der jetzige Emir war mit dem erklärten Vorsatz nach Norden unterwegs, seinen Onkel umzubringen. Da alle, die dageblieben waren, sogar ihren engsten Verwandten mißtrauten, erschien ihnen eine Fremde, die ohne ersichtlichen Anlaß einfach aus dem Nichts auftauchte, um so verdächtiger.

So verbrachte ich die elend langen Tage in allen Ehren als Gefangene. Am Lagerfeuer erzählte man sich nur Mordgeschichten, Tod lag in der Luft. In Hail wird Blut so schnell vergossen wie Milch, und kein einziger der Scheichs hätte behauptet, daß gerade sein Kopf auch in Zukunft fest auf seinen Schultern saß. Es geht einem auf die Nerven, Tag für Tag zwischen diesen Lehmmauern festzusitzen; Gott sei Dank bin ich nicht besonders empfindlich. Nur eine von zehn Nächten blieb ich schlaflos. Aber ich möchte Dir nicht verschweigen, daß es auch angstvolle Stunden gab.

Da Gertrude sich in den Feinheiten der arabischen Etikette auskannte, konnte sie sich ein paar Stunden Freiheit von ihrem Gefängnis verschaffen, indem sie auf einem Gegenbesuch bei Ibrahim bestand. Sie wußte, daß er ihr das nicht verweigern konnte. Sie überreichte ihm einige Ballen Seide, die sie als Geschenke mitgebracht hatte, außerdem ihr zweitbestes Fernglas und einen Revolver für den abwesenden Emir. Ganz nebenbei erwähnte sie in ihrer Unterhaltung jeden einflußreichen Araber, der ihr einfiel, und murmelte etwas von den Reaktionen ihrer mächtigen Freunde, wenn die erfuhren, daß sie hier festgehalten wurde. Schließlich konnte sie zwar Ibrahim nicht überreden, sie gehen zu lassen, aber er gewährte ihr doch etwas mehr Bewegungsfreiheit in Hail.

Am nächsten Tag kam eine Einladung von der Mutter des Emirs. In aller Stille ritt ich durch die mondhellen Straßen dieses eigenartigen Ortes und verbrachte mit den Frauen im Palast zwei Stunden wie in Tausendundeiner Nacht. Wahrscheinlich kann man den Orient nur noch selten so unverfälscht in seiner jahrhundertealten Kultur erleben wie hier in Hail. Dort habe ich die Frauen getroffen, von denen immer die Rede ist, in ihre indischen Brokate gehüllt und mit Juwelen behängt, umgeben von Sklaven – rein gar nichts deutete bei ihnen darauf hin, daß so etwas wie Europa oder Europäer überhaupt existiert. Außer mir, ich war der einzige Schönheitsfehler.

Nach zehn Tagen waren die Grenzen ihrer Geduld erreicht.

Gertrude explodierte. Sie bestach die Wächter und ging direkt zu Ibrahim. Ohne Rücksicht auf arabische Benimmregeln sagte sie ihm offen ihre Meinung und drehte sich dann auf dem Absatz um. Sie war fest davon überzeugt, daß sie damit ihr Todesurteil gesprochen hatte. Zu ihrem großen Erstaunen erschien eine Stunde nach ihrer Rückkehr einer von Ibrahims Dienern und teilte ihr mit, sie könne Hail sofort verlassen.

Ich erwiderte äußerst würdevoll, daß ich zwar verbindlichst dankte, aber erst am nächsten Tag aufbrechen würde, da ich mir den Palast und die Stadt gern bei Tageslicht ansehen möchte. Tags darauf ließ ich meine Kamele kommen und bekam dann einige Stunden lang alles gezeigt, was ich sehen wollte. Warum sie mich nun gehen ließen bzw. vorher solange festgehalten haben, kann ich nicht beantworten. Aber wer kann schon wissen, was hinter ihren dunklen Gesichtern vorgeht? Jetzt sind wir unterwegs nach Bagdad. Auf genaues Nachfragen erfuhr ich nämlich, daß der Weg nach Süden in diesem Jahr nicht passierbar ist − es gibt Kämpfe zwischen den Stämmen, daher ist die Straße gesperrt. Also muß ich mich mit Hail bescheiden.

Zehn Jahre zuvor hätte sie der Herausforderung nicht widerstehen können und wäre trotz der Hindernisse weiter nach Süden gezogen. Doch jetzt war sie in ihrem Herzen längst nicht mehr bei ihrer Reise, jede Verlängerung wäre sinnlos gewesen. Also kehrte sie um.

Fünfundzwanzig Tage brauchte sie von Hail bis Bagdad, wo sie am 29. März 1914 im Haus des britischen Vizekonsuls eintraf. Körperlich und seelisch war sie so erschöpft, daß sie sich nicht einmal über die ersten englischen Worte freuen konnte, die sie nach drei Monaten hörte. Daß ein großer Stapel mit Briefen von Richard, der inzwischen britischer Konsul in Addis Abeba war, auf sie wartete, machte alles nur noch schlimmer. Oder besser? Sie wußte es nicht. Nachdem Gertrude die

Briefe gelesen hatte, war klar, daß sich durch die Trennung weder seine noch ihre Gefühle verändert hatten. Die Zukunft sah so düster aus wie zuvor, und mit ihrer Tour nach Hail hatte sie in der Tat nichts erreicht.

Sechs Monate nach ihrer Rückkehr brach in Europa der Erste Weltkrieg aus. Angesichts dieses neuen Schreckens überwand Gertrude ihren Stolz und bat Richard fast auf den Knien, seine Frau zu verlassen und zu ihr zu kommen, solange es noch möglich war. Doch sie wußte, daß er das nicht tun würde. Sie schrieben sich weiterhin Briefe; im Februar 1915 trafen sie einander in London zum letzten Mal. Doughty-Wylie, inzwischen Oberstleutnant, wurde von einem Scharfschützen erschossen, als er im April 1915 seine Truppe in einem heroischen Angriff auf Gallipoli führte. Es wurde ihm posthum das Viktoria-Kreuz verliehen.

Gertrudes Kummer ging zu tief und war zu persönlich, als daß sie ihn mit jemandem hätte teilen können. Erst drei Jahre später bekannte sie ihrem Vater: «... die Traurigkeit, die immer im Hintergrund ist, macht mich für alles andere unempfänglich.» Vielleicht lag darin das Geheimnis ihres blitzenden Humors, ihrer scharfen Zunge und ihres zunehmend herrischen Wesens, das ihr in späteren Jahren einen so furchteinflößenden Ruf einbrachte.

Seit Ausbruch des Krieges wurde Gertrude ständig um ihre Meinung und ihren Rat gefragt, und im November 1915 erhielt sie eine Stelle im *Arab Bureau*, dem in Kairo ansässigen Nachrichtendienst, der die Nahostpolitik Großbritanniens entwickeln sollte. Für diese Tätigkeit war sie genau die richtige Frau. Die meisten Mitglieder des «Büros» kannte sie bereits, unter ihnen den bald darauf unsterblich berühmten T. E. Lawrence, den sie erstmals 1911 auf ihrer archäologischen Reise in Syrien getroffen hatte. Sie sprach fließend Arabisch und wußte aus erster Hand Bescheid über Land und Leute. Ihre gesellschaftlichen und familiären Kontakte erschlossen ihr direkte Wege zu vielen äußerst einflußreichen Persönlichkeiten des politischen Lebens in England. Sie hatte eine eigene Meinung, konnte sich durchsetzen und war – seit Richards Tod – nicht nur frei, sondern wollte auch so wenig Zeit wie nur möglich in London verbringen.

Während des Krieges arbeitete sie für das *Arab Bureau* in Kairo, Basra und Bagdad, und in Bagdad ließ sie sich schließlich für den Rest ihres Lebens nieder. 1917 erhielt sie für ihr Engagement in Arabien den CBE-Orden *(Commander of the Order of the British Empire)* und 1918 die Gründermedaille der *Royal Geographical Society,* was sie zu dem ironischen Kommentar veranlaßte: «Ausgerechnet mich damit zu bedenken ist absurd; wahrscheinlich waren sie in diesem Jahr etwas knapp mit Reisenden.»

Nach dem Krieg war Gertrude noch vier Jahre lang in ihrer Eigenschaft als Orientsekretär des britischen Hochkommissariats unermüdlich für die Umstrukturierung des Mittleren Ostens aktiv. Die Inthronisation des irakischen Königs Feisal im Jahr 1921 stellte vielleicht den größten Triumph ihrer Karriere dar; an den Krönungszeremonien nahm sie als sein persönlicher Ehrengast teil. Ein amerikanischer Journalist, der sie damals in Bagdad kennenlernte, schilderte sie als Frau, die «nichts von einer wettergegerbten Entdeckerin an sich hatte; sie war eine durch und durch englische Lady mit Pariser Schick». Als sie nicht mehr direkt in der Politik des inzwischen unabhängigen Landes mitmischte, kehrte sie 1923 zur Leidenschaft ihrer Jugendzeit, der Archäologie, zurück und arbeitete drei Jahre als Verantwortliche der Altertümer des Irak.

Über Gertrudes Tod wird immer ein Fragezeichen stehen. Auch ihre überlebenden Verwandten sind sich nicht einig – manche glauben eher an einen Unglücksfall, für andere steht es außer Frage, daß es Selbstmord war. Gesundheitlich ging es ihr in den letzten Jahren im Irak immer schlechter, und bei ihrem letzten Besuch in England im Sommer 1925 rieten ihr die Ärzte, nicht mehr nach Bagdad zurückzufahren. Doch sie fühlte sich damals schon weit mehr im Irak zu Hause als in England und ignorierte diesen Rat. Ihre angeschlagene Gesundheit und die Gewißheit, daß sie nie wieder eine so aufregende und spannende Zeit wie die letzten zehn Jahre erleben würde, machten sie depressiv. «Außer dem Museum macht mir im Leben nichts mehr Spaß», schrieb sie im Juni 1926. «Hier zu leben bedeutet inzwischen ziemlich viel Einsamkeit.»

Sie starb am Morgen des 12. Juni und wurde noch am Abend desselben Tages auf dem britischen Friedhof in Bagdad beigesetzt.

Lange Zeit vorher hatte Gertrude ihre Reise nach Hail als Mißerfolg bezeichnet und die Ergebnisse als «Staub und Asche in der Hand – tote Knochen, die sicher nie mehr aufstehen und tanzen werden». Aber unter den zahlreichen Nachrufen, die voll des Lobes nach ihrem Tod erschienen, widersprach einer dieser Sicht. Der Autor, David Hogarth, leitete das *Arab Bureau*, als Gertrude dorthin kam, und war zum Zeitpunkt ihres Todes Präsident der *Royal Geographical Society*.

Ihre Reise war eine Pioniertat, nach der nicht nur etliche vorher nicht bekannte oder nie gefundene Brunnen auf den Karten eingezeichnet werden konnten, sondern auch die Geschichte der Grenzgebiete Syriens in ein neues Licht setzte. Am wertvollsten sind jedoch die zahlreichen Informationen, die sie über die Stammesbeziehungen zwischen der Hedschas-Bahnlinie auf der einen, der Sirhan- und der Nefud-Wüste auf der anderen Seite sammeln konnte. Ihr Aufenthalt in Hail brachte nützliche politische Neuigkeiten, sowohl über die jüngste Geschichte und die aktuelle Lage im Haus Raschid wie auch über die Beziehungen des Raschid-Clans zu ihren Rivalen, den Ibn Saud. Von großem Wert waren ihre Informationen während des Krieges, als

Hail sich mit dem Feind verbündete und unsere Flanke am Euphrat bedroht war. Miss Bell übersetzte ab 1915 sämtliche Berichte, die wir aus Zentralarabien erhielten.

Von all den Schilderungen, die es aus den verschiedenen Lebensabschnitten von Gertrude Bell gibt, hätten ihr vermutlich die Worte eines Beduinenscheichs am besten gefallen, den sie 1920 zu Vertragsverhandlungen traf.

Meine Brüder, ihr habt gehört, was diese Frau zu sagen hat. Sie ist zwar nur eine Frau, aber bei Allah, sie ist eine mächtige und tapfere Frau. Wir wissen, daß Allah die Frau als dem Mann untergeordnet geschaffen hat. Wenn die Frauen der Engländer so sind wie diese hier, dann müssen die Männer die Kraft und den Mut von Löwen haben. Wir sollten also lieber in Frieden mit ihnen leben.

Daisy Bates
Kaum ein Opfer

Die Nullarbor-Ebene in Südaustralien erstreckt sich als eine leere, unfruchtbare Ödnis aus Sand und dornigem Gestrüpp über 160 000 Quadratkilometer von der Großen Victoria-Wüste im Norden bis zur Großen Australischen Bucht im Süden. An ihrem westlichen Ende liegt die Stadt Kalgoorlie, Schauplatz des berühmten Goldrauschs von 1894, als ein Mann von seinem Pferd in einen Haufen Nuggets sprang und innerhalb von zwei Stunden Gold im Wert von 750 000 Pfund aufsammelte. Um den gierigen Goldsuchern aus Südaustralien, Victoria und Neusüdwales diese Goldader zugänglich zu machen, wurde zu Beginn des 20. Jahrhunderts die Transaustralische Eisenbahn gebaut. Im Oktober 1917 fuhr der erste Zug von Port Augusta in das über tausendfünfhundert Kilometer entfernte Kalgoorlie.

In den folgenden Jahren muß so mancher Reisende, den die bei jedem Halt massenhaft eindringenden Fliegenschwärme aus seinem Schlummer gerissen hatten, beim Anblick von Ooldea zweimal hingeschaut haben. Ooldea verdiente kaum die Bezeichnung «Bahnhof», man konnte es noch nicht einmal eine Siedlung nennen. Ooldea lag damals noch siebenhundert Kilometer von jeder anderen Ortschaft entfernt und war einfach ein Haltepunkt mitten in der Wildnis, an dem die nach Osten bzw. Westen fahrenden Züge auf der ansonsten eingleisigen Strecke aneinander vorbeifahren konnten.

Und genau hier stand eine kleine, adrette ältere Dame neben den Gleisen. Auf dem Kopf einen Strohhut mit Schleier, in langärmeliger weißer Bluse mit steifem Kragen und Schleifchen, dazu ein knöchellanger Rock und hochhackige Knopfstiefel – so wartete sie tadellos gekleidet und ganz geduldig in der mittäglichen Sonnenglut, bis der Schaffner ihre Post aussortiert hatte. Dann drehte sie sich um und ging über die Sanddünen davon. Die Passagiere taten diese Erscheinung als Fata Morgana ab, zogen die Hüte bis auf die Nase herunter, machten es sich wieder bequem und dösten weiter, sobald sich der Zug in Bewegung setzte. Aber die Frau war keine Sinnestäuschung. Sie war Daisy Bates, Friedensrichterin und Ehrenprotektorin der Aborigines von West- und Südaustralien.

Um der Gerechtigkeit willen müßte Daisy Bates mit Berühmtheiten wie Florence Nightingale und Mutter Teresa in einem Atemzug genannt werden. Daß dem nicht so ist, spiegelt in trauriger Weise das weltweit mangelnde Interesse an dem Anliegen wider, dem sie ihr Leben widmete – dem Schicksal von Australiens Ureinwohnern. Aber Daisy selbst wäre davon nicht überrascht. Sie wollte nicht berühmt werden und erwartete auch keine einschneidenden Verbesserungen für die Zukunft ihrer Schützlinge. Sie war im Gegenteil davon überzeugt, daß schon wenige Jahre nach ihrem Tod keine vollblütigen Eingeborenen mehr existieren würden, die in traditionellen Verbänden lebten. Fünfunddreißig Jahre lang arbeitete sie nicht etwa für die Integration der Aborigines in die weiße australische Gesellschaft, sondern daran, «ihnen das Verschwinden zu erleichtern». Sie sah sich nicht als Brücke zwischen altsteinzeitlichen Menschen und denen des zwanzigsten Jahrhunderts, sondern vielmehr als Barriere, um die «Primitiven» vor den «Zivilisierten» zu bewahren.

Daß ihr das mißlingen würde, wußte sie von Anfang an. Die oberflächlichen Lockungen der Welt des weißen Mannes waren zu stark. Voll Trauer und mit einer Spur des Fatalismus, der auch den Aborigines eigen ist, beobachtete sie, wie die Überlebenden der Eingeborenenvölker von ganz Australien den zerstörerischen Krankheiten der Weißen, ihren berauschenden Getränken zum Opfer fielen und an den Rand der Kriminalität gedrängt wurden. Sie ernährte und kleidete die Vergessenen und die Verhungernden, mit tiefem Mitgefühl pflegte sie die Syphilitiker und Tuberkulosekranken. Den Sterbenden hielt sie die Hand und sprach mit ihnen über die «Traumzeit», die Schöpfungsgeschichte der Aborigines.

Sie war keine Missionarin, hatte keine medizinische oder ethnologische Ausbildung. Für ihre Arbeit erhielt sie nur wenig behördliche und keinerlei finanzielle Unterstützung von

seiten der Regierung. Sie war nicht einmal Australierin. Daisy
Bates war eine irische Journalistin.

Daisy May O'Dwyer wurde 1859 in der Grafschaft Tipperary
als Tochter protestantischer irischer Landadeliger geboren.
Ihre Mutter starb, als das Kind noch ein Säugling war, und
Daisy wurde mit ihren Geschwistern angeblich von ihrer exzentrischen Großmutter, tatsächlich aber von verschiedenen
rotwangigen, ungebildeten und höchst abergläubischen irischen Hausmädchen erzogen. Nach dem Tod ihrer Großmutter schickte man sie als junges Mädchen zu Sir Francis und
Lady Outram nach Schottland, alten Freunden der Familie
O'Dwyer, die sie wie eine eigene Tochter aufnahmen. In der
Gesellschaft der vier Outram-Töchter und unter der Aufsicht
einer strengen Erzieherin wandelte sich die rothaarige, som-
mersprossige Daisy von einem fröhlichen Wildfang zu einer
artigen jungen Dame. Die Mädchen übten zusammen Aus-
sprache und gutes Benehmen, und sie lernten Französisch und
Deutsch; durch die Kulturstätten des Kontinents wirbelten sie
ebenso wie durch das gesellschaftliche Leben von London,
Edinburgh und Dublin. Sie tanzten auf Debütantinnenbällen
und wurden bei Hofe dem Prinzen und der Prinzessin von
Wales vorgestellt.

Trotz ihrer scheinbar unerschöpflichen Energie war Daisys
Gesundheitszustand nicht sehr robust. Jeden Winter bekam
sie Erkältungen und hatte Atempobleme. Als ihr Arzt Anzeichen von Schwindsucht entdeckte, empfahl er ihr ein trocke-
neres, sonnigeres Klima. Ihr Vater hatte ihr nach seinem Tod
im Jahre 1880 eine ansehnliche Erbschaft hinterlassen, und
sie war schon seit langem von Freunden in Queensland eingeladen. Also reiste sie 1884 im Alter von fünfundzwanzig Jahren nach Australien.

Australien gefiel ihr sehr gut. Hier, im Land der Pioniere
und Siedler, war «höflich» nicht gleichbedeutend mit «spie-
ßig», weltoffene Menschen schauten nicht auf die eher biede-

ren herab, und die Konventionellen lebten glücklich neben den Lässigeren. Die elegante kleine Daisy O'Dwyer war in den städtischen Salons genauso willkommen wie in einem schlichten Haus im Busch. Aber gerade die Wildnis dort draußen liebte sie. Keine Rede mehr von Schwindsucht – statt dessen lernte sie reiten und zu Pferd die Kühe hüten, Schlangen töten und auf die Krokodile im Fluß achten und konnte bald auch über dem offenen Feuer im Busch kochen. Hingerissen von ihrer Abenteuerlust, beging sie *den* großen Fehler ihres Lebens – wie sie später sagen sollte.

Sechs Monate nach ihrer Ankunft in Australien nahm sie im Dezember 1884 an einem Rodeo in Neusüdwales teil. Ein Mann dort gewann alle Wettbewerbe: Pferderennen, Reiten ohne Sattel, Holzhacken, Pferde zureiten, Schafe scheren – Jack Bates war überall der Beste. Die Augen aller Mädchen in der Menge richteten sich auf den hochgewachsenen, ansehnlichen Mann, der einen Preis nach dem anderen gewann. Daisy machte da keine Ausnahme. Sie kündigte ihren lachenden Freundinnen an, daß sie ihn heiraten würde. Zwei Monate später tat sie es.

Jack Bates schien all das zu verkörpern, was Daisy an Australien aufregend fand. Er war jung, stark und packte zu.

Mit ihrem Geld und seiner Landeskenntnis konnten sie sich den wagemutigen Pionieren im Busch anschließen, deren Unternehmungsgeist sie so bewunderte. Sie würden eine der riesigen Ländereien erwerben, die den Siedlern von der Regierung angeboten wurden, ein Häuschen bauen und eine ertragreiche Rinderzucht haben. Daisy war so von dieser Aussicht auf häusliches Glück besessen, daß sie ohne Schwierigkeiten Jacks verwahrlostes Aussehen anziehend finden und seine Verschlossenheit als Ausdruck eines tiefsinnigen und interessanten Charakters interpretieren konnte. Sie brachte es sogar fertig, sich nicht darüber zu beschweren, daß er zur Feier ihrer überstürzten Heirat ohne sie zu einem sechsmonatigen Viehtrieb aufbrach.

Ihr Traum konnte zwar Jacks Abreise und seine Abwesenheit überstehen, seine Rückkehr jedoch nicht mehr. Die nüchterne Realität zeigte Jack als einen phantasielosen Mann mit noch weniger Ehrgeiz, der damit zufrieden war, von einem Viehtrieb zum nächsten zu ziehen, und nicht die geringsten Absichten hatte, sich irgendwo niederzulassen. Er war ein Mann, für den eine Ehefrau einfach ein weibliches Wesen darstellte, das während seiner unsteten Wanderschaft zu Hause hockte und, wenn er es an der Zeit fand, wieder zu erscheinen, seine verschiedenen physischen Bedürfnisse erfüllte. Kurz, ein Mann, der zu einem Land paßte, in dem noch lange die Männer das Sagen haben sollten. Die Verliebtheit löste sich in Luft auf. Jack zog mit dem nächsten Viehtrieb der untergehenden Sonne entgegen, Daisy saß alleine in ihrem kleinen Haus in einem Vorort von Sydney und dachte über ihr verheerendes »Fehlurteil« nach.

Die Geburt ihres Sohnes im Jahr 1886 brachte keinen Trost. Daisy kam mit ihrer Mutterrolle nicht zurecht; der kleine Arnold sah von Anfang aus wie Jack und schien ebenso langweilig und einfallslos zu werden wie sein Vater. Neun Jahre versuchte sie verzweifelt, in ihrem Elend so etwas wie Zufriedenheit zu entwickeln. Mit ihrer Erbschaft kaufte sie Land in Westaustralien und schaffte es sogar, eine Rinderherde zu erwerben, das alles in der Hoffnung, Jack doch noch seßhaft zu machen. Aber Jack hatte ihre Träume vergessen. Er war ein Vagabund, kein Siedler, und zog schweigend wie immer mit dem nächsten Viehtrieb davon. 1894 gab Daisy auf. Sie brachte Arnold in ein Internat in der Nähe seiner Großeltern außerhalb von Sydney und fuhr zurück nach England.

Fünf Jahre blieb sie in London und versuchte ihre Fehler auszubügeln; sie war jedoch unfähig, sich zwischen England und Australien zu entscheiden, hin und her gerissen zwischen ihrer Freiheit und ihrer Familie. Da all ihr Geld in Australien gebunden war, befand sie sich in der ungewohnten Situation, ihren Lebensunterhalt selbst verdienen zu müssen. Drei Jahre arbeitete sie als Sekretärin und dann als Journalistin bei *Review of the Reviews*, einer führenden Literaturzeitschrift jener Tage. In den folgenden zwei Jahren hatte sie eine Stelle in einem Verlag. Aber ihr Gewissen ließ ihr keine Ruhe. Sie wußte, daß sie sich irgendwann einmal für den einen oder den anderen Weg entscheiden mußte – und dazu mußte sie Jack und Arnold wiedersehen. Also fuhr sie 1899 wieder nach Australien.

Das Treffen mit ihrem Mann und ihrem Sohn war eine einzige Katastrophe. In den fünf Jahren, in denen sie Jack nicht gesehen hatte, war er noch mürrischer und schlampiger geworden, und der reizlose kleine Junge war inzwischen ein verschlossener Heranwachsender. Sie machte Jack wegen des Scheiterns ihrer Ehe nie Vorwürfe – sie wußte, daß der Fehler gleichermaßen auf ihrer wie auf seiner Seite lag –, und sie ließen sich nie scheiden. Sie gingen einfach getrennte Wege: Jack kehrte zurück zu seiner Arbeit als Aufseher einer Rinderzuchtfarm im Norden, Arnold fuhr wieder zu seinen Großeltern nach Sydney, und Daisy folgte ihrer eigenen Bestimmung.

Kurz bevor sie London verlassen hatte, war in der *Times* ein Leserbrief erschienen, der den weißen Siedlern in Nordwestaustralien Grausamkeiten gegenüber den dort lebenden Ureinwohnern unterstellte. Daisy hatte sich mit dem Herausgeber der *Times* in Verbindung gesetzt und angeboten, im Auftrag der Zeitung eine umfassende Untersuchung dieser Behauptungen durchzuführen. Ihr Vorschlag wurde angenommen – und jetzt brach sie auf, um ihre Nachforschungen anzustellen.

Kurz nach meiner Landung in Perth besorgte ich mir Pferd und Wagen sowie eine Zeltausrüstung und reiste auf dem Seeweg nach Port Hedland [ca. 1700 Kilometer nordwärts] . . . Dann überquerte ich mit meinem Pferdewagen achthundert Meilen offenes Land, was sechs Monate dauerte. Abgesehen von der Tatsache, daß «die Eingeborenen kein gutes Fleisch, sondern Innereien zu essen bekommen» und «sie ohne Essen von den Viehzuchtstationen weggeschickt werden, wenn sie bei der Arbeit faul waren», ließ sich keiner der Vorwürfe erhärten ... So viel zu diesen Behauptungen, die mein Interesse an den australischen Aborigines weckten und meine lebenslange Arbeit unter ihnen einleiteten. Die *Times* veröffentlichte die Ergebnisse meiner Recherchen, und damit war die Sache für ein Jahrzehnt erledigt.

Dieser Auftrag half Daisy nicht nur über eine Krise hinweg, sondern gab ihrem ganzen Leben eine neue Richtung. Vom Elend ihrer Ehe und dem fehlgeschlagenen Versuch, als Mutter Erfüllung zu finden, waren ihr Depressionen und ein Gefühl innerer Leere geblieben, weggefegt waren ihre jugendliche Lebensfreude und alle ihre Träume. Desillusioniert und ernüchtert ging Daisy aus den schmerzhaften Erfahrungen hervor. Sie brauchte dringend eine Sache, die sie zu ihrer eigenen machen konnte, und fand sie in ihren Begegnungen mit den «sorgenfreien und unbekleideten Bewohnern der Wildnis».

Als sie wieder in Perth war, besuchte sie den römisch-katholischen Dekan Martelli, der 1899 ebenfalls auf dem Schiff war, mit dem sie nach Australien zurückkehrte und der sich als unerschöpfliche Informationsquelle zu den Aborigines erwiesen hatte. Der Italiener stellte Daisy dem katholischen Bischof von Westaustralien, Gibney, vor, mit dem zusammen er einen Besuch der Trappistenmission an der Beagle Bay plante. Bischof Gibney lud Daisy ein, mitzukommen. «Ich sagte sofort zu und traf meine Reisevorbereitungen.»

Beagle Bay war sogar für australische Verhältnisse ein entlegener Ort: dreitausend Kilometer nördlich von Perth an der Küste entlang und dann noch tausendsechshundert Kilometer bis Darwin. Der nächste Ort, Broome, war sechshundertfünfzig Kilometer entfernt, und die nächste Bahnstation lag genausoweit im Süden. Zehn Jahre zuvor hatte Bischof Gibney die Missionsstation mit dem Ziel gegründet, Zivilisation und Christentum den Eingeborenenvölkern näherzubringen, die aus dem Landesinneren an die Küste zu den Niederlassungen der Perlentaucher zogen. Für die Mönche waren es zehn Jahre Knochenarbeit mit manchmal entmutigendem Ergebnis. Wirbelstürme, Buschfeuer und Sandstürme zerstörten immer wieder ihre Gebäude, vernichteten ihre Pflanzungen und töteten das Vieh. Ihr Einfluß auf die Aborigines, denen sie Hilfe leisten sollten, blieb enttäuschend gering. Aber jetzt bedrohte eine andere Gefahr die Mission. Die Trappisten hatten die Aufforderung erhalten, den regierungsamtlichen Gutachter davon zu überzeugen, daß sie den Wert ihres viertausend Hektar großen Grundstücks um fünftausend Pfund gesteigert hatten; andernfalls würden sie ihre staatliche Unterstützung und die Aussicht auf zeitlich unbegrenzte Besitzrechte verlieren. Der Bischof und der Dekan eilten zu Hilfe, und für die Einladung an Daisy hatten sie einen besonderen Grund: Als bekannte Journalistin mit sechsmonatiger Erfahrung unter den Aborigines im Nordwesten war sie in der idealen Position, um das Werk der Mission zu schätzen und durch eine diesbezügliche Veröffentlichung die Forderung der Trappisten nach weiterer Regierungsunterstützung zu untermauern.

Ende Juli 1900 brachen die beiden betagten Priester und die einundvierzigjährige Irin von Perth aus zur zehntägigen Fahrt nach Broome auf. Dort stiegen sie auf die *Sree pas Sair* um, eine alte Yacht, die einst dem Radscha Brooke von Sarawak gehört hatte, nun aber ohne ihren früheren Komfort als Versorgungsschiff für die Perlentaucherboote vor der Küste diente. Nach drei Tagen Fahrt auf diesem wackeligen, altersschwachen Boot gingen sie in der Beagle Bay an Land, und Daisy sah zum ersten Mal die Mission: «Eine Ansammlung baufälliger Mönchszellen mit papierdünnen Wänden aus

Rinde, eine winzige Kapelle aus demselben Material und eine Wellblechhütte als Gemeinschaftsraum ...»

Der kleine französische Abt hieß Daisy höflich willkommen, doch brachte ihn ihre Ankunft ganz offensichtlich durcheinander. Der Grund war bald klar: In dem kleinen Kloster gab es nicht nur keinen Raum, der für eine Frau geeignet gewesen wäre, die Regeln der Trappisten verboten es auch, daß irgendeine Frau außer der Königin bei ihnen übernachtete. Ein Dispens war notwendig. Glücklicherweise konnten der Bischof und der Dekan diesen gleich erteilen, und – wieder beruhigt – gestattete «der kleine, liebenswürdige Mann», daß Daisy im Kloster blieb. Jetzt bestand er sogar darauf, ihr seine eigene Zelle zur Verfügung zu stellen. «Vielleicht war ich die erste Frau, die jemals im Bett eines Trappistenmönchs schlief. Ich erhielt auch den Schlafsack des Abtes und sein Kopfkissen aus Seegras. Ich erwachte, als die Eingeborenen in der Kapelle einen gregorianischen Choral sangen.»

Daisy hatte sich zweifellos auf eine Art Besichtigungsfahrt eingestellt; später schilderte sie die vier Monate in Beagle Bay allerdings als «nichts als harte Arbeit». Sie jätete, hackte und grub die Erde um, sie half, den Brunnen zu säubern, Zäune aufzustellen und die Tomatenpflanzen hochzubinden. Und sie schaukelte die Aborigine-Kinder, deren Mütter ihr eigentlich helfen sollten. Die vier Mönche brauchten einige Zeit, bis sie sich an die weiße Frau in ihrer Mitte gewöhnt hatten. Doch ihre Befürchtungen, daß sie überfordert sein könnte, verschwanden bald angesichts von Daisys Energie und Tatkraft, und mit ihrem geraden, freundlichen Wesen überzeugte sie sie mühelos, daß ihre Anwesenheit keine Gefahr für die unsterblichen Seelen der Männer darstellte. Außerdem lernten sie es schnell zu schätzen, daß es Daisy gelang, die ihrer Meinung nach unverbesserlich faulen Aborigine-Frauen zu einer nützlichen Arbeit zu überreden.

Ich schuftete wie ein Pferd, aber mein Beispiel fand leider

keine Nachahmung. Jeden Tag spielten die Frauen mit den Kindern und lachten gleichermaßen mit mir wie über mich, voller Fröhlichkeit und in bester Stimmung. Hin und wieder fühlte sich doch eine angestachelt und nahm den Spaten oder die Hacke in die Hand, aber nicht lange. Ich versuchte, die Babys und Kinder beieinanderzuhalten und mit ihnen zu spielen, damit die Mütter arbeiten konnten, und begann mit «Ringel-Ringel-Rosen». Kaum hatten wir angefangen, ließen alle Frauen und Mädchen ihre Werkzeuge fallen, um mitzumachen. Ich schlug einen Kompromiß vor. Wir Erwachsenen mußten arbeiten, und wenn in der heißen Mittagshitze oder abends die Zeit zum Ausruhen kam, spielten wir mit den Kindern. Der kleine Plan funktionierte, und so arbeiteten und spielten wir die ganze Zeit gut gelaunt. Wenn ich nichts zu tun hatte, unterhielten sich die Frauen mit mir und erzählten mir etwas von ihrem Leben.

Obwohl sie die praktische Arbeit von Missionaren im allgemeinen und an der Beagle Bay im besonderen sehr bewunderte, fand Daisy ihre Bemühungen, die Aborigines zum Christentum zu bekehren, weniger sympathisch. Sie war zwar selbst Anglikanerin, erkannte allerdings genau, daß die Bekehrung die Versuche der Aborigines, mit der weißen Kultur zurechtzukommen, eher behinderte, als daß sie förderlich war. Solange sie noch Gast bei den Mönchen war, sagte sie jedoch nichts dazu.

Am Ende der vier Monate mußten zum Abschluß noch die gesamten viertausend Hektar des Pachtgebiets in der Beagle Bay vermessen werden. Daisys Beschreibung der mühsamen zweiwöchigen Stolperei «durch Morast und Dornbüsche, einmal lahm von den Steinen und Stacheln, dann wieder bis zu den Hüften im Sumpf· und manchmal an einem Tag zwölf Meilen bei +42° C durch dampfende Hitze laufend», schließt mit der überraschenden Information, daß sie während dieser gesamten entnervenden Unternehmung ein Korsett, einen steifen Kragen, langen Rock und hochhackige Stiefel trug. Es war ihr ganzer Stolz, stets «auf makellose Reinlichkeit zu achten und all das Drum und Dran zu erhalten, das meine ganz eigene Art, mich zu kleiden, ausmachte». Mrs. Bates würde nie «wie eine Eingeborene» werden, ganz egal, wie schmutzig ihre jeweilige Arbeit war, wie heiß die Sonne brannte oder wie «primitiv» und spärlich bekleidet ihre jeweiligen Gefährten waren – nicht ein einziges Mal in den fünfunddreißig Jahren, die sie im australischen Busch lebte und arbeitete, erlag sie der Versuchung, ihre strengen Maßstäbe für Schicklichkeit und Eleganz zu lockern.

Der Abschluß der Vermessung und der Bilanzierung fiel genau mit der Ankunft des offiziellen Gutachters zusammen. «Er war überrascht, einen gutgepflegten Besitz vorzufinden, wo er eigentlich Ruin und Niedergang erwartet hatte. Jede Schraube und jeder Pfahl, jedes Tier und jede Pflanze wurden ganz genau geschätzt, und als Summe ergaben sich daraus über sechstausend Pfund. Die Mission war für die Eingeborenen gerettet.» Als letzte Aufgabe in Beagle Bay legte Daisy den Grundstein zu einem neuen Klostergebäude.

Voller Freude über ihren Erfolg packten der Bischof und der Dekan ihre Sachen für die Rückkehr nach Perth. Doch Daisy verkündete, daß sie sie nicht begleiten werde.

In den Städten und an den Küsten hatten siebzig oder achtzig Jahre Kontakt mit dem weißen Mann dem traditionellen Leben der Aborigines bereits katastrophalen und nicht wiedergutzumachenden Schaden zugefügt. Aber im Landesinneren gab es noch riesige Gebiete, in die noch nie ein Weißer vorgedrungen war und wo die Ureinwohner noch immer so wie seit unzähligen Generationen lebten. Die Monate, die Daisy am Rande dieser noch nicht in Mitleidenschaft gezogenen Gegenden verbrachte, hatten ihr «einige vereinzelte Einblicke in die fremde, verborgene Existenz der letzten Menschen, die wie in der Steinzeit leben», verschafft. Nun entschloß sie sich, im Nordwesten zu bleiben und systematisch Glauben und Sitten der Aborigines zu studieren, solange sie noch existierten. Mit dieser Entscheidung legte sie die Grundlage für ihr restliches Leben.

Die nächsten acht Monate verbrachte ich bei den Koolarrabulloo-Stämmen von Broome, und hier wurden auch meine ersten Kontaktversuche belohnt. An den Ufern und Wasserstellen, am Lagerfeuer, beim Reiten und auf meinen Fußmärschen hatte ich immer Bleistift und Notizbuch dabei. Manchmal zeltete ich tagelang, teilte meine Vorräte, kümmerte mich um die Babys, suchte mit den Frauen Pflanzen für das Essen und freundete mich mit den alten Männern an. Auf diese Weise vermehrte sich mein Wissen stufenweise, und ich gewann einen einzigartigen Einblick in das gesamte soziale System der nördlichen Aborigines, in ihren Lebenszyklus von der Geburt bis zum Alter. Jeden Augenblick meiner Zeit widmete ich diesem selbstgewählten, faszinierenden Studium.

Daisy schrieb ihre fast unheimlich anmutende Verbundenheit mit den Aborigines dem Umstand zu, daß sie Irin war. Es gab so viel Gemeinsames in den beiden Kulturen der australischen Ureinwohner und der Kelten: Beide Völker waren gleichermaßen emotionell, aufbrausend, fatalistisch und abergläubisch. Sie teilten eine ähnlich tiefe Verbindung zu den Legenden und Volkserzählungen ihrer Vorfahren, und eine quälende, unterschwellige Melancholie durchzog sowohl die Lieder und Sagen der irischen Bauern wie die der Aborigines. Von den Kobolden und Zwergen der Grafschaft Tipperary schien es nur ein kleiner Schritt zu sein zum *nalja*, dem Geist eines alten Mannes mit weißem Haar, dessen Stimme aus den Achselhöhlen kam, und zu den *ngargalulla* oder Traumbabys aus Nordwestaustralien.

Daisys instinktives Verständnis ihrer Symbolik und Mythologie sowie ihre endlose Geduld führten schließlich dazu, daß die Aborigines sie als einen freundlichen Geist akzeptierten. «Auf den geheimen Korrobori-Festen der Männer, tief im Busch und weit weg von meinen eigenen Leuten, war ich nie eine Fremde, weil ich nie einen Schimmer von Furchtsamkeit, schwankende Gefühle oder Leichtsinn zeigte und weil ich mit meinem ‹schwarzen Bewußtsein› dachte.» Als erste und grundlegendste Lektion lernte sie, einen Aborigine nie an anderen Maßstäben als seinen eigenen zu messen. Er war ein einzigartiges Wesen, scheu, friedlich und zurückgezogen, ging gegenüber dem weißen Mann den Weg des geringsten Widerstands und beantwortete Fragen unabhängig von der Wahrheit, so wie er dachte, daß es von ihm erwartet wurde. «Nur wenn man ein Teil der Landschaft wird, die er kennt und liebt, wird er einem die Ehre erweisen und sein normales Leben führen, ohne Notiz von einem zu nehmen.» Sie lernte die Sprachen der Aborigines – «eine Abfolge kunstvoller Lautübungen, die der durchschnittliche weiße Linguist unmöglich zustande bringt und die, da bin ich mir sicher, in all den Jahren, in denen ich damit umging, meinen Kehlkopf verändert haben.» Sie gab an, daß ihr Aborigine-Name *kallower* (d. i. Großmutter) und sie eine *mirruroo-jando* oder «Zauberfrau» sei, eine der zweiundzwanzig Frauen des Traumzeitpatriarchen Leeberr. «Danach war der Weg geebnet.»

Sie begriff bald die natürliche Harmonie in den sorgfältig ausgewogenen Beziehungen der Aborigines zu ihrer Umwelt. Immer deutlicher durchschaute sie das tragische Schicksal der Menschen an der Küste, das über kurz oder lang auch alle anderen treffen würde. Der weiße Mann war in ihre freundliche Traumwelt eingebrochen, hatte die jahrhundertealten Strukturen ihres Lebens zerschlagen, ihre Überzeugungen untergraben, ihr kulturelles Erbe mit Verachtung bedacht. Jetzt zogen sie umher wie einsame Geister in einer Vorhölle aus Sand: unfähig, mit der Vergangenheit verbunden zu bleiben oder mit der Zukunft zurechtzukommen.

Daisys Wertschätzung war niemals sentimental. Sie versuchte weder die Aborigines zu romantisieren oder zu glorifizieren noch die dunklen Seiten ihres Charakters zu unterschlagen. Auch die grauenvollsten Bräuche beschrieb sie peinlich genau im Detail: die oft brutale Behandlung der Frauen durch die Männer, die ihre unumschränkten Herren darstellten, wie auch den Kannibalismus, insbesondere den Verzehr von «Säuglingsfleisch» und dem Fleisch von Feinden, der anscheinend auf dem ganzen Kontinent verbreitet war. Sie unternahm keinerlei Versuch, diese Exzesse zu rechtfertigen – aber sie versuchte, sie als Teil des Lebens der Aborigines zu verstehen.

Nach den acht Monaten mit den «unverdorbenen» Koolarrabullo des Nordwestens blieb Daisy zwei Jahre unter den bereits degenerierten Bubbulmun im Südwesten. Sie reiste manchmal mit dem Zug, meistens allerdings im Pferdewagen durch die Küstenebenen bei Perth und die saftig-grünen, bewaldeten Hänge der Darling Ranges hinauf, und ihre bösen Vorahnungen bestätigten sich an jeder Wegbiegung. Überall traf sie die versprengten letzten Überlebenden von heimatlos gewordenen Stammesvölkern. Sie setzte sich mit ihnen im Busch nieder und hörte zu, wenn sie sich bemühten, ihr Elend zu schildern. Entsetzt stellte sie fest, daß sogar diejenigen, die den Seuchen des weißen Mannes wie Masern, Keuchhusten, Grippe und Syphilis entkommen waren, manchmal einfach an gebrochenem Herzen starben.

Daisy dachte zu loyal und patriotisch, um die Weißen dafür zu verurteilen, daß sie die Herrschaft über das Land an sich rissen. Ihr Fehler lag Daisys Meinung nach hauptsächlich in ihrer Unfähigkeit, die zerstörerischen Auswirkungen ihres Tuns zu begreifen.

Die Pioniere in Westaustralien waren ehrenhafte Männer und Frauen, die meisten über jeden Vorwurf erhaben, und sie verhielten sich äußerst freundlich gegenüber den Aborigines. Aber es war eine Form der Freundlichkeit, die genauso schnell und sicher tötete, wie Grausamkeit es vermocht hätte. Australiens Eingeborene können allen Unbilden der Natur widerstehen, den schlimmsten Dürreperioden wie auch reißenden Überschwemmungen, schrecklichem Durst und völliger Unterernährung, aber der Zivilisation können sie nicht standhalten.

Die Weißen reagierten nicht immer so freundlich auf Daisy. Obwohl die Liberalen ihre Bemühungen schätzten und ihre Sachkenntnis anerkannten, gab es viele andere, die angesichts ihres Zusammenlebens mit «Eingeborenen» die Stirn runzelten und sie verächtlich als «die Frau, die mit den Schwarzen lebt», bezeichneten.

Während ihrer Exkursionen im Südwesten veröffentlichte Daisy regelmäßig Artikel in den wissenschaftlichen Magazinen Australiens, und bei ihrer Rückkehr nach Perth im Jahr 1904 war sie als «Expertin in Aborigine-Angelegenheiten» fest etabliert. Mit freundlicher Zurechtweisung reagierte sie auf diese Sonderstellung: «... das Rätsel des Wesens der Eingeborenen löst sich in der Auseinandersetzung, nicht in ein oder zwei Jahren Feldforschung, sondern der Auseinandersetzung während eines ganzen Lebens.» Doch sie schätzte die offizielle Anerkennung, die nun folgte. Der Generalregistrator von Westaustralien, Malcolm Fraser, plante seit einiger Zeit, Gebräuche und Dialekte der Aborigines offiziell dokumentieren zu lassen. Als gebildeter und humaner Verwaltungsbeamter hätte Fraser diese Aufgabe selbst übernommen, wenn er über genügend Zeit und Fachwissen verfügt hätte. Aber da ihm beides fehlte, suchte er jemanden für diese Aufgabe. Auf seine Empfehlung hin bewarb sich Daisy beim *Department of Aboriginal Affairs (DAA)* um die Stelle einer Amtlichen Chronistin. Sie wurde sofort angenommen.

Ein Jahr lang lebte und arbeitete sie in Perth, um Berichte

und Informationen über die Aborigines von ganz Australien zusammenzutragen und zu vergleichen. Sie begann auch, die umfangreichen Notizen ihrer Exkursionen auszuwerten, und führte das Verzeichnis von Wörtern und Ausdrücken der Aborigine-Sprachen weiter, das sie in Broome begonnen hatte. 1905 schlug sie im Maamba-Reservat in Cannington ihr erstes festes Lager auf. Heute ist Cannington ein Vorort von Perth, aber damals war es noch eine «wunderschöne Buschlandschaft, reich an einheimischer Nahrung und Früchten».

Ein rundes Zelt von vier Metern Durchmesser, das im Regen über mir durchhing und sich bei Wind aufblähte, war zwei Jahre lang meine Behausung in diesem Flecken Buschland voll leuchtender wilder Blumen. Dort arbeitete ich am Lagerfeuer die Nächte durch, sammelte die Fetzen der Sprache, der alten Legenden und Bräuche und versuchte, mit diesen wenigen, vereinzelten Überbleibseln die Vergangenheit eines Volks heraufzubeschwören. Immer war ich in Eile und Furcht, zu spät zu kommen, da die Menschen um mich herum einer nach dem anderen starben.

Obwohl sie die Zukunft der Aborigines nach wie vor pessimistisch sah, hatte sie die Hoffnung noch nicht aufgegeben, etwas zu ihrem Schutz unternehmen zu können – insbesondere jetzt, da sie von der Regierung unterstützt wurde.

Ihre Untersuchungen und ihr fachliches Urteil wurden von Anthropologen, Ethnologen und anderen Wissenschaftlern zunehmend anerkannt. 1910 hatte sie eine achthundertseitige Abhandlung vollendet, aufgrund der sie zum Mitglied der *Anthropological Society of Australasia,* zum korrespondierenden Ehrenmitglied der *Royal Anthropological Society of Great Britain and Ireland* und zum Mitglied der *Royal Geographical Society of Melbourne* ernannt wurde. Fraser war von ihrem Manuskript so beeindruckt, daß er vorschlug, es an den berühmten Anthropologen Dr. Andrew Lang in London zu senden, damit dieser es zur Veröffentlichung in Buchform überarbeitete. Das Manuskript wurde zwar abgeschickt, aber Daisy hatte ganz anderes im Kopf. Schon seit geraumer Zeit schien ihr ihre offizielle Position fragwürdig. Die Tätigkeit als Archivarin hatte sie in dem Glauben angenommen, daß sie mit ihren Arbeitgebern zusammen ein gemeinsames Ziel ansteuerte, aber sie erkannte immer deutlicher, daß dies nicht der Fall war.

Die offizielle Politik gegenüber der Urbevölkerung zielte auf deren schnelle und vollständige Integration in die weiße Gesellschaft. Um zu überleben, mußten die Aborigines Gesetz und Religion, Moral und Medizin des weißen Mannes übernehmen. Wenn dabei in der Hast einige Unglückliche überrollt wurden, so war das der Preis für das Überleben ihrer Rasse; gelegentliche Tragödien waren unvermeidlich, aber das Ziel rechtfertigte die Mittel in jedem Fall.

Daisy sah die Dinge anders. Wenn die Aborigines überleben sollten, mußten sie in Ruhe gelassen werden. Sie mußten die Möglichkeit haben, so zu leben, wie sie immer gelebt hatten: wild, nackt, frei und so weit wie möglich entfernt vom korrumpierenden Einfluß der weißen Zivilisation.

Dieser Widerspruch bereitete ihr derartige Sorgen, daß sie wohl ernsthaft erwogen hätte, von ihrem Amt zurückzutreten, wenn nicht eine anthropologische Forschungsgruppe der Universität Cambridge in Perth eingetroffen wäre. Die Anthropologen Prof. Radcliffe-Brown und Grant Watson wollten in Westaustralien Feldforschung unter den Aborigines des Inlands unternehmen und suchten jemanden, der über Erfahrung aus erster Hand verfügte, übersetzen und Kontakte knüpfen konnte. Die Wahl fiel auf Daisy.

Sie setzte große Hoffnungen in die Expedition. Jetzt würde sie die Möglichkeit erhalten, ihr Wissen mit anderen Anthropologen zu teilen und im Austausch dafür von ihnen zu lernen. Außerdem könnte sie einige ihrer Forschungslücken füllen. Aber es kam anders.

Die Expedition schlug ihr Basislager etwas außerhalb der kleinen Ortschaft Sandstone, siebenhundert Kilometer nordöstlich von Perth, auf. Unter den ungefähr hundert Eingeborenen aus den umliegenden Bezirken, die sich versammelten und die Neuankömmlinge anstarrten, traf Daisy mehrere alte Freunde und war bald «mitten im Buschtratsch», wie Gertrude Bell das ausgedrückt hätte. Sie unterhielten sich über alte Zeiten, über gemeinsame Bekannte, und dann ging Daisy mit einer Gruppe Aborigines auf die Suche nach Honigameisen, die eine Delikatesse dieser Gegend waren. Sie konnte es sich nicht verkneifen, Mr. Watson ihre Beute zum Abendessen anzubieten, und wußte dabei genau, daß ihm dies seinen kultivierten Magen umdrehen würde. Voller Schadenfreude sah sie sich bestätigt. Gerade als Radcliffe-Brown und Watson in ihren anthropologischen Diskussionen mit den Aborigines etwas vorankamen, zerstreute sich auf einmal die ganze Gruppe. Ein Mann kam gerade lange genug zurück, um zu berichten, daß ein Polizist mit «einem großen Menschenhaufen» im Anmarsch war. Dann verschwand er blitzschnell im Busch. Als der «große Menschenhaufen» näher kam, stellte sich heraus, daß der Wachtmeister von Sandstone mit einigen seiner Männer einen Inspektionsgang unternahm.

In ihrer Eigenschaft als Schutzbeauftragte der Aborigines war es Polizisten gestattet, sowohl Frauen als auch Männer zu untersuchen; alle mit Geschlechtskrankheiten oder Tuberkulose Infizierten wurden sofort in Krankenhäuser in Quarantäne gebracht. Die Untersuchungsmethoden waren meist alles andere als feinfühlig und manchmal von offener Brutalität. Entsetzt und voller Schrecken beobachtete Daisy, wie ihre Freunde Opfer dieser entwürdigenden Prozedur wurden.

Mit Hilfe von Radcliffe-Brown führte Grey seine Untersuchungen durch, trieb mehrere Männer und Frauen zusammen und fuhr sie in seinem Wagen nach Sandstone. Nie werde ich die Wut und Verzweiflung in ihren Gesichtern vergessen. Diese armen, hinfälligen Wesen verließen ihr Land, ohne zu wissen, wohin – ein Schicksal, das ihnen völlig unverständlich war, und sie litten dabei erbärmlich. Die Bewohner aller benachbarten Lager waren daraufhin so aufgeregt und durcheinander, daß es für uns zwecklos war, noch länger zu bleiben.

Dieser Zwischenfall bezeichnete den Wendepunkt in Daisys Beziehungen zum DAA und den Beginn einer dreißigjährigen Fehde mit den Ämtern. Sie beschwerte sich lautstark und energisch bei der Polizei, beim DAA und bei der Presse über das menschenunwürdige Vorgehen der Behörden. Doch die Cambridge-Expedition verließ sie noch nicht. Nach Radcliffe-Browns Meinung boten sich die Quarantäne-Krankenhäuser als ideales Ausweich-Studienfeld an. Daisy wappnete sich gegen die dort bevorstehenden Schrecken und willigte ein, ihn zu begleiten, weil sie hoffte, ihren alten Freunden in ihrem Elend beistehen zu können. Die Forscher packten ihre Sachen und folgten den Eingeborenen in die Quarantänestationen auf den Dorré- und Bernier-Inseln vor der westaustralischen Küste bei Carnarvon.

Daisys Beschreibung der Bedingungen, unter denen die Aborigines auf den beiden Inseln gehalten wurden, ist eine ebenso herzzerreißende Lektüre wie Kate Marsdens Schilderung der Leprakranken in Sibirien. Obwohl die kranken Aborigines nicht einer solchen rücksichtslosen Grausamkeit unterworfen waren wie die Leprakranken, litten sie dieselben körperlichen und seelischen Qualen in ebenso vernichtender Vereinsamung.

Als ich im November 1910 auf Bernier landete, lebten dort nur noch fünfzehn Männer, aber ich zählte achtunddreißig Gräber. Auf Dorré, wo die Frauen isoliert waren, gab es siebenundsiebzig Frauen, viele von ihnen bettlägerig. Ich wagte nicht, die Gräber zu zählen. Die meisten Frauen waren im letzten Stadium der Syphilis und der Tuberkulose. Nichts konnte sie mehr retten, und doch hatte man sie manchmal über einige tausend Kilometer in eine fremde, unnatürliche Umgebung und Einsamkeit gebracht. Sie hatten Angst vor dem Krankenhaus. Die dauernden Untersuchungen, das Verbinden und die Spritzen waren eine tägliche Folter. Sie hatten Angst voreinander und vor dem ewig wehklagenden Meer. Das Krankenhaus war gut geführt, und in der medizinischen Versorgung fehlte es an nichts, aber die Eingeborenen ließen die gesamte Behandlung mit furchtsamem Fatalismus über sich ergehen. Sie glaubten, daß sie hierhergebracht worden waren, um zu sterben; was machte es da, wenn der weiße Mann beschlossen hatte, sie vorher in Stücke zu hacken? Von den ungewohnten heißen Bädern wurde ihre empfindliche Haut, an die normalerweise lediglich Fett und frische Luft kamen, dünn wie Papier und schälte sich in grauenhafter Weise vom Fleisch. Einige von ihnen schrien Tag und Nacht in einer teilnahmslosen und schrecklichen Monotonie des Schmerzes. Für sie gab es nicht den geringsten Schimmer einer Hoffnung.

Die Expedition blieb sechs Monate auf der Insel, Radcliffe-Brown und Watson untersuchten in dieser Zeit die Auswirkungen verschiedener Behandlungweisen auf die Eingeborenen. Daisy übersetzte, half bei den Aufzeichnungen und sorgte zwischen diesen offiziellen Aufgaben für die Menschen, die sie nun als ihre Kinder ansah. Sie wußte, daß sie hauptsächlich den Kontakt zu ihren Familien und Freunden brauchten, auch wenn sie die Decken und Süßigkeiten schätzten, die sie mitbrachte, und ihre Fürsorglichkeit ihnen etwas Geborgenheit und Trost verschafften. Daher baute Daisy einen einfachen Postdienst auf, der den Kranken und Sterbenden die Verbindung zu ihren Angehörigen ermöglichte. Bei jeder Fahrt aufs Festland nahm sie ein Bündel *bamburus* mit, kleine Holzstückchen, die mit Kerben versehen waren und als

Kommunikationsmittel dienten, und sie sorgte dafür, daß sie ihren Bestimmungsort erreichten. «Es war ein schmerzlicher Anblick, die armen Kerle in ihrer Trübsinnigkeit zu sehen, wenn sie versuchten, das *bamburu* zu markieren, das sie ihren Frauen schicken wollten. Doch die Freude in ihren Gesichtern, wenn ich *bamburus* von ihren weit entfernten Lieben brachte, zerriß mir fast das Herz.»

Bald nach Daisys Abreise wurden die Quarantänestationen auf Dorré geschlossen und die Inseln verlassen, doch ihre Erfahrungen verfolgten Daisy für den Rest ihres Lebens. Von den Patienten auf den Inseln erhielt sie auch ihren endgültigen Namen.

Die Grauhaarigen und die Graubärtigen, die Männer, Frauen und Kinder hatten mich viele Jahre lang als *kallower* gekannt, als Großmutter, allerdings als eine sehr junge und «unechte». Hier auf Dorré wurde ich zur *kabbarli*, zur Großmutter für die Kranken und Sterbenden, und *kabbarli* blieb ich auch während all meiner weiteren Wanderungen.

Die Expedition wurde Mitte 1911 abgeschlossen, und Daisy kehrte dann nach Perth zurück, um mit Malcolm Fraser ihre Zukunft zu besprechen. Er verstand und achtete ihre Vorbehalte gegen die offizielle Eingeborenenpolitik, riet ihr aber, im Dienste des DAA zu bleiben und ihre Ziele innerhalb der Organisation zu verfolgen. Die Stelle des Obersten Schutzbeauftragten für die Aborigines des Nordterritoriums war gerade frei, und auch wenn die Besetzung dieses Postens nicht in seiner Zuständigkeit lag, so schrieb Fraser doch ein enthusiastisches Empfehlungsschreiben für Daisy. Trotz seiner starken Unterstützung und der ihres alten Freundes, Bischof Gibney, bekam sie die Stelle nicht. Die offizielle Begründung lautete, daß sie als Frau zu vielen Gefahren ausgesetzt sei und bei ihren Reisen unter den Aborigines deshalb eine Polizeieskorte brauchte. Für eine Frau, die jahrelang völlig allein und ungeschützt bei den Aborigines gelebt hatte, ohne daß auch nur das geringste passiert wäre, hörte sich diese Erklärung sehr fadenscheinig an. Nach Daisys Überzeugung lag der wirkliche Grund darin, daß das DAA Anstoß nahm an ihrer unverblümten Kritik seiner Arbeitsmethoden. Dagegen konnte sie nichts unternehmen. So gelassen wie möglich akzeptierte sie den Gegenvorschlag des DAA: Sie sollte als Schutzbeauftragte ehrenhalber (also unbezahlt) in den Distrikt Eucla gehen. Dort kam sie im November 1912 an.

Schon zu Daisys Zeiten war Eucla nur ein Name auf der Landkarte, «vom Sand zugewehte, heruntergekommene Häuser und eine Straße, genau an der Stelle, an der die majestätischen Klippen der Großen Australischen Bucht in das Land reichen und den westlichen Rand der Nullarbor-Ebene bilden». Der Ort war von der Gesellschaft der transkontinentalen Telegraphenlinie als Unterkunft für ihre Arbeiter und deren Familien angelegt worden; aber als das Teilstück fertiggestellt und automatische Betriebssysteme installiert waren, wurde er wieder aufgegeben. Der erste Zustrom der Siedler zerstörte Land und Leben der Aborigines aus der Umgebung; diese hatten sich in und bei der Siedlung herumgetrieben und gelegentlich deren Einwohner bestohlen, die sie ihrerseits ausbeuteten. Als die Ortschaft verlassen wurde, konnten sie sich nicht mehr selber versorgen, und ihre Selbstachtung schwand dahin. Sie blieben völlig verwahrlost zurück.

Da niemand mehr Daisy bezahlte, hatte sie keine Hemmungen, nach ihren eigenen Vorstellungen mit den Aborigines zu arbeiten. Sie stellte ihr Zelt drei Kilometer von der Siedlung am Strand auf, von wo sie zusehen konnte, «wie sich die großen Wogen des Indischen Ozeans mit Donnergetöse am Strand brachen; manchmal war eine einzige Welle zwei Meilen lang». Daisy blieb dort zwei Jahre.

Ihr kleines Zelt wurde so etwas wie ein Feldzeichen für die umherziehenden Aborigine-Gruppen, die der gnadenlose Vormarsch der Weißen zu Fremden im eigenen Land gemacht hatte. Von Norden und Westen, aus den Ebenen der Küste und den weit entfernten Höhenzügen strömten sie herbei, um bei *kabbarli* zu sitzen, ihrer Großmutter aus der Traumzeit. Dort redeten sie über vergangene Zeiten, erzählten ihre Geschichten, praktizierten ihre Riten und – so sah es zumindest Daisy – warteten auf den Tod. Als sie in Eucla ankam, lebten dort vielleicht dreißig Aborigines – als sie den Ort verließ, waren es mehr als hundertfünfzig.

Obwohl aus ihrem Buch nichts geworden war – Lang starb vor der endgültigen Fertigstellung des Manuskripts –, brach Daisy nicht mit ihren alten Gewohnheiten. Jeden Tag machte sie sich Notizen. Alle neuen Geschichten und Dialekte, die sie hörte, jede noch so kleine Information hielt sie schriftlich fest. Sie beschrieb die Rituale und Zeremonien, die mit der Zeugung, der Geburt, dem Einsetzen der Pubertät, mit Heirat und Tod verbunden waren. Legenden, Lieder und volkstümliche Erzählungen sammelte und übersetzte sie, und in detaillierten Übersichten zeigte sie die Verflechtungen zwischen den einzelnen Stämmen. Sie korrespondierte mit befreundeten Wissenschaftlern, besonders Anthropologen, von denen sich viele bestürzt darüber äußerten, daß sie sich in die hinterste Wildnis vergrub. Ihrer Bitte an Daisy, doch wieder in die Zivilisation zurückzukehren, konnte sie leicht widerstehen.

Ich entschied mich dafür, mein restliches Leben diesen faszinierenden Studien zu widmen. Zugegebenermaßen stellte dies kaum ein Opfer für mich dar. Abgesehen von der Freude an der Arbeit um ihrer selbst willen, bedeuteten mir die frische Luft, die Freiheit, die Weite inzwischen viel mehr als das Stadtleben.

Psychologen würden Daisys selbstgewähltes Exil wahrscheinlich mit «sozial unangepaßt» oder durch «unterdrückte Schuldgefühle wegen ihrer gescheiterten Ehe und der Vernachlässigung ihres Sohnes» erklären. Nirgendwo in ihrer schriftlichen Hinterlassenschaft findet sich allerdings ein Hinweis auf innere Zerrissenheit oder seelische Probleme. Für Daisy war alles in sich sehr schlüssig: Als Journalistin hatte sie ein Interesse für die Aborigines entwickelt, deren bislang undokumentiertes Leben ihren Forscherinnengeist herausforderte, und jetzt war sie bereits zu engagiert, um sich noch zurückziehen zu können.

Inzwischen lebte ich aus Überzeugung wie eine Vagabundin, war eine Nomadin wie die Aborigines. Es hatte sich ein so enger Kontakt mit ihnen entwickelt, daß ich meine Arbeit unmöglich wieder aufgeben konnte. So wild und einfach, so dermaßen fremd und ganz und gar hilflos waren sie, daß ich irgendwie in eine Verantwortlichkeit für sie hineinwuchs.

Mitte 1914 kam eine Einladung, bei der Daisy nicht nein sagen konnte: Sie wurde gebeten, auf dem Kongreß der *British Association for the Advancement of Science* in Adelaide, Melbourne und Sydney zu sprechen. In großer Vorfreude auf geistige Anregungen lieh sie sich einen Wagen mit einem Zugkamel, fuhr selbst die achthundert Kilometer nach Yalata und schiffte sich dort nach Adelaide ein. Die «angenehme und ermutigende Erfahrung» des Kongresses wurde allerdings durch die bestürzende Entdeckung getrübt, daß in Europa Krieg herrschte und sich die ganze Welt in Aufruhr befand. «In meinem Denken spielten internationale Angelegenheiten seit so langer Zeit keine Rolle mehr, daß mich diese Nachricht völlig entsetzte.»

Der Kongreß wurde ein großer Erfolg. Die Gelehrten nahmen Daisys Ausführungen begeistert auf, und sie blieb noch einen Monat in Adelaide, um Vorträge zu halten. Im September richteten die Delegierten des Kongresses und Repräsentantinnen von «Frauenorganisationen» (so die etwas vage Ausdrucksweise von Daisy) eine Eingabe an Sir Richard Butler, den für das Eingeborenen-Department zuständigen Minister, und schlugen sie als Schutzbeauftragte der Aborigines in Südaustralien vor. Doch Daisy sah keinen Grund für die Annahme, daß ihre zweijährige Abwesenheit irgend etwas verändert hätte. Statt also auf das Ergebnis der Überlegungen des Ministers zu warten, kehrte sie nach Eucla zurück.

Über den Vorschlag wurde nie entschieden. Der Krieg brachte den Australiern neue Sorgen: Seit Anfang des Jahres 1915 kämpften und starben ihre Söhne auf der anderen Seite der Welt, und deshalb fiel es auch Daisys entschiedensten Unterstützern schwer, sich noch um das Schicksal der Aborigines zu kümmern.

Daisy blieb während des Krieges in Eucla und kehrte nur wegen ihrer angeschlagenen Gesundheit 1918 nach Adelaide zurück. Als «ihre Lebensgeister wiederhergestellt waren», leitete sie mehrere Monate lang ein Erholungsheim für verwundete Soldaten. Qualifiziert für diese Tätigkeit fühlte sie sich nur durch ihre Erfahrungen aus der jahrelangen «mütterlichen» Betreuung von Aborigines. Dies war auch das einzige Mal in ihrem Leben, daß sie sich um weiße Patienten kümmerte. Ihr Gewissen sagte ihr zwar, daß jede Minute dieser Hilfe für die «tapferen Jungs» wichtig war; trotzdem fiel es ihr schwer, wieder in der Stadt zu leben. Immer wieder war sie mit ihren Gedanken im Busch, wo sich ihre «Enkelkinder» einer neuen Bedrohung gegenübersahen: dem Bau der Transaustralischen Eisenbahn. Einige Wochen vor ihrem sechzigsten Geburtstag konnte sie es dann einfach nicht mehr aushalten. Sie verabschiedete sich von ihren Freunden, packte ihre Sachen und zog wieder in den Busch.

Als ich im September 1919 an die Nebenstrecke nach Ooldea kam, fand ich dort schwierige Bedingungen vor. Nach dem Chaos der erst vor kurzem abgeschlossenen Bauarbeiten an der Bahnlinie gab es in der neugegründeten Siedlung noch lange keine Ruhe. Die Nachwirkungen des Krieges waren immer noch zu spüren, und die Unruhe unter den Weißen betrübte mich fast genauso wie die offensichtliche Verwahrlosung der Schwarzen.

Für Daisy wurde Ooldea zum Symbol des schicksalhaften und für die eine Seite tragisch ausgehenden Konflikts zwischen dem neuen und dem alten Australien. «Ooldea selbst ist zwar nicht mehr als eine der vielen Senken inmitten der unendlichen Sandhügel, und doch ist es ein Naturwunder. Nie hätte ein weißer Mann in dieser öden Kuhle, über die der Sand hinwegfegt, eine niemals versiegende Quelle vermutet – aber man brauchte nur ein wenig im Boden zu kratzen, und schon stieß man wunderbarerweise auf Wasser.» In Ooldea versiegte auch während der schlimmsten Trockenjahre nie das Grundwasser, und seit Jahrhunderten kamen Aborigine-Stämme Hunderte von Kilometern weit zu diesem wundersamen Wasserloch, um dort ihre Rituale und Zeremonien auszuüben.

Und doch entdeckte es der weiße Mann irgendwie und beanspruchte das Wasser der nie versiegenden Quelle sofort für die Lokomotiven der neuen Eisenbahnstrecke. Die blinkenden Schienen des donnernden «Schlangenteufels» liefen quer durch den traditionellen Versammlungsplatz; in scheinbarer Großzügigkeit wurde deshalb dem schwarzen Mann auf dem restlichen Gelände über Leitungen Zugang zu seinem kostbaren Wasser gewährt.

Bei ihrer Rückkehr nach Ooldea traf Daisy in der gesamten Gegend auf die Opfer dieses Kulturschocks. Immer mehr Aborigines aus dem gesamten Süden und Westen Australiens, die man von ihrem heimatlichen Grund und Boden vertrieben hatte, irrten an der Bahnlinie entlang. Jahre später reiste die Journalistin Ernestine Hill westwärts und erschrak zutiefst über «die alten Frauen in stinkenden Lumpen, junge Mütter mit Säuglingen, abgemagerte nackte Kinder mit Fliegen in ihren traurigen, eingefallenen Augen und struppigen Haaren ... stille, bemitleidenswerte kleine Gruppen und Familien, die nicht ein Wort Englisch sprachen» und um die Reste aus den Speisewagen bettelten. Sensationslüsterne Passagiere begafften und fotografierten sie und warfen ihnen dann noch einige Pennys zu.

«Sie wissen nicht, daß sie ihre eigene Vernichtung heraufbeschwören», klagte Daisy. «Sie denken, daß die Züge mit den Leuten verschwinden werden und die Dinge zum Spielen dableiben.» Nahrungsmittel, Alkohol und den billigen Schund der weißen Zivilisation erhielten die Männer nur im Tausch gegen ihre einzigen Besitztümer: Bumerangs, Speere und Frauen. «Prostitution begann aufzukommen, und viele Unglückliche hatten schon den Lohn der Sünde empfangen. Als die ersten Mischlingskinder geboren wurden, glaubten die entsetzten Mütter, daß die Nahrung der Weißen schuld an ihrer Hautfarbe war. Damit die Kinder wieder schwarz und gesund wurden, rieben sie sie verzweifelt mit Holzkohle ein – oft so lange, bis die Kleinen starben.» Geschlechtskrankheiten breiteten sich ebenfalls aus, dazu Masern und Grippe, Kriminalität und ein unsägliches Elend.

Auf die Reisenden wirkten die Aborigines wie der Abschaum der Menschheit, doch für Daisy waren sie ihre Familie. In den Gruppen der Unglücklichen tauchten sogar vertraute Gesichter auf, Freunde aus früheren, unbeschwerteren Reisen. Mit Freudenschreien fielen sie ihrer geliebten *kabbarli* um den Hals und baten sie, bei ihnen zu bleiben. Schließlich stellte sie ihr Zelt auf und richtete das Lager ein, das für die nächsten sechzehn Jahre ihr Zuhause werden sollte.

Vor meinem kleinen Zelt kamen die Eingeborenen zusammen und warteten auf mich. Alte Freunde saßen geduldig da, und nackte Neuankömmlinge trieben sich voller Scheu manchmal zwei Tage lang in den Büschen herum, bis sie den Mut aufbrachten, diese Kabbarli anzusprechen, die so weit im Land bekannt war. Sie kamen aus den Mann-,

Gosse- und Everard-Bergen, aus dem Peterman- und dem Musgrave-Gebirge zu mir und aus Gegenden weit hinter der nordwestlichen Landesgrenze... Auf der Suche nach Nahrung und Wasser zogen sie auf den Spuren derer, die bereits früher gekommen waren, kreuz und quer durch die Wüste. Sie zerstreuten sich, fanden wieder zueinander, freuten sich und trauerten. Jeden Mond flohen sie weiter fort von ihren angestammten Wassern. Schließlich erreichten die Überlebenden meinen schützenden Windschirm am Rand der Zivilisation. An der ganzen tausend Meilen langen Eisenbahnstrecke gab es keine andere Zufluchtsstätte, keinen Ort der Vermittlung zwischen den Verkehrsmitteln der Weißen und dem Denken der Eingeborenen, die fünftausend Jahre zurück waren. Wenn die Gruppen diese Schwelle zur Zivilisation überschritten, versuchte ich als erstes, ihnen ein Gefühl von Sicherheit zu geben und sie einzukleiden. Nachdem ich ihre Namen und heimatlichen Plätze erfahren hatte, erklärte ich ihnen die Gesetze der Weißen, die Möglichkeiten und Gefahren dieses neuen Zeitalters, in das sie hineingestolpert waren.

Im Verlauf der sechzehn Jahre, die Daisy in Ooldea verbrachte, «gab es so große und entmutigende Schwierigkeiten, daß ich ohne meine leuchtenden Ideale des Dienens und ohne meine tiefe Liebe und Sympathie für die Eingeborenen niemals durchgehalten hätte». Nach dem ersten Jahr war klar, daß der Platz in voller Sichtweite der Züge für ihre Arbeit nicht geeignet war. Sie zog in ein sandiges Bachbett drei Kilometer weiter im Norden um. Aber eine Reihe von Naturkatastrophen wie auch vom Menschen verursachte Unglücksfälle drohten ihren «kleinen Haushalt» zu zerstören. Ein achtwöchiger Eisenbahnerstreik schnitt sie von der einzigen Möglichkeit der Nahrungsmittelversorgung ab, ihre Mahlzeiten reduzierten sich dadurch auf einen Teller Porridge täglich. Während einer Masernepidemie mußte sie, völlig auf sich gestellt, siebzehn Patienten auf einmal in Notzelten versorgen. 1922 steckte sie sich bei einem Kranken mit einer Augenentzündung an und erblindete fast. «Nicht nur einmal, sondern gleich mehrmals warnte mich nur noch der Brandgeruch, wenn ich mich beim Teekochen zu weit über das Feuer beugte und meine Kleider Feuer fingen.» Als sie tausendsiebenhundert Kilometer weit nach Perth zu einem Augenarzt fuhr, war das ihre einzige Erholung in zwölf Jahren – soweit man das überhaupt «Erholung» nennen kann. Die rücksichtslose Ausbeutung der Wasservorräte durch die Eisenbahngesellschaft führte 1926 zu einer Grundwasserverseuchung. Es gab kein genießbares Wasser mehr, so daß die achtundsechzigjährige Daisy das gesamte Trinkwasser drei Kilometer weit durch den Sand schleppen mußte. Aber zur schlimmsten Plage wurde eine verheerende Dürre, «vielleicht die härteste in der Geschichte Südaustraliens». Acht Jahre lang fiel in Ooldea kein meßbarer Niederschlag. Sogar die Nahrungsquellen der Eingeborenen – Früchte, Wurzeln und Beeren – verkümmerten und verdorrten. Furchtbare heiße Winde peitschten durch das Lager und drohten das Zelt wegzublasen. Tagsüber wurde es bis zu 52° C heiß; Sandstürme begruben Daisys Bett, ihren Tisch und ihre Schreibmaschine immer wieder unter hohen Staubschichten.

Aber es gab auch Lichtblicke. 1920 wurde Daisy zur Friedensrichterin für Südaustralien ernannt und später im selben Jahr gebeten, einen Korrobori zu Ehren des Prinzen von Wales (den späteren König Eduard VIII.) zu organisieren. Auf seiner Australienreise fuhr er mit dem Zug durch Ooldea. «Seine Königliche Hoheit blieb zweieinhalb Stunden und wirkte die ganze Zeit über sehr interessiert.» Aber alles in allem war es ein Leben voller Krankheit und Kummer, eine Spirale, die sich immer weiter nach unten drehte.

Viele ihrer Freunde unter den Anthropologen und Journalisten nahmen an Daisys Situation Anteil, forderten von der Regierung finanzielle Unterstützung für ihre Arbeit und schlugen sie für jede neue freie Protektorenstelle vor. Aber das DAA hatte ihr die öffentliche Kritik seiner Politik immer noch nicht verziehen. Man weigerte sich nicht nur, Daisy bei Stellenbesetzungen in Erwägung zu ziehen, sondern gewährte ihr während ihrer gesamten Zeit in Ooldea nie irgendeine staatliche Hilfe. Sie versorgte die Eingeborenen aus ihrem eigenen Geldbeutel mit Nahrung, Kleidung und Medikamenten. Das Stück Land in Westaustralien, mit dem sie vor so vielen Jahren Jack Bates zu einem seßhaften Leben animieren wollte, gab es schon lange nicht mehr. Der Erlös war mit den «regelmäßigen Bestellungen von Mehl, Tee, Zucker, Zwiebeln, Medizin, Textilien, Hemden, Hosen und als kleinem Luxus etwas Tabak» bald aufgezehrt. 1924 verkaufte sie auch noch ein kleines Grundstück, daß sie außerhalb von Perth als Alterswohnsitz erworben hatte, und danach veräußerte sie Stück für Stück fast ihre gesamte Habe, «auch meinen Damensattel und das Zaumzeug – letzte Reste einer glücklichen Vergangenheit». Als schließlich gar nichts mehr übrig war, überwand sie ihren Stolz und bat ihre Freunde um Spenden, die sie auch sehr bereitwillig erhielt. Was dadurch zusammenkam, konnte sie selbst etwas aufstocken, indem «ich australischen und englischen Zeitungen meine wissenschaftliche Nachlese anbot».

Als die große Dürre endlich zu Ende ging, war Daisy bereits siebzig. Aber wenn auch das gleißende Licht in all den Jahren ihre blauen Augen getrübt hatte und ihre wettergegerbte Haut die unverkennbaren braunen Altersflecken aufwies, so war sie doch immer noch so lebhaft und in ihrer täglichen Toilette so akkurat wie eh und je. Jeden Morgen bei Sonnenaufgang trat diese zierliche Dame aus ihrem zwei mal drei Meter großen Zelt, penibel gekleidet «nach den einfachen, aber genauen Modevorschriften der Zeit, als ich aufbrach und Viktoria Königin war».

1932 empfing sie eine Besucherin, die sie für kurze Zeit zu einer Berühmtheit machte. Die international erfolgreiche amerikanische Journalistin Ernestine Hill hatte von der exzentrischen alten Dame gehört, die freiwillig bei den Aborigines lebte. Sie witterte eine gute Story und reiste mit dem Zug an. Die beiden Frauen mochten sich auf den ersten Blick. Daisy freute sich so über Ernestine, die ihre Sprache sprach und ihre Arbeit verstand, daß sie zwei Tage völlig atemlos war. Ernestine wiederum war von Daisy und ihrer kleinen Welt sowohl tief bewegt als auch eingeschüchtert, erschrokken, verwirrt und verwundert. Zwanzig Jahre nach Daisys Tod schilderte sie sie aus der Erinnerung als «unabhängig bis zum Letzten, schnell gekränkt und voreingenommen, vernichtend in ihrer Verachtung, aber stets von beispielhaft gutem Benehmen ... Das bezauberndste war ihre weiche, tiefe Stimme; sie sprach mit irischem Tonfall, aber ohne jeden Akzent.»

Ernestine sah die Aborigines zwar nicht wie Daisy als aussterbende Rasse, und die Bemühungen, schwarze und weiße Australier voneinander fernzuhalten, betrachtete sie mit den Augen einer Frau, die weiß, was Apartheid bedeutet. Dennoch erkannte sie, daß Daisy nicht von einer Überlegenheit der Weißen ausging, sondern allein ihre tiefe Liebe, ihre Achtung und ihr Verständnis für die Aborigines sie bewegten. Die Artikel, die Ernestine dann schrieb, wurden vielfach veröffentlicht, und bald sprach ganz Australien von der «bezaubernden kleinen Lady alter Schule, Tochter irischer Landadeliger, die von den geheimnisumwittertsten Menschen der Welt als Stammesangehörige und Schutzgeist akzeptiert wurde».

Von dem Besuch kehrte Ernestine tief besorgt zurück. Daisy hatte ihr gegenüber eingestanden, daß «meine Kochkünste nicht mehr erlauben als eine in der Asche gebackene Kartoffel, hin und wieder einen Löffel Reis, der fast immer anbrennt, weil ich nicht danebenstand oder mit meinen Gedanken ganz woanders war, ein gekochtes Ei als seltenen Genuß und immer mein Allheilmittel Tee». Ein Leben mitten in der Nullarbor-Ebene, siebenhundert Kilometer vom nächsten Arzt entfernt, war durchaus nicht das Richtige für eine vergeßliche, halbblinde alte Frau, die nicht kochen konnte und mit ihren geliebten Aborigines so beschäftigt war, daß sie ihre eigene Gesundheit vernachlässigte. Ernestine zerbrach sich den Kopf darüber, wie sie die gebrechliche Daisy aus dieser Wildnis herausholen könnte. Aber das erledigte sich von selbst. Im August 1933 teilte Daisy ihr in einem aufgeregten Brief mit, daß sie auf dem Weg nach Canberra sei. Regelrechte Schlachten zwischen Siedlern und Eingeborenen im Nordterritorium hatten den Innenminister bewogen, sie mit einem dringlichen Telegramm um ihre Hilfe zu bitten.

Daisy nahm den nächsten Zug nach Adelaide und genoß zwei Tage später das erste richtige Bad seit zwölf Jahren. Die plötzliche Rückkehr in die Zivilisation erlebte sie dennoch als Schock. «Das Australien und die Australier, wie ich sie gekannt habe, waren verschwunden. Adelaide und Melbourne sind inzwischen zu großen und recht reizvollen Städten herangewachsen, in denen ich mich nach kurzer Zeit – meistens allein und in meinem altertümlichen Aufzug – fremd fühlte, wie ein Relikt der Vergangenheit.» In Canberra stellte man ihr den Premierminister und fast das ganze Kabinett vor, sie freute sich über die Ehrerbietung und Aufmerksamkeit der Minister. Drei Monate genoß sie all den lang entbehrten Luxus und die Annehmlichkeiten des Lebens, war begeistert von den «geistig anregenden Treffen» mit ihresgleichen. Aber ihr Lösungsvorschlag für die Unruhen im Norden – sie wollte selbst als Vermittlerin hinfahren – wurde abgelehnt, weil sie zu alt für diese Reise wäre.

Dieser Begründung von seiten der Regierung konnte Daisy sich nicht anschließen. Ihrer Meinung nach war das immer noch dieselbe alte Geschichte. Niedergeschlagen und enttäuscht kehrte sie in die Nullarbor-Ebene zurück. Dort sah sie sich der Tatsache gegenüber, daß mittlerweile zwei Missionare in offiziellem Auftrag ein neues Lager eingerichtet hatten. Sie bauten gerade eine Kirche, versorgten Daisys alte Freunde bereits mit Essen und boten ihnen Obdach. Die Regierung hatte ihr die Aborigines gestohlen. Ihr Kampf endete mit einer Niederlage.

Trost brachte damals nur noch ein Telegramm, das kurz nach Neujahr 1934 eintraf: Sie erhielt den *CBE*-Orden *(Commander of the Order of the British Empire)*. «Diese Anerkennung durch unseren verehrten Souverän erreichte mich, als es in meinem Lager schon fast nichts mehr zu essen gab und in meinem Herzen kaum noch Hoffnung war. Für mich war es die umfassende Anerkennung meines Lebenswerks.»

Ernestine Hill hatte den rettenden Gedanken. Sie wußte, daß Daisy während ihrer Jahre in Ooldea umfangreiche Aufzeichnungen gemacht hatte. Ernestine fand, daß Daisy ihren eingeborenen Freunden gegenüber geradezu verpflichtet war, alles, was sie über ihre Bräuche und Lebensweise erfahren hatte, in einem Buch zu veröffentlichen. Damit könnte sie diese Vergangenheit erhalten, auch wenn die Aborigines zum Aussterben verurteilt waren. Nur durch diesen geschickten Vorschlag war vermutlich zu verhindern, daß Daisy nach Art der Eingeborenen einfach still in der Wüste sitzen blieb und auf den Tod wartete. 1934 packte sie ihre Sachen und verließ Ooldea.

Ich hatte meine Lebensspanne bereits um fünf lange Jahre überzogen. Leicht und mit heiterem Herzen wie in meiner Jugendzeit ging ich davon, aber ich konnte nicht länger die Augen davor verschließen, daß mir nicht mehr viel Zeit blieb, um mein Werk für Australien und sein verlorenes Volk zu vollenden. In diesem Aufbruch mischte sich Bedauern, denn nun mußte ich mich von dem kleinen Zelt verabschieden. Mit seinen hundert Flicken, zerfetzt, leer und ohne jeden Komfort war es doch voll teurer Erinnerungen. Kabbarli mußte ihre Enkel verlassen.

Im Rückblick auf ihre sechzehn Jahre in Ooldea sah Daisy es als ihren größten Erfolg, daß seit ihrer Ankunft in der Gegend keine Mischlingskinder mehr zur Welt gekommen waren. Am meisten enttäuschte sie, daß von den Hunderten Aborigines, mit denen sie in Ooldea «zusammengesessen» hatte, «nicht ein einziger jemals in seine Heimat und zu seinem natürlichen Leben im Busch zurückkehrte».

Sie schrieb ihr Buch. Außerdem überarbeitete und ordnete sie ihre Notizen und schenkte die insgesamt vierundneunzig Aktenordner der australischen Nationalbibliothek. 1941 kehrte sie noch einmal in ihre Wildnis zurück und errichtete im Alter von achtzig Jahren östlich von Ooldea ein neues Lager. Ein Jahr lang wartete sie geduldig darauf, daß ihre «Enkel» wiederkamen und «sich zu mir setzten». Niemand kam. Trotz Daisys Bemühungen waren sie weitergezogen. Sie mißachteten ihre Warnungen und die Schranken, die sie errichtet hatte, gingen durch die Tore, die sie vor ihnen schließen wollte, in die Welt, die sie selbst um ihretwillen verlassen hatte. Dieselben Worte, mit denen sie die Aborigines so oft beschrieben hatte – «traurig, heimatlos, von der Zeit überrollt» –, treffen mit all der darin enthaltenen Verzweiflung und Bitterkeit auch auf Daisys letzte Jahre zu.

Die «Vagabundin aus Überzeugung», «Nomadin wie die Aborigines», starb 1951 im Alter von einundneunzig Jahren in einem Altersheim in Adelaide.

Alexandra David-Néel

Der Wille einer Frau

Als die Französin Alexandra David-Néel zu ihrer Reise nach Lhasa aufbrach, sprach sie fließend Tibetisch, war praktizierende Buddhistin und hatte sich seit mehr als zwölf Jahren in die Gebräuche, Literatur, Überlieferungen und Legenden des Landes vertieft. Ihre Ausrüstung bestand aus nicht viel mehr als den Kleidern, die sie am Leib trug.

Obwohl ihr heutiger Ruf zum großen Teil darauf beruht, daß sie die erste westliche Frau war, die die Verbotene Stadt erreichte, so nannte sie ihre Reise nach Lhasa «einen kleinen Umweg». Genauer gesagt: Sie ging nach Lhasa, weil man es ihr verboten hatte, und der «kleine Umweg» dauerte gut neun Jahre. Sie schrieb ihren Reisebericht auf englisch, wohl um sich ein wenig an den Briten zu rächen, die ihr diese Reise untersagt hatten. In der Einleitung zu ihrem Buch bemüht sie sich, deutlich zu machen, daß sie der englischen Nation als Gesamtheit ausschließlich freundliche Gefühle entgegenbringt und davon ausgeht, daß «die Bürger Großbritanniens und der Dominions genausowenig mit den Machenschaften der Regierungsbeamten in weit entfernten Kolonien oder Protektoraten vertraut sind wie die restliche Welt». Diese Bemerkung bezog sich auf Charles Bell, den Vertreter Großbritanniens in Sikkims Hauptstadt Gangtok. Nachdem er 1915 von Alexandras Anwesenheit im tibetischen Grenzgebiet und sogar auch jenseits davon Wind bekommen hatte, schrieb er ihr einen verärgerten Brief und forderte sie auf, tibetischen Boden zu verlassen. Sie antwortete ihm sofort mit der entrüsteten Frage: «Mit welcher Berechtigung errichten sie [die Briten] Schranken um ein Land, das ihnen von Rechts wegen nicht gehört? Falls der Himmel dem Herrn untersteht, so ist die Erde das Erbe des Menschen, und jeder ehrliche Reisende hat das Recht, nach Belieben über diesen seinen Erdball zu wandeln.» Sie hatte die tibetische Grenze überquert, um das große Kloster von Taschilunpo zu besuchen, den Heimatort des Pantschen-Lama. Nach einigen Tagen höchst erfreulicher Gespräche mit Seiner Heiligkeit und der Besichtigung der nahe gelegenen Druckereien hatte sie ohnehin vor, Tibet zu verlassen, und erfüllte so Bells Anordnung. Aber sie legte gleichzeitig das Gelübde ab, nicht nur zurückzukehren, sondern sogar tief in das tibetische Kernland zu reisen. «Ich schwor, daß ich allen Hindernissen zum Trotz Lhasa erreichen und zeigen würde, was der Wille einer Frau vermag.»

Louise Eugénie Alexandrine Marie David war das einzige Kind einer Mutter aus dem belgischen Mittelstand und eines französischen Vaters. Die Ehe war nicht glücklich, und Alexandras einsame und sehr behütete Kindheit in Paris machte sie zu einer zurückhaltenden, verträumten Heranwachsenden mit einer Neigung zur Musik, einer entschiedenen Vorliebe für die Einsamkeit und einer Leidenschaft für «das Unbekannte».

Aufgrund ihrer katholischen Erziehung verloren religiöse Rituale und Zeremonien nie an Faszination für sie. Doch in ihren späten Mädchenjahren wandte sie sich vom römischen Katholizismus ab, den sie als tyrannisch und bedrückend empfand. Während ihres Musikstudiums kam sie im Paris der achtziger Jahre des letzten Jahrhunderts mit der Theosophie in Berührung, jener Verknüpfung von Religion und Philosophie, die mit der damaligen Begeisterung für alles Orientalische in die französische Hauptstadt gelangt war. Obwohl es keinen Beleg dafür gibt, daß sich Alexandra jemals als Theosophin bezeichnete, so kann doch kein Zweifel darüber bestehen, daß ihre frühen Verbindungen zur Theosophischen Gesellschaft prägend für ihr späteres Leben waren.

Drei erklärte Ziele hatte diese Gesellschaft: «... eine Kerngruppe innerhalb der allumfassenden Bruderschaft der Menschheit ohne Ansehen der Rasse, des Glaubens, des Geschlechts, der Kaste oder der Hautfarbe zu bilden», «das Studium der vergleichenden Religionswissenschaften, der Philosophie und der Naturwissenschaften zu fördern» und «unerklärliche Naturgesetze und die im Menschen schlummernden

236

Kräfte zu erforschen». In den folgenden achtzig Jahren blieb Alexandra ganz auf ihre eigene Art diesen Zielen in der einen oder anderen Weise verbunden. Sie verachtete Politik und verdammte den Kolonialismus als gleichbedeutend mit Sklaverei. Obwohl wissenschaftliche Studien an sich weniger ihrem Geschmack entsprachen, widmete sie sich eifrig dem Studium der vergleichenden Religionswissenschaften und der Philosophie. Aber es waren die «unerklärlichen Naturgesetze», die sie am spannendsten fand; durch ihre Aufgeschlossenheit für Mystizismus und alles Okkulte unterschied sie sich auch von anderen Orientalisten und legte den Grundstein für ihre zukünftigen Reisen in Tibet.

Die kleine Erbschaft einer Patentante ermöglichte Alexandra Anfang der neunziger Jahre des 19. Jahrhunderts eine Reise nach Indien und Ceylon, und während dieser Reise begann sich ihr Interesse an Religionswissenschaften auf den Buddhismus zu konzentrieren. Hélène Blavatsky, die Gründerin der Theosophischen Gesellschaft, war kurz zuvor von einem einjährigen Aufenthalt zu Füßen ihres «Gurus» im südtibetischen Schigatse zurückgekehrt. Als Alexandra die Hauptniederlassung der Theosophischen Gesellschaft in Madras besuchte, hörte sie zum ersten Mal von diesem «mysteriösen Land geheimer Kräfte, dem Land der hohen Gipfel, auf denen nach indischem Glauben die Götter thronten».

Nach einer zweiten Orientreise im Jahr 1896, auf der sie als *première chanteuse* eines Pariser Opernensembles durch Französisch-Indochina zog, gab sie ihre musikalische Laufbahn auf und schrieb sich an der Sorbonne für Sanskrit und tibetische Literatur ein. Ihr Studium finanzierte sie durch Publikationen in Fachzeitschriften. 1904 lernte sie im Alter von sechsunddreißig Jahren Philippe Néel kennen, einen entfernten Vetter, der Leitender Ingenieur bei der tunesischen Eisenbahn war. Kurze Zeit später heirateten sie. Nach wenigen Tagen war Alexandra bereits klar, daß die Heirat ein Fehler gewesen war, und beide gingen in offensichtlich freundschaftlichem Einvernehmen ihre eigenen Wege. Obwohl Philippe während der nächsten vierzig Jahre ihr treuer Briefpartner, Freund und Berater blieb, der ihre Reisen finanzierte und als ihr literarischer Agent auftrat, erwähnte Alexandra ihn in keinem ihrer Bücher. Es war fast so, als hätte sie Angst davor gehabt, seine Existenz zuzugeben – Angst, ihr eigenes und das Vertrauen der Welt in ihre Selbständigkeit zu untergraben. 1909 wurde ihr ein Lehrauftrag für vergleichende Religionswissenschaften an einer belgischen Universität angeboten, und Ende 1910 wurde sie vom französischen Erziehungsministerium mit «einigen orientalistischen Forschungen», einschließlich – falls möglich – eines Interviews mit dem Dalai-Lama beauftragt.

Sie brach 1911 von Paris nach Indien auf in der Erwartung, daß ihre Reise höchstens einige Monate dauern würde. Tatsächlich währte sie vierzehn Jahre lang. Das Gespräch mit dem Dalai-Lama kam einer Offenbarung gleich. Er lebte in der Nähe von Dardschiling im Exil, und als sie dorthin reiste, erlebte sie das erste Mal die dunkel bewaldeten Hänge und schneebedeckten Gipfel des Himalaja. «Dieses Land hier war tatsächlich ganz anders als alle anderen – was für ein unvergeßlicher Anblick.» Ebenso traumhaft erschien ihr der königliche Hofstaat. Die Mönche aus dem Gefolge des tibetischen Gottkönigs waren von höflicher Gelassenheit, sie trugen gelb glänzenden Satin, dunkelrote Umhänge und goldenen Brokat und «erzählten phantastische Geschichten von einem Land der Wunder». Die festlich-adrett gekleidete Akademikerin aus Paris erfuhr gebannt, wie die Worte der freundlichen Lamas ihren trockenen, theoretischen Studien Leben einhauchten: Dies hier war der wahre Buddhismus, tiefgründig, lebendig, ohne Grenzen. «Endlich hatte ich die stille Einsamkeit meiner Kinderträume gefunden. Mir war zumute, als wäre ich von ermattender freudloser Wanderschaft heimgekehrt.»

Seine Heiligkeit war überrascht und beeindruckt von Alexandras Wissen und Verständnis der buddhistischen Lehre, das in dieser Weise bei einem Europäer selten und für eine Frau aus dem Westen einzigartig war. Er gab der Überzeugung Ausdruck, daß sie eine tiefere Wertschätzung des sogenannten «Lamaismus» oder tibetischen Buddhismus erlangen könnte, wenn sie sich intensiv dem Erlernen der tibetischen Sprache widmete. Alexandra brauchte kein weiteres Zureden.

Auf Einladung des Kronprinzen von Sikkim, der am Hofe des Dalai-Lama zu Gast und selbst ein Gelehrter von beachtlichem Rang war, reiste sie in die Hauptstadt Sikkims, Gangtok. Der Prinz überließ ihr die Bibliothek zur freien Verfügung und wies ihr den Direktor der tibetischen Schule, Dawasandup, als Übersetzer zu. Dieser wiederum stellte sie weiteren Lehrern und Lamas vor, die sich über ihr Interesse freuten und sie gern dabei förderten. Allmählich verschwanden die Gedanken an Paris aus ihrem Bewußtsein, der Auftrag des französischen Erziehungsministeriums war vergessen, und Alexandra fühlte sich immer tiefer in die Mysterien des tibetischen Buddhismus hineingezogen. Und so begann ihre Wanderschaft.

Mit Dawasandup reiste sie mehrere Monate durch Sikkim. In abgelegenen Klöstern wurde sie in religiöse Rituale und Zeremonien eingeweiht; in der *gompa*, oder der Lamaklause, eines aus Tibet geflohenen Doktors der Philosophie vertiefte sie sich hoch oben im Gebirge in Meditation und heilige Schriften. «Schritt für Schritt konnte ich den Schleier lüften, der das wirkliche Tibet und seine religiöse Welt verbirgt.» Als sie ihren Wunsch äußerte, über die sikkimesisch-tibetische Grenze hinaus nach Norden zu ziehen, teilte ihr Dawasandup schweren Herzens mit, daß er sie wegen seiner Lehrverpflichtungen nicht begleiten könne. Statt dessen machte er sie mit einem seiner Schüler bekannt, einem fünfzehnjährigen sikkimesischen Jungen namens Yongden, den er ihr als Führer, Dolmetscher und Diener empfahl. Yongden blieb zeit seines Lebens bei Alexandra, zunächst als ihr Gefährte und später als ihr rechtmäßig adoptierter Sohn.

Abgesehen von einer glücklosen Reise nach Benares, wo sie fast augenblicklich krank wurde, verbrachte Alexandra die nächsten fünf Jahre mit Reisen und Studien in den Bergen. 1914 bewog sie ihr «heftiger Wunsch, ein kontemplatives Leben nach den Regeln des tibetischen Buddhismus zu führen», zehn Monate als Einsiedlerin in einer mehr als viertausend Meter hoch gelegenen Höhle im Himalaja von Sikkim zu verbringen. Nach dieser überaus bereichernden Erfahrung konnte sie die Aussicht, in die «leidensvolle Welt dort unten» zurückzukehren, kaum ertragen. Mit der ihr eigenen unverbesserlichen Unbestimmtheit in bezug auf Daten (als ob die Großartigkeit ihrer Erfahrungen dadurch geschmälert würde) erwähnt Alexandra lediglich, daß «der Sommer nahte», als sie mit Yongden erstmals die Grenze zu Tibet überquerte. Obwohl ihr klar war, daß es sich um verbotenes Territorium handelte, hatte sie dennoch genug erfahren, um zu wissen, daß ihre Erlebnisse in Sikkim und Nepal ihr nur ein schwaches Abbild des in Tibet existierenden Buddhismus vermitteln konnten. Das Risiko lohnte sich.

Immer höher stiegen wir. Wir bewegten uns den gewaltigen Gletschern entlang und erhaschten gelegentlich einen Blick auf wolkenverhangene Quertäler. Und dann tauchte mit einem Schlag das tibetische Hochland in seiner ungeheuren Weite und Einsamkeit aus dem Nebel vor uns auf, strahlend unter dem leuchtenden Himmel Zentralasiens ... Nichts hat jemals in meinem Gedächtnis die Erinnerung an diesen ersten Blick auf Tibet getrübt.

Bei diesem ersten Besuch taten sie wenig mehr als wandern und staunen. Einige Monate später jedoch wagten sie sich, durch diesen anfänglichen Erfolg ermutigt, wieder in das Verbotene Land. Diesmal zogen sie bis zu dem berühmten Kloster Taschilunpo bei Schigatse, dem Sitz des Taschi-Lama und dem Ort, an dem Hélène Blavatsky ihre okkulten Studien betrieben hatte. Alexandra bemerkte zu ihrer Freude, daß sie ihre Zeit als Einsiedlerin «in diesem Land zu einer gewissen Berühmtheit» gemacht hatte. Der Taschi-Lama hieß sie mit großer Freundlichkeit willkommen und versuchte, sie zum Bleiben zu überreden, um ihre Studien fortzusetzen. Sie fand in ihm einen gelehrten, freiheitlich gesonnenen Mann von hoher Geisteskraft und räumte ein, daß sein Vorschlag sie sehr reizte. «Aber ich hatte nicht mit solch einem Angebot gerechnet. Mein Gepäck, meine Aufzeichnungen, die Sammlung fotografischer Negative (wie konnte man solche Dinge für wichtig halten?) waren zurückgeblieben, einige in Verwahrung bei Freunden in Kalkutta, andere in meiner Einsiedelei. Wieviel gab es für mich noch zu lernen, wie einschneidend war die notwendige geistige Veränderung, um einige Jahre später zu einer heiteren Vagabundin in der Wildnis Tibets zu werden!»

Dennoch blieb sie einige Tage, führte Gespräche mit dem Taschi-Lama und genoß die tiefgründigen theologischen Diskussionen mit den Mönchen von Taschilunpo. «Die Neuartigkeit dessen, was ich sah und hörte, die besondere Ausstrahlung dieses Platzes verzauberten mich. Selten habe ich solch selige Stunden genossen.» Als sie sich schließlich losriß, überreichte ihr der Taschi-Lama die Robe eines ausgebildeten Lama und die «Ehrendoktorwürde der Universität Taschilunpo».

Während ihrer Rückreise von Tibet erreichte sie ein Kurier mit dem Brief von Charles Bell, und anläßlich eben dieses Zwischenfalls gelobte sie, wieder zurückzukehren. Aber sie hatte es nicht eilig. Sie wollte nicht versuchen, nach Lhasa zu reisen, bis sie nicht sowohl körperlich wie geistig darauf vorbereitet wäre, und erst dann, wenn sie die bestmögliche Aussicht auf Erfolg hatte, würde sie zeigen, «was der Wille einer Frau vermag».

In der Absicht, ihre Forschungen auch auf andere Richtungen des Buddhismus auszudehnen, verließ Alexandra 1917 den Himalaja und ging nach Birma, wo sie sich in den Bergen von Sagain mit den Kamatang, den kontemplativen Mönchen einer der strengsten buddhistischen Sekten, in die Einsamkeit zurückzog. Sie durchquerte Südchina und zog weiter nach Japan, wo sie einige Zeit in dem Zen-Kloster Tofouku-dschi blieb, das jahrhundertelang das Studienzentrum für die geistige Elite des Landes gewesen war. Von dort aus reiste sie nach Korea und verbrachte inmitten dichter Wälder mehrere Monate der Meditation und des Studiums mit den Novizen im Kloster von Panya-an.

Ihre europäische Lebensart hatte sie inzwischen fast völlig abgelegt. Sie trug entweder die ortsübliche Kleidung oder ihre Robe, die sie als Lama ehrenhalber bekommen hatte, und war entweder zu Fuß oder auf einem Maultier unterwegs. Sie betonte jedoch, daß dies keine Maskerade war – die Kleidung der einheimischen Bevölkerung eignete sich für ihre Zwecke einfach am besten. Und nur wenn sie die örtlichen Sitten, Kleidung und Ernährung übernahm, konnte sie wirklich zu Kenntnis und Verständnis der Menschen gelangen. Sie hatte wenig Gepäck: Kleidung zum Wechseln, einige Decken, zahllose Notizbücher, in denen sie volkstümliche Legenden sowie genaue Beschreibungen religiöser Mythen und Rituale aufzeichnete, außerdem ihren Fotoapparat und eine ständig wachsende Sammlung von Fotografien. Hin und wieder schickte sie einige Artikel nach Frankreich, wo Philippe dann für ihre Veröffentlichung sorgte. Der Erlös wurde aus Philippes eigener Tasche großzügig aufgestockt und sicherte ihr ein ausreichendes Einkommen, um ihre Reisen fortsetzen zu können. 1918 erreichte sie Peking, wo sie ursprünglich eine Weile bleiben wollte. Aber nach einem Jahr Abwesenheit von Tibet zog es sie wieder dorthin zurück.

Seit Jahren habe ich vom fernen Kumbum geträumt und nie gewagt zu denken, daß ich jemals dorthin kommen würde. Aber nun ist die Reise eine beschlossene Sache. Ich werde ganz China durchqueren, um die nordwestlichen Grenzgebiete zu tibetischem Territorium zu erreichen.

Alexandra war nun fünfzig Jahre alt. Ungeachtet dessen war sie so mit ihren Studien beschäftigt und liebte ihr einsames Wanderleben so sehr, daß sie der Aussicht auf die Durchquerung der Weiten Chinas ohne Bedenken entgegensehen konnte. Von Peking aus schloß sie sich mit Yongden einer Karawane an: zwei reichen Lamas, die mit ihrem Gefolge nach Tibet zurückkehrten, einem chinesischen Kaufmann mit seinen Dienern und einigen Mönchen und Reisenden, die froh über den Schutz waren, den eine größere Gruppe auf den unsicheren Straßen bot. Sie würden sieben Monate brauchen, um das dreitausend Kilometer entfernte Kumbum zu erreichen. Im Gefolge der chinesischen Revolution von 1911 gegen die Mandschu-Dynastie war die öffentliche Ordnung zusammengebrochen, und im Innern Chinas herrschte immer noch Bürgerkrieg. Des öfteren mußten sie weite Umwege in Kauf nehmen, um nicht in schwere Kämpfe verwickelt zu werden, und mehr als einmal gerieten sie ins Schußfeuer. Aus der belagerten Stadt Tungtschau entkamen sie nur, weil sie sich in einem strohbeladenen Karren versteckten und mitten in einem Gewitter das Weite suchten. Eine Begebenheit, an die sich Alexandra in späteren Jahren noch sehr lebhaft erinnerte, war eine Teegesellschaft beim Gouverneur von Schensi.

Der Feind hat die Stadt umstellt. Den Tee servieren Soldaten mit geschulterten Gewehren und Revolvern im Gürtel, bereit, augenblicklich Widerstand zu leisten, sollte ein Angriff erfolgen. Doch am Teetisch unterhalten sich Gelehrte und genießen ihre intellektuellen Spielereien. Wie fein und zivilisiert die Chinesen sind und wie liebenswert, trotz ihrer Fehler.

Das tibetische Wort für Kloster, *gompa*, bedeutet wörtlich «Haus in der Einsamkeit». Die berührte *gompa* von Kumbum war jedoch nicht einfach ein Haus, sondern eine Gemeinde von ungefähr viertausend Menschen in der Einsamkeit des nur ungenau abgegrenzten Niemandslandes zwischen China und Tibet. Die Steinbehausungen der Lamas von Kumbum am Fuße eines Hügels glichen einem Haufen durcheinandergewürfelter Felsblöcke und waren an den steilen Hängen übereinander geschichtet, als ob sie sich nach einem Platz in der Nähe der Tempel mit den goldenen Kuppeln drängten, die direkt aus den felsigen Gipfeln selbst herauszuwachsen schienen.

Als *trapa* oder studierender Lama war Yongden in Kumbum ein willkommener Besucher. Alexandra und ihm wurden bescheidene Unterkünfte in den Palastbezirken des Pegyai-Lama zugewiesen, eines ehrwürdigen Lehrers und Angehörigen der «Rotmützen»-Sekte, in deren Kloster Yongden sein Noviziat verbracht hatte. Alexandra sprach nun fehlerfrei Tibetisch und Pali (die heilige Sprache des Buddhismus), und sie hatte mehrere der regionalen Dialekte erlernt. Mit diesen Kenntnissen waren ihr sogar die geheimnisvollsten buddhistischen Bücher und Manuskripte zugänglich. Die beachtliche Bibliothek des Klosters stand ihr frei zur Verfügung, Autoritäten zu allen Aspekten des tibetischen Buddhismus waren ihre unmittelbaren Nachbarn. Fast täglich fanden Zeremonien und Rituale, Einweihungen und Festlichkeiten vor ihrer Haustür statt. Lehranstalten für Philosophie, Metaphysik, Rituale und Magie und die Heiligen Schriften waren dem Kloster angegliedert: Kumbum war der ideale Ort für Alexandra, um ihre Studien fortzusetzen. Da sie keine Eile hatte, ihr Gelübde zu erfüllen und nach Lhasa zu gehen, blieb sie drei Jahre in Kumbum.

Zu Füßen hagerer, langhaariger Asketen lernte Alexandra die mystische Versenkung, die zur Erleuchtung führt. Mit «wissenschaftlichem Interesse» studierte sie solch übersinnliche Phänomene wie zum Beispiel *lung-gom*, die Kunst, quasi wie ein Märchenriese in Siebenmeilenstiefeln mit überirdischer Geschwindigkeit weite Entfernungen zurückzulegen, oder *thumo reskiang*, ein Verfahren, bei dem der Novize lernt, nur in ein Baumwolltuch gehüllt – oder sogar völlig nackt, wenn er es schon zu einer gewissen Meisterschaft in dieser Kunst gebracht hat – allein durch seine innere Körperwärme monatelang Temperaturen weit unter dem Gefrierpunkt zu überstehen. Sie beobachtete Medien, wie sie in Trance verfielen und «in Zungen redeten». Ihr wurden die Wirkungsweisen einer verwirrenden Vielzahl von Schutzzaubern gegen die Kräfte übelwollender Dämonen erklärt. Sie wurde Zeugin, wie Eingeweihte «Botschaften mit dem Wind aussandten». «Telepathie», so stellte sie fest, «ist ein Zweig der tibetischen Geheimwissenschaften, der dieselbe Funktion wie im Westen die drahtlose Telegraphie einzunehmen scheint.»

Alexandra war allen neuen und eigenartigen Ideen gegenüber völlig offen und ging ganz in ihren Studien auf; dennoch verließ sie ihr kritischer Geist nie. Wenn sie für «übersinnliche» Phänomene schlüssige Erklärungen finden konnte, stellte sie diese dem Leser neben der mystischen Version dar und überließ ihm die Entscheidung. Erkannte sie kleine Betrügereien und Tricks – und dies geschah recht häufig –, deckte sie sie mit unbarmherzigem Humor auf. Trotzdem gab sie selten ein abschätziges Urteil ab und versuchte nie, sich durch unnötige Geheimniskrämerei wichtig zu machen.

Obwohl sie vor den dunkleren Seiten des tibetischen Okkultismus, vor «den makaberen Gedanken und Praktiken, die sich hauptsächlich mit Leichen befassen», zurückschreckte, scheute sie sich nicht, selbst einige kleinere Wunder zu versuchen. Dies waren in der Hauptsache Prophezeiungen mit Hilfe des gesunden Menschenverstands, scharfsinnigen Ratens und einer guten Portion Glück sowie einige einfache Krankenheilungen. Doch sie gab ehrlich zu, daß «der Zufall, der feste Glaube und die robuste Natur meiner Patienten das Wundertun leichtmachten, und auch als Orakel hatte ich die erfreulichsten Erfolge zu verzeichnen». Um Mißverständnissen bei ihren westlichen Lesern vorzubeugen, erklärte sie:

Tibeter glauben nicht an *Wunder*, d. h. an Übernatürliches. Sie sehen die außergewöhnlichen Dinge, die uns in Erstaunen versetzen, als Werk *natürlicher* Kräfte an. Diese wirken entweder unter besonderen Bedingungen oder durch das Können eines Menschen, der über das Wissen zur Freisetzung dieser Kräfte verfügt. Manchmal ist auch ein Individuum beteiligt, das, ohne es zu wissen, diese Kräfte in sich trägt, mit denen materielle oder geistige Bewegungen und außergewöhnliche Erscheinungen entstehen können. Sie glauben auch, daß sehr lange und intensive geistige Konzentration den Gegenstand der Meditation zu lebendiger Wirklichkeit erstehen lassen kann. Immer handelt es sich jedoch dabei um natürliche Energien, die entweder spontan wirken oder von Individuen mit entsprechenden Fähigkeiten gesteuert werden.

Das Wesen und die Grundlage dieser Überzeugungen brachte Alexandra mit den tibetischen Umweltbedingungen in Verbindung, die sich auf übersinnliche Wahrnehmungen besonders förderlich auswirkten: die extreme Höhe, die Einsamkeit und lautlose Stille und die natürliche Gelassenheit der Tibeter.

Doch Alexandra war nicht nach Tibet gekommen, um sich mit Wundern zu befassen. Sie wollte «vor allem die Formen erforschen, die der Buddhismus während seiner Veränderung zum tibetischen Buddhismus annahm, indem er sich mit Lehren und rituellen Elementen vermischte, die entlehnt waren aus dem Tantrismus Nepals und der alten [Natur-]Religion Bön, die vor Einführung des Buddhismus in Tibet herrschte».

Der Aufenthalt in Kumbum verstärkte Alexandras Hinwendung zum Buddhismus. Für eine abtrünnige Katholikin war das Wunderbarste daran vor allem die vollständige geistige Freiheit nicht allein für die Laien, sondern auch für die Mönche selber. «Jeder Mönch», so schrieb Alexandra begeistert, «kann die Lehre annehmen, die er für richtig hält, und selbst wenn er ausgesprochen ungläubig ist, ist das ausschließlich seine Sache.» Je länger sie «in dieser majestätischen Wildnis auf dem Dach der Welt» war, desto mehr verstand und schätzte sie die Entwicklung des Lamaismus. Über die Jahrhunderte hinweg war er die Religion schlechthin, die die Bewohner eines der höchstgelegenen und unwirtlichsten Länder der Welt mit dem geistigen Rüstzeug versah, um unter unerbittlichen, manchmal sogar unerträglichen Bedingungen zu überleben. «Wer darüberstehen kann, könnte sogar in der Hölle angenehm leben» war einer der Kernsätze in den Kollegien von Kumbum. Nach drei Jahren glaubte Alexandra zu wissen, daß sie «darüberstehen konnte». Sie war bereit, ihr Gelübde zu erfüllen.

Alexandra und Yongden verließen Ende des Jahres 1922 Kumbum. «Leb wohl, Beschaulichkeit!... Es geht endlich fort!» Mit diesen Worten beginnt «Mein Weg durch Himmel und Höllen». In Anbetracht ihrer inzwischen fundierten Kenntnisse der Religion und der alten Schriften hatten ihr die Lamas von Kumbum den Titel eines Lama ehrenhalber verliehen – eine Auszeichnung, die weder davor noch danach jemals einer Europäerin zuteil geworden ist und auf die sie mit Recht ihr Leben lang stolz blieb.

Bevor jedoch die eigentliche Reise begann, hatten sie noch einen langen Weg vor sich. Von Kumbum aus ging es sieben Monate lang südwärts durch die westchinesische Provinz Szetschwan. In der kleinen Stadt Likiang am Jangtse-Fluß in Jünnan trafen sie die letzten Vorbereitungen für das große Abenteuer. Die Route, für die sie sich entschieden hatten, sollte sie um den Nordzipfel Birmas herum über die Flüsse Mekong und Saluën direkt in westlicher Richtung nach Lhasa führen. Indem sie Tibet von China aus betrat, hoffte sie, jede Begegnung mit weiteren «verschlagenen britischen Regierungsbeamten» zu vermeiden. Die Route war zwar ein Umweg, doch würden dort nur wenige Leute Ausländer erwarten.

Der Weg führte sie über mehr als sechstausend Meter hohe Pässe, fiel in die tiefsten Täler ab, verlor sich auf düsteren, sturmgepeitschten Gletschern und wand sich durch Wüsten, in denen nur umherziehende Räuberbanden lebten. Die Entfernung in der Luftlinie zwischen Likiang und Lhasa betrug elfhundert Kilometer, auf dem Pilgerpfad waren es jedoch tausendsiebenhundert Kilometer durch einige der gewaltigsten Landschaften der Erde – und als Pilger hatten sie immerhin beschlossen zu reisen.

Frühere Erfahrungen hatten mich überzeugt, daß ich in der Verkleidung einer armen Reisenden am wenigsten auffiel. Die meisten meiner Reisegefährten würden wahrscheinlich Pilger aus den verschiedensten Regionen Tibets sein, und wir konnten daher gar nichts Besseres tun, als uns wie unauffällige gewöhnliche *ardschopas* unter sie zu mischen. *Ardschopas* sind bettelnde Pilger, die das ganze Jahr hindurch von einem zum anderen der Tausende von Heiligtümern durch Tibet ziehen. Meistens, wenn auch nicht immer, gehören sie als Mönche oder Nonnen einem religiösen Orden an. Yongden sah man an, daß er ein richtiger, ausgebildeter Lama war, und ich, seine «alte Mutter», die aus reinster Frömmigkeit diese lange Pilgerfahrt unternahm, war ohne Zweifel eine rührende, sympathische Person.

Für diese Entscheidung gab es einen zweiten Grund. Als Sikkimese hatte Yongden keinerlei Schwierigkeiten, sich als Tibeter auszugeben, und niemand würde seine Berechtigung anzweifeln, als Lama durch Tibet zu reisen. Alexandra hingegen sah sich trotz ihrer perfekten Sprachkenntnisse und ihrer Vertrautheit mit allem Tibetischen einer fast unüberwindlichen Schwierigkeit gegenüber. Fotos von ihrem Aufenthalt in Kumbum, als sie zweiundfünfzig Jahre alt war, zeigen eine kleine, stämmige, vollbusige Frau mit rundem Gesicht. Man hätte sie vielleicht für eine städtische Schuldirektorin oder die *patronne* einer Pariser Café-Bar halten können. Aber selbst in der Kleidung eines Lama mit spitzem tibetischem Hut sah sie nicht im entferntesten wie eine Tibeterin aus. Die zerlumpten Kleider, Schichten verkrusteten Drecks und das demütige, bescheidene Verhalten einer armen *ardschopa* würden die beste Tarnung für sie abgeben. Dementsprechend gewandete sie sich in eine weite braune Pilgerkutte, die wie ein übergroßer Morgenrock aussah, und verbarg ihre helle Haut unter mehreren Schmutzschichten. Ihr Haar färbte sie mit schwarzer chinesischer Tusche, steckte lange Zöpfe aus Yakhaar darin fest, schlang einen alten roten Stoffgürtel wie einen Turban um den Kopf und schwärzte ihr Gesicht mit einer Mischung aus Kakao und zermahlener Holzkohle.

Auch ihre Habseligkeiten mußten den Rollen entsprechend spärlich sein. Alexandra verpackte ihre Notizbücher, alle entbehrlichen Kleidungsstücke und möglicherweise verräterischen Gegenstände wie Schreibzeug und Zahnbürsten und sandte sie zur sicheren Aufbewahrung an eine Missionsstation. Als sie selbst das dann verbliebene wenige Gepäck noch zu schwer fanden, ließen sie auch noch ihre Decken und eine wasserdichte Unterlage zurück. Nun blieben ihnen nurmehr die Kleider, die sie am Leib trugen, eine Eßschüssel für jeden, ein Aluminiumtopf, der «zugleich Kessel, Teekanne und Kochgeschirr» war, ein Dolch und zwei Paar Eßstäbchen. «Zu Fuß reisende Pilger, als die wir uns ausgaben, haben eben nicht mehr.»

Sie wußte, daß sie nur dann eine Chance hatte, ihr Ziel zu erreichen, wenn sie sich ganz und gar auf die Sache einließ. Ein kleines Baumwollzelt, um sie vor den schlimmsten Unwettern zu schützen, ein alter Revolver und einige Goldstücke in einer Geldkatze unter ihren Gewändern sowie eine Kartenskizze mit dem Weg nach Lhasa, die sie in ihren Stiefeln versteckte, waren die einzigen Zugeständnisse an ihre wahre Identität. Doch ihre Gründlichkeit beruhte nicht nur auf gesundem Menschenverstand. Nachdem sie die Entscheidung getroffen hatte, ihre Studien für diese herausfordernde Aktion zu unterbrechen, war sie fest entschlossen, das Beste daraus zu machen. Mit der Reise nach Lhasa verfolgte sie nicht nur den Zweck, den Behörden, sondern vor allem sich selbst ihre Fähigkeiten zu beweisen. Als sie ihr Bündel schulterte und sich auf den Weg machte, wirkte diese Reise wie der selbstverständliche Höhepunkt der vergangenen zwölf Jahre. Die langen Monate des Studiums und der Meditation, die Einsamkeit, Selbstverleugnung und Entbehrungen schienen die Vorbereitung für diese höchste Erfahrung gewesen zu sein.

Als sie sich der chinesisch-tibetischen Grenze näherten, verließen sie den Hauptweg der Pilger und wanderten auf schmalen Bergpfaden weiter. Chinesen und Tibeter waren wie die Briten gleichermaßen entschlossen, Fremde von Tibet fernzuhalten, und die Beamten beider Regierungen hatten ein wachsames Auge für alle verdächtigen Gestalten, die sich dieser Grenze näherten oder versuchten, sie zu überqueren. Der geringste Hinweis darauf, daß der junge Lama und seine alte Mutter keine echten Pilger waren, hätte sofort zu ihrer Verhaftung geführt. Zwei Wochen lang wanderten sie ausschließlich nachts, mieden alle Dörfer und verliefen sich oft in der Dunkelheit. Tagsüber schlüpften sie in Höhlen unter oder versteckten sich im Wald. Aus Furcht, die Aufmerksamkeit von Schafhirten oder Holzfällern auf sich zu ziehen, die vielleicht über denselben Steig gingen, wagten sie nicht, das Zelt aufzustellen. Statt dessen benutzten sie es als zusätzliche Decke, wenn sie sich in einem geeigneten Graben oder einer Vertiefung mit dem Gepäck zwischen sich niederlegten und das Zelt darüberdeckten. «Wenn Schnee gefallen war, sah das weiße, auf dem Boden ausgebreitete Zelt mit einigen trockenen Blättern und Zweigen darauf genauso aus wie jeder andere Flecken Schnee, und wir fühlten uns darunter recht sicher.»

Unter dem Druck dieser ersten Tage ihres Marsches hat Alexandra anscheinend die Disziplin ihrer angenommenen

Religion nicht mehr gewahrt. Weit davon entfernt, sich allem zu unterwerfen, was das Schicksal für sie bereithalten mochte, lebte sie in ständiger Angst. Den armen Yongden trieb sie dazu an, manchmal ohne Unterbrechung achtzehn Stunden zu laufen, und brachte mit ihrer Entschlossenheit, die Grenze unentdeckt zu überqueren, sowohl ihn wie auch sich selbst an den Rand des Hungertods und der Erschöpfung. Bis sie Tibet sicher erreicht hatten und einige Distanz zwischen ihnen und der Grenze lag, mußten Menschen jedweder Art unbedingt gemieden werden.

Wenn ihr auch die Aussicht, Menschen zu begegnen, schlaflose Nächte bereitete, so hatte sie doch keinerlei Angst vor physischen Hindernissen. Als der Lazaristenpriester Vater Huc fünfundsiebzig Jahre zuvor unter Bewachung durch diese Gegend aus Tibet herausgeführt wurde, gab er zu, daß ihm «der kalte Schweiß ausgebrochen» sei beim Anblick der Steilhänge in dem Gelände, durch das sie wandern sollten. Genaueres beschreibt er in seinem Buch *Travels in Tartary, Tibet and China, 1844–46*, das 1851 veröffentlicht wurde:

Diese gesamte, überaus weite Strecke von Lhasa bis zur chinesischen Grenze besteht durchgehend aus gewaltigen Bergmassiven, die durch Wasserfälle, tiefe Schluchten und enge Pässe voneinander getrennt sind. Manchmal sind diese Berge zu schreckenerregenden Formen aufeinandergetürmt und zusammengeschoben, anderswo folgen sie in einer regelmäßigen Kette wie die Zähne einer gewaltigen Säge aufeinander ... Für die Tibeter gelten jedoch nur diejenigen als echte Berge, die «das Leben der Reisenden fordern». Alles, was nicht weit in den Himmel aufragt, bezeichnen sie als «Ebene», und alles, was nicht ein Abgrund oder ein Labyrinth ist, als «angenehmen Weg».

In Alexandras Buch fehlen all die kleinen Details und Beschreibungen vollständig, die ihren Lesern das Land und seine Bewohner lebendig vor Augen geführt hätten. Der durchschnittliche Tibeter, sein Haus, seine Familie, sein Lebensunterhalt, die Landschaft – all das war ihr so vertraut, daß ihr niemals eingefallen wäre, es für andere zu beschreiben. Nur wenn sie sich außergewöhnlichen Szenerien, Personen oder Situationen gegenübersah, ließ sie ihrer Feder freien Lauf. Die Steilhänge, die Huc so schreckenerregend gefunden hatte, fand sie in keiner Weise bemerkenswert. In dieser Hinsicht wie in vielen anderen war Alexandra mehr Tibeterin als Europäerin. Die Berge beeindruckten sie nicht durch ihre äußerlichen Proportionen, sondern durch ihre jeweilige Ausstrahlung. Ihre Einstellung einem Berg gegenüber hing für sie nicht von der Höhe oder der Steilheit seiner Hänge ab, sondern von seinem Charakter. Einige Berge waren gütig, sanft, sogar einladend, vor anderen waren Demut und Ehrerbietung angebracht. Einige, und gar nicht einmal die höchsten, mußten insgesamt gemieden werden.

Wie sie sich in einer klaren Vollmondnacht gegen den Himmel abhoben, sahen die Gipfel zu beiden Seiten des sechstausend Meter hohen Dokar-Passes für sie nicht wie «drohende Wächter einer unüberschreitbaren Grenze» aus, sondern viel eher wie «verehrungswürdige, gnädige Gottheiten an der Schwelle eines geheimnisvollen Landes, die meine Liebe zu Tibet begünstigten». Ohne weitere Zwischenfälle überquerten Alexandra und Yongden die Grenze und wanderten eine Woche lang auf den hohen Bergpfaden weiter, ohne einer Menschenseele zu begegnen. Schließlich fanden sie es an der Zeit, die Pilgerroute einzuschlagen.

Die «Straßen» bestanden in diesem Teil Tibets aus einem von Dorf zu Dorf verlaufenden Wegnetz. Manchmal waren diese Wege wenig mehr als steile, kaum erkennbare Ziegenpfade. Wo allerdings mehrere Pfade zusammentrafen, konnten sie sich ein Stück weit zu gut ausgetretenen Landstraßen verbreitern, die zwei bis drei Reitern nebeneinander Platz boten. Nur wenige andere Menschen benutzten dieselbe Route oder wanderten mit derselben Geschwindigkeit wie Alexandra und Yongden. Obwohl sie sich manchmal für einige Tage der einen oder anderen Gruppe anschlossen, trennten sich ihre Wege bald wieder. Dies paßte Alexandra hervorragend. Blieben sie zu lange mit einer Gruppe zusammen, hätte dies die Wahrscheinlichkeit um ein Vielfaches erhöht, daß ihr ein Fehler unterlief und sie entdeckt wurden. Zusätzlich kamen ihre Weggefährten, die meistens Pilger waren, aus völlig verschiedenen Gegenden Tibets. Sie trugen unterschiedliche Kleidung, sprachen verschiedene Dialekte und sahen ganz unterschiedlich aus. Alexandra und Yongden hofften, in dieser bunten Menge unterzugehen, da ihre eigenen Besonderheiten in Aussehen, Kleidung oder Akzent in dieser Vielfalt nicht mehr auffielen. Einem Pilger aus dem Norden des Landes, der sie nach ihrer Herkunft fragte, erzählte sie, sie kämen aus dem Süden, und umgekehrt. Wer zu beharrlich fragte, erhielt beiläufig den Hinweis, daß es sich bei dem Lama um einen *ngagspa*, einen Zauberer, und bei seiner Mutter um eine *pamo* handelte, ein von Göttern oder Dämonen besessenes weibliches Medium. Alexandra verdeutlichte dies dann durch einen furchteinflößenden Gesichtsausdruck, gackerndes Gelächter oder gab vor, in Trance zu fallen, und der erschrockene Fragesteller nahm die Beine in die Hand.

Es vereinfachte ihr Leben sehr, daß Yongden Lama war. Die Dorfbewohner, auf deren Mitgefühl und Freigebigkeit sie angewiesen waren, glaubten, spirituelle Verdienste zu erlangen, indem sie einem heiligen Mann Almosen gaben und Hilfe zuteil werden ließen. Es beruhigte Alexandras Gewissen, daß von einem Lama im Austausch für diese Gaben bestimmte Leistungen erwartet wurden. In jedem Dorf trieb Yongdens Ankunft die Bewohner aus den Häusern. In kürzester Zeit war der Lama von Bittstellern umringt, die ihn bedrängten, etwa den Verbleib einer verlorengegangenen Kuh herauszufinden oder Gebete für die Seele eines kürzlich verstorbenen Verwandten zu sprechen.

Kaum einer der Dörfler achtete auf die kleine, braun gekleidete Frau, die ihm auf ihren Pilgerstab gestützt mit demütig niedergeschlagenen Augen folgte. Yongden stimmte die passenden Gebete an oder warf Steine in die Luft, um aus ihrem Fall die Zukunft zu erkennen. Alexandra besorgte währenddessen in aller Stille Feuerholz und Teewasser – im sicheren Wissen, daß ihnen Yongdens Beredsamkeit eine Handvoll Gerstenmehl oder einige getrocknete Aprikosen für ihr Mahl einbringen würde.

Alexandras und Yongdens Weg führte über weite Strecken immer wieder durch völlig unbewohnte Gebiete, und in den höheren Lagen waren mehrtägige Etappen ohne schützenden Wald, gastfreundliches Dorf oder kostbares Feuerholz zu bewältigen. Kein Pilger hätte solche Annehmlichkeiten zurückgewiesen, wenn sie ihm schon angeboten wurden. Wenn Alexandra und Yongden in die Nähe eines Dorfes kamen und dann darauf beharrt hätten, sich in den Wald oder eine Höhle zurückzuziehen und dort allein zu lagern – wie sie es eigentlich vorgezogen hätten –, so wären sie sofort zum Gegenstand großer Neugier und sogar verdächtig geworden. Um ihre Tarnung aufrechtzuerhalten, mußten sie deshalb jede Form der Gastfreundschaft annehmen, die ihnen auf ihrem Weg angeboten wurde.

Selbst im ärmsten Haushalt konnte Yongden als Lama sicher sein, noch das leckerste Stück aus dem Gemeinschaftstopf und eine Schlafunterlage aus Schaffellen nah beim Feuer zu erhalten. Alexandra hingegen maß man wenig Bedeutung bei, und sie wagte es nicht, irgendwie auf sich aufmerksam zu machen. Sie mußte mit einem Sitzplatz auf dem rauhen, schmutzigen Boden in der hintersten Ecke, mit den letzten Resten eines gewöhnlich ohnehin wenig appetitlichen Mahls und, wenn sie Glück hatte, mit Sackleinen als Unterlage auf einem engen Schlafplatz zufrieden sein. Doch um so mehr bedeutete ihr der Lohn für diese Mühseligkeiten. «Ich wußte, daß diese Buße nicht ohne Belohnung blieb. Ich lebte in unmittelbarer Nähe von Herz und Seele der Massen in diesem unbekannten Land, Seite an Seite mit den Frauen, denen noch nie eine Fremde begegnet war.» Gelegentlich sehnte sie sich allerdings nach den Zeiten zurück, als die Rollen noch anders verteilt waren.

Vor Jahren, als ich auf einer Reise im Norden des Landes meine prunkvollen Lamagewänder trug, da hatte das Volk mich um meinen Segen gebeten; ich mußte die Kranken anhauchen, um sie gesund zu machen, und man bat mich um alle erdenklichen Prophezeiungen ... Aber diese ruhmreiche Zeit war nun vorbei! Jetzt spülte ich bescheiden unseren Teetopf im Fluß, während Yongden seinen aufmerksamen Zuhörern feierlich die Geheimnisse der Zukunft enthüllte.

Die Beziehung zwischen Alexandra und Yongden war in ihrer gegenseitigen Hingabe rührend. Diese starke, eigensinnige, so eifersüchtig auf ihre Unabhängigkeit und Freiheit bedachte Frau lebte mit dem jungen Mann aus Sikkim all die Zuneigung und die Gefühle aus, die in jeder anderen ihrer zwischenmenschlichen Beziehungen zu fehlen schienen. Sie lehrte ihn Französisch und Englisch, teilte ihre Studien, Besitztümer und Gedanken mit ihm; der Stolz auf seine Erfolge und ihr starkes Verantwortungsgefühl für sein Wohlergehen hätten gegenüber einem leiblichen Sohn nicht größer sein können.

Yongden war andererseits Alexandra gegenüber treuer und ergebener, als die meisten Mütter es von ihren Söhnen jemals zu hoffen wagen. Ihre Herrschsucht und ihre Gefühlsausbrüche scheint er mit gleichbleibender Gelassenheit ertragen zu haben. Er war nun fünfundzwanzig Jahre alt und seit zehn Jahren ohne Unterbrechung mit ihr zusammen, ertrug Gefahren und Unannehmlichkeiten und riskierte mit ihr oder um ihretwillen sogar sein Leben. Er war je nach ihrer augenblicklichen Stimmung ihr Gefährte, Sekretär, Diener, Ratgeber, Prügelknabe oder Held, ohne sich – wenn man Alexandra Glauben schenken kann – jemals zu beschweren.

Als sie die schwierigste und abweisendste Bergkette auf ihrem Weg erreichten, war es Dezember. Seit ihrem Aufbruch von Likiang waren sie nun zwei Monate unterwegs gewesen. Obwohl Alexandra immer noch täglich damit rechnete, entdeckt zu werden, war sie stolz auf ihr schauspielerisches Geschick, mit dem sie ihre Rolle spielte. Sie konnte genauso herzzerreißend jammern wie die ärmste Bettlerin, sie konnte so ausdauernd und laut beten wie die frommsten Pilger, doch am zufriedensten war sie darüber, daß sie gelernt hatte, mit der äußerst dürftigen Kost auszukommen und sich dabei sogar noch wohl zu fühlen.

Ihre ausgezeichnete Gesundheit schrieb sie «guter Luft und langen Wanderungen» zu sowie ihrer Gewohnheit, wirklich jeden Morgen eine Tasse heißen, gesalzenen Tee zu trinken. Wenn der Hunger nagte, rief sie sich mit aller Strenge ins Bewußtsein, daß sie nicht nach Tibet gekommen war, um dort die «Gastronomie zu genießen». Statt dessen konzentrierte sie sich darauf, das Beste aus den Gaumenfreuden zu machen, die sie vorfand: eine Steckrübe, ein Rettich oder vielleicht ein kleines Stück Speck. Diese Leckerbissen verkochte sie zu einer wäßrigen Suppe als Ergänzung zu *tsampa*: Gerstenmehl, das mit Tee, Wasser oder Butter zu einem dicken Teig geknetet ihr Grundnahrungsmittel bildete. Ihre tägliche Ration bestand aus einer solchen Mahlzeit.

Als allerdings der Aufstieg zum nächsten, sechstausend Meter hohen Paß bevorstand, brach Alexandra mit dieser strikten Regel und entschloß sich zur Zubereitung eines besonders guten Frühstücks aus Tee *und* Suppe. Danach «fühlen wir uns so gestärkt, daß wir bis zum Himmel hinaufklettern könnten.

Wir messen kühnen Blicks den ersten Gebirgszug, wie er sich gegen den Horizont abhebt. Wie froh ich war, dort zu sein, auf dem Weg zu den Geheimnissen dieser unentdeckten Höhen, allein in überwältigender Stille, in der ich wohltuende Einsamkeit und Ruhe genoß.»

Es wurde schnell klar, daß sie die «Geheimnisse der unentdeckten Höhen» gründlich unterschätzt hatten. Die Karte, die Alexandra so sorgfältig in ihren Stiefeln versteckte, war unbrauchbar. Sie hatte bereits herausgefunden, daß die Namen darauf überhaupt nicht mit denen übereinstimmten, die die Bewohner verwandten, und daß Flüsse und Berge nie richtig eingezeichnet waren. Aber da sie wußten, daß es für Pilger völlig unangebracht war, Neugier auf die vorausliegende Wegstrecke zu zeigen, konnten sie nur ganz allgemeine und unbestimmte Erkundungen über das Gebiet hinter den Bergen einziehen. Sie hatten von einem Weiler gehört, von Yakherden und sogar von einem außergewöhnlichen Schrein in einem Tal auf der anderen Seite des Passes – das war alles. Als sie sich jetzt mühsam hinaufkämpften, bereute Alexandra ihre Zurückhaltung. Wie hoch sie auch stiegen, der Horizont vor ihnen schien so weit weg wie je zuvor, und mit jedem Höhenmeter wurde die Luft kälter und der eisige Wind schneidender.

Schließlich erreichten sie den Paß, dessen Höhe Alexandra auf über sechstausend Meter schätzte. Doch statt der Aussicht in das nächste geschützte, einladende Tal lag ein weites, hügeliges, verschneites Plateau vor ihnen, das anscheinend auf allen Seiten von hoch aufragenden, eisigen Gipfeln umgeben war. Es gab kein Anzeichen eines Weges und keinen Hinweis, wohin sie sich wenden sollten.

Wie nie zuvor stand ich unter dem Eindruck des Mißverhältnisses zwischen der riesigen Gletscherkette, den vielen endlosen Abhängen einerseits und den zwei kümmerlichen Reisenden andrerseits, die sich mutterseelenallein in dieses unberührte, phantastische Bergland gewagt hatten. Mich ergriff das tiefste Mitleid bei dem Gedanken, daß mein junger Freund, mein Gefährte auf schon so mancher abenteuerlichen Reise, hier in diesem Schneeland vielleicht bald den Tod finden könnte. Es war einfach meine Pflicht, den Weg zu entdecken, es mußte und würde mir gelingen.

Und natürlich schaffte sie es irgendwie. Acht Tage lang kletterten und bahnten sie sich mühselig einen Weg durch den tiefen Schnee der Pässe, in steile Schluchten hinab und über öde, sturmgepeitschte Ebenen. Sie verbrauchten ihre ganzen Vorräte und lebten drei Tage von geschmolzenem Schnee. Als kaum noch Brennbares mehr zu finden war, entschloß sich Alexandra, die *thumo*-Riten zu versuchen, die sie in Kumbum gelernt hatte. Mit einem Feuerstein und einem Stück Moos unter ihren Kleidern saß sie auf dem Boden und fiel in die erforderliche Trance. Innerhalb weniger Minuten fühlte sie «es heiß wie Feuer aus Kopf und Fingern spritzen», und nach kurzer Zeit flackerten ein kleiner Haufen Gras und getrockneter Yakdung in den lebensrettenden Flammen.

Ob die von ihr erzeugte Hitze wirklich entstanden war oder nur in ihrer Vorstellung existierte, erschien Alexandra später unwichtig; Tatsache war, daß ihr die Anwendung mystischer Kräfte mehr als einmal das Überleben unter Bedingungen ermöglicht hatte, die anders nicht auszuhalten gewesen wären.

Mit Sicherheit hatten die Anstrengungen und Strapazen der Reise, die Monate qualvoller Entbehrungen in gleichbleibend großer Höhe sowohl auf ihre körperliche wie ihre seelische Gesundheit eine einschneidende Wirkung gehabt. Die kleine, verhutzelte, wettergegerbte Gestalt, die voller Entschlossenheit über die tibetischen Berghöhen zog, war nun spindeldürr. Die Auswirkungen von Hunger und völliger Entkräftung verstärkten ihre Neigung, hinter jeder Erfahrung nach deren mystischen Elementen zu suchen und sich darin zu verlieren. Mangelhafte Ernährung und die dünne Luft hatten Alexandra in einen erweiterten Bewußtseinszustand hart an der Grenze zur Sinnestäuschung versetzt.

Als es auch nach einer Woche noch keine Anzeichen von menschlicher Besiedlung, von Yakherden oder dem berühmten Heiligtum gab, empfand sie keine Furcht, sondern ein erhebendes Gefühl von Einsamkeit, «als ob wir die ersten Bewohner und Herren der Erde wären». Der Schnee fiel inzwischen so dicht, daß sie Gefahr liefen, darunter begraben zu werden. Doch sie bemerkte nur, daß die Größe der Schneeflocken sie an schöne Schmetterlinge erinnerte. Als es in dem Schneesturm selbst unter Zuhilfenahme von *thumo* keine Hoffnung mehr gab, ein Feuer zu entzünden, und sie eine ganze Nacht lang durchlaufen mußten, um sich warm zu halten, streckte sie in ihrem Überlebenskampf den Elementen nur lachend ihre knochige Faust entgegen. Der Sturm hatte sich gerade gelegt, und das Wetter war wieder so weit klar geworden, um den Blick auf den Abstieg aus dieser scheinbar endlosen Ebene freizugeben, als Yongden ausrutschte. Er fiel in eine kleine Gletscherspalte und verstauchte sich dabei ziemlich ernst den Knöchel.

Leichten Mutes verkündete Alexandra, daß sie den Mann den Berg hinabtragen wolle. Doch diese Heldentat war selbst für sie zuviel.

Bei allem guten Willen und aller Anstrengung mußte ich bald einsehen, daß meine Kräfte nicht ausreichten, meinen Pflegesohn durch den tiefen Schnee zu tragen. Zumal darunter viele Steine und ähnliche Fußangeln verborgen waren, die mich häufig zum Stolpern brachten. Yongden hatte sich nur sehr ungern tragen lassen und versuchte sich nun selbst weiterzuhelfen, indem er sich halb auf mich, halb auf seinen Stab stützte. Es war mehr ein Kriechen als Gehen, und nach wenigen Metern mußte er immer wieder stehenbleiben.

Als sie den Schutz der ersten Bäume erreichten, die sie seit einer Woche sahen, war Yongden kaum noch bei Bewußtsein, und Alexandras Stiefel waren völlig durchgelaufen. Eine weitere Nacht ohne Feuer oder warme Mahlzeit hätten sie mit großer Wahrscheinlichkeit nicht überstanden. Glücklicherweise stießen sie gerade bei Einbruch der Dunkelheit auf eine Ansiedlung. Als sie an die Tür des ersten Hauses klopften, sah sie der Besitzer erstaunt an. Woher kamen sie? Die Pässe waren seit Tagen zugeschneit – es war einfach nicht zu glauben: Sie konnten nur Heilige sein, wenn sie solch ein Wunder geschafft hatten. In dem Land, das angeblich nur von Banditen und Dieben bewohnt war – so hatte man Alexandra erzählt –, standen ihnen nun alle Türen offen, und alle Einwohner wollten unbedingt diese beiden ehrwürdigen Wesen bewirten und dadurch Verdienste erlangen.

Obwohl es bis Lhasa noch fünfhundert Kilometer waren, hatte Alexandra das Gefühl, daß ihre erfolgreiche Paßüberquerung ein gutes Omen darstellte. Die Strecke war jetzt einfach und die Landschaft unerwartet schön. Yongden warnte Alexandra vor übereiltem Optimismus, doch sie konnte ihren Elan nicht unterdrücken. Sie ignorierte den Rat ihres Begleiters und unterhielt sich freimütig mit Pilgern und Dorfbewohnern, machte Abstecher vom Weg, um verlockende Nebenstrecken zu entdecken, und wagte mutig einige Prophezeiungen, Segnungen oder sogar Flüche, wenn sich eine Gelegenheit dazu bot. Eine Hausfrau, die ihnen – unter Vorspiegelung falscher Tatsachen, wie Alexandra glaubte – die Unterkunft mit der Begründung verweigerte, sie habe einen kranken Verwandten im Haus, war zutiefst erschrocken, als sie die alte Mutter des Lama vor ihrem Fenster eine unzweideutige Pantomime aufführen sah. Zuletzt schüttelte Alexandra ihre Robe so kräftig, «als ob ich ein ganzes Heer von Teufeln loswerden wollte, die darin Unterschlupf gefunden hatten». Die entsetzte Frau bereute sofort ihr ungastliches Verhalten und bat Alexandra und Yongden, in ihrem Haus zu übernachten, doch

Alexandra wandte sich mit hochnäsiger Miene ab. Yongden hatte in seiner Verlegenheit gerade noch Zeit, den Fluch mit einem schnellen Segensspruch aufzuheben, bevor er hinter seiner frohlockenden «Mutter» herhastete.

Das einzige Hindernis, das noch zwischen ihnen und Lhasa lag, war die Zollstation von Giamda, einem Marktflecken mit einer größeren Garnison an einem Nebenfluß des Oberlaufs des Brahmaputra. Hier mußten sie sich bei einem Beamten melden, der Passierscheine für die Weiterreise in die Hauptstadt ausstellte. Mehrere schlaflose Nächte verbrachten sie damit, eine Strategie auszutüfteln, um unentdeckt durchzukommen. Sie hätten sich keine Sorgen zu machen brauchen: In Giamda drängten sich die Pilger aus allen Teilen Tibets, die rechtzeitig zum Neujahrsfest in Lhasa sein wollten. In dieser Menge fielen ein Lama und eine alte Frau mehr überhaupt nicht auf. Sie überquerten die Brücke, bezahlten die Gebühr und bekamen ihren Passierschein, ohne daß der Beamte sie auch nur gemustert hätte.

Nun war Yongden derjenige, der sich entspannt und sorgenfrei fühlen und das Reisen in Gesellschaft genießen konnte. Alexandra jedoch war völlig desinteressiert an der Umgebung, spürte die Kälte kaum und beobachtete ihre Mitreisenden wenig. Mit starrem Blick in die Ferne und angespannten Nerven lief sie wie in Trance. Wieder einmal gibt sie keine Daten an, aber da das tibetische Neujahrsfest fast immer in den Februar fällt, bedeutet das, daß sie vier Monate lang gewandert waren. Endlich konnten sie ein Ende absehen.

Alexandra war überzeugt, daß ein Wunder ihren Einzug in Lhasa begleiten würde. Sie hatten kaum den ersten Blick auf den mächtigen Potala-Palast geworfen, ein «gigantisches Bauwerk mit goldenen Dächern, das, auf einem schimmernden Sockel blendend weißer Gebäude ruhend, hoch zum blauen Himmel ragt», als ein heftiger Staubsturm den Anblick auslöschte. Nicht nur Alexandra und Yongden, sondern alle Männer, Frauen und Kinder in den Straßen mußten das Gesicht bedecken, damit sie nicht in den dichten umherwirbelnden Staubwolken erstickten. Jetzt hätte man nicht einmal seine eigene Mutter erkennen können, und ganz unmöglich war es, in diesem Strom von Menschen soeben angekommene Pilger auszumachen. Niemand vermutete, daß «das erste Mal in der Geschichte eine Ausländerin die Verbotene Stadt betrat».

Der Sturm legte sich so schnell, wie er begonnen hatte. Verwirrt von dem Lärm und der Menschenmenge nach den Monaten in der Einsamkeit und vielleicht noch mehr verwirrt von ihrem günstigen Schicksal, standen Alexandra und Yongden mitten in Lhasa ohne eine genaue Vorstellung, was sie tun und wohin sie gehen sollten. Unerwartete Hilfe kam von einer jungen Frau, die beim Anblick der abgemagerten Alexandra Mitleid empfand. Sie führte die beiden zu einer baufälligen, von Bettlern bewohnten Hütte, in der man ihnen eine schmale Zelle zuteilte. Das war ein perfektes Versteck. Niemand käme auf die Idee, in einer derart heruntergekommenen Absteige nach Ausländern zu suchen. Sogar der vorsichtige Yongden mußte zugeben, daß sie ihr Ziel wirklich erreicht hatten: Sie waren in Lhasa.

Fast noch bevor der junge Lama richtig Atem holen konnte, jagte ihn seine triumphierende «Mutter» von einer Sehenswürdigkeit der Stadt zur nächsten.

Da ich nun einmal die erste Frau zu sein schien, der es gelungen war, sich den Weg zu alldem zu bahnen, was Lhasa an Schönheit und Eigenart aufzuweisen hat, war das nicht mehr als mein gerechter Lohn für alle Strapazen der Reise. Wie viele Beamte hatten seit Jahren nicht versucht, meine Besichtigungen zu verhindern! Diesmal war ich entschlossen, sie mir von niemandem vereiteln zu lassen.

Als erstes und Wichtigstes kam ein Rundgang durch den Potala-Palast. Dort blieb Alexandra fast das Herz stehen, als ein

Lama in einer gelben Robe sie aufforderte, ihre Mütze abzunehmen. Zum Glück bemerkte im Dunkel der engen, nur von flackernden Butterlampen beleuchteten Gänge niemand etwas Verdächtiges. Sie besuchten Basare und heilige Schreine, folgten religiösen Prozessionen durch die steilen, eng gewundenen Gassen und mischten sich unter die Pilgermassen, die zum Neujahrsfest durch die Lamaklöster strömten.

An diesem großen Fest sollte niemand Geringerer als der dreizehnte Dalai-Lama selbst teilnehmen, der 1913 aus dem Exil nach Tibet zurückgekehrt war. Alexandra mußte daran denken, was er wohl dazu gesagt hätte, daß sich dieselbe Französin, der er zwölf Jahre zuvor eine Audienz gewährt hatte, mitten in dem lärmenden, quirligen Gedränge befand, das in Lhasas Straßen um seinen Palast herumzog. Doch sie hatte nicht die Absicht, sich zu erkennen zu geben, denn sogar die Allmacht seiner Höchsten Heiligkeit hätte sie wohl kaum vor dem sofortigen Hinauswurf bewahren können. Statt dessen zog sie es vor, mit der Menge zu rennen, sich schieben zu lassen, zu lachen und laut zu rufen – sie genoß es «wie ein junges Mädchen, zum Neujahrsfest in Lhasa zu sein». Von «Riesen in Schafsfellen» wurde sie in den Rücken gestoßen, von Betrunkenen angerempelt und von einem Ordnungshüter mit seinem Knüppel geschlagen, weil sie einem Adeligen im Weg stand.

Ich amüsierte mich so gut über den Schlag, daß ich an mich halten mußte, um dem Mann nicht ein Trinkgeld zu geben. «Ich kann wirklich mit meinem Inkognito zufrieden sein», sagte ich stolz zu Yongden. «Nun habe ich sogar Prügel bekommen wie ein gestandenes Tibeterweib!» Und nach diesem Erlebnis fühlte ich mich völlig sicher.

Zwei Monate blieben sie in Lhasa. Als dann jedoch Gerüchte aufkamen, daß in der Stadt Ausländer gesehen worden seien, wußte Alexandra, daß es Zeit war zu gehen. Sie gab immer noch vor, bei bester Gesundheit zu sein, mußte aber eingestehen, daß sie nur noch aus Haut und Knochen bestand. Wenn sie die Kraft zur Heimreise aufbringen wollte, mußte sie jetzt aufbrechen.

Ich verließ Lhasa ebenso still, wie ich gekommen war ... An einem sonnigen Frühlingsmorgen schlug ich noch einmal die breite, zum Potala führende Straße ein ... Wir überquerten den Fluß Kyi und erstiegen einen niedrigen Paß. Von da aus warf ich einen letzten Blick auf Lhasa ... Darauf wandte ich mich gegen Süden und begann den Abstieg. Lhasa war nun meinen Augen für immer entzogen und hatte seinen Platz in meiner Erinnerung eingenommen.

Ihre Rückreise fand unter deutlich besseren Bedingungen statt als die Hinreise. Obwohl sie immer noch verkleidet war, wußte Alexandra, daß Reisende, die Lhasa verließen, längst nicht so streng kontrolliert wurden wie Neuankömmlinge in der Stadt. Es kam jetzt nicht mehr so sehr darauf an, möglichst unverdächtig zu erscheinen. Das Schlimmste, was passieren konnte, war ein Hinauswurf aus dem Land, das sie ohnehin verließ. Deshalb hatte sie sich den Luxus eines Bades erlaubt und sich neu eingekleidet. Sie verließ Lhasa als eine, wie sie es nannte, «Frau der unteren Mittelschicht». Sie mietete einen Diener und besorgte zwei Pferde, eines zum Reiten, das andere als Packpferd für ihre Habseligkeiten, die sich durch den Kauf von Büchern in Lhasa beträchtlich vermehrt hatten. Diese Bücher sollten ihre schon durch frühere Reisen reichlich ausgestattete Bibliothek ergänzen.

«Ich hätte große Lust gehabt, mich nach Osten aufzumachen und auf einer neuen Route nach Jünnan zu kommen», schrieb sie. Aber es gab Wichtigeres für sie zu tun. Sie schlug den südlichen Weg nach Sikkim ein und stand Mitte August 1924 vor der Tür des britischen Handelsbeauftragten in Gyantse. Dieser war «wie vom Donner gerührt». Auf ihr Verlangen hin bescheinigte er ihr schriftlich ihre Ankunft in Gyantse auf dem Weg von Osttibet über Lhasa. Alexandra hatte sich durchgesetzt.

Nach ihrem «kleinen Umweg» nahm sie ihr altes Gelehrtenleben wieder auf. 1925 kehrte sie nach Frankreich zurück, um ihr Buch zu schreiben. Die Reise und das Buch dazu machten sie berühmt; ihr wurde die Goldmedaille der Geographischen Gesellschaft Frankreichs verliehen, und sie wurde zum Ritter der Ehrenlegion ernannt. Für zehn Jahre ließ sie sich in einem kleinen Haus in den französischen Alpen nieder; dort verfaßte sie ausführliche Abhandlungen über ihre Reisen und alle Aspekte des tibetischen Buddhismus. Mit Yongdens Hilfe katalogisierte sie ihre umfangreiche Bücher- und Handschriftensammlung.

1936 kehrte sie im Alter von achtundsechzig Jahren nach Zentralasien zurück. Begleitet von Yongden verbrachte sie die sechs Jahre des Zweiten Weltkriegs in Taschienlu an der Ostgrenze Tibets. Sie schrieb, studierte und wanderte wie früher durch ihre geliebte Bergwelt. Erst im Alter von sechsundsiebzig Jahren setzte sie sich endgültig in Frankreich zur Ruhe. Ihr Adoptivsohn Yongden starb 1955 im Alter von fünfundfünfzig Jahren. Alexandra selbst lebte bis 1969 und starb wenige Wochen vor ihrem 101. Geburtstag.

Literaturhinweise

EMILY EDEN

Barr, P., und Desmond, R.: *Simla: Hill Station in British India.*
Aldershot 1977.

Dunbar, J.: *Golden Interlude: The Edens in India 1836–42.*
London 1955.

Eden, E.: *Letters from India.* London 1872.

– *Miss Eden's Letters.* Ed. V. Dickinson. London 1919.

– *Portraits of the Princes and People of India.* London 1844.

– *Up the Country.* London 1983.

Eden, F.: *Tigers, Durbars and Kings: Indian Journals, 1837–38.*
Ed. J. Dunbar. London 1988.

Trotter, L.: *The Earl of Auckland.* In: *Rulers of India.* Hrsg. W.
W. Hunter. Oxford 1980.

ANNA LEONOWENS

Bock, C.: *Temples and Elephants: Travels in Siam in 1881–82.*
Oxford 1986.

Bristowe, W. S.: *Louis and the King of Siam.* London 1976.

Hall, D. G. E.: *History of South-East Asia.* London 1981.

London, M. D.: *Anna and the King of Siam.* London 1956.

Leonowens, A.: *(The) English Governess at the Siamese Court.*
London 1954.

– *Life and Travels in India.* London 1884.

– *Romance of the Harem.* Boston 1873.

– *Siamese Harem Life.* London 1952.

Moffat, A. L.: *Mongkut, King of Siam.* Ithaca 1961.

AMELIA EDWARDS

Edwards, A.: *A Thousand Miles Upon the Nile*. London 1982.
- *Untrodden Peaks and Unfrequented Valleys: Midsummer Ramble in the Dolomites*. London 1986.

Fagan, B. M.: *The Rape of the Nile: Tomb Robbers, Tourists and Archaeologists in Egypt*. London 1977.

Little, T.: *High Dam at Aswan: The Subjugation of the Nile*. London 1965.

Moorehead, A.: *The Blue Nile*. London 1983.
- *The White Nile*. London 1973.

KATE MARSDEN

Allen, A.: *Travelling Ladies. 1981.*

Johnson, H.: *Life of Kate Marsden.* 1895.

Marsden, K.: *On Sledge and Horseback to Outcast Siberian Lepers*. London 1986. Übersetzung einer gekürzten Fassung: Leipzig 1894.

Middleton, D.: *Victorian Lady Travellers*. London 1965.

Semenov, Y.: *Siberia: Its Conquest and Developments*. Übers. von J. R. Foster, 1963.

Weymouth, A.: *Through the Leper Squint*. 1938.

GERTRUDE BELL

Bell, G.: *Amurath to Amurath*. London 1924.
- *Letters*. Hrsg. v. Lady Florence Bell. London 1987.
- *Safar Nameh – Persian Pictures. A Book of Travel*. London 1937. Dt. G. Bell, *Persische Reisebilder*. Hamburg 1949.
- *The Desert and the Sown*. London 1985. Dt. G. L. Bell, *Durch die Wüsten und Kulturstätten Syriens – Reiseschilderungen*. Leipzig 1910.
- und Ramsay, W.: *The Thousand and One Churches*. Sevenoaks 1909.

Burgoyne, E.: *Gertrude Bell: From Her Personal Papers*. London 1961.

Doughty, C.: *Travels in Arabia Deserta*. London 1980.

Glendinning, V.: *Vita: Life of Vita Sackville-West. London.*

Mansfield, P.: *The Arabs.* London 1985.

Palgrave, W. G.: *Personal Narrative of a Year's Journey Through Central and Eastern Arabia.* London 1985.

Winstone, H. V. F.: *Gertrude Bell.* London 1980.

DAISY BATES

Allen, A.: *Travelling Ladies.* 1981.

Bates, D.: *The Passing of the Aborigines.* London 1938.

Bolam, H. G.: *Trans-Australian Wonderland.* Melbourne 1930.

Hill, E.: *Kabbarli: A Personal Memoir of Daisy Bates.* London 1973.

Moorhead, A.: *The Fatal Impact: An Account of the Invasion of the South Pacific, 1767–1840.* London 1968.

Salter, E.: *Daisy Bates: «The Great White Queen of the Never-Never».* London 1973.

ALEXANDRA DAVID–NÉEL

Carey, W.: *Travel and Adventure in Tibet.* Sevenoaks 1902.

David-Néel, A.: *Mein Weg durch Himmel und Höllen. Bern und München 1986.*

–: *Liebeszauber und Schwarze Magie.* Bern und München 1952.

Hopkirk, P.: *Trespassers on the Roof of the World.* Oxford 1983.

Huc, R. E.: *Lamas of the Western Heavens.* London 1982.

Miller, L.: *On Top of the World: Five Women Explorers in Tibet.* Seattle 1985.

Tony Hawks

Mit dem Piano in die Pyrenäen

Wie ich lernte, unter lauter Franzosen zu leben. Aus dem Englischen von Ulrike Frey. 384 Seiten mit fünf Abbildungen und einer Karte.
Piper Taschenbuch

Hättest du zwei Wünsche frei, was würdest du dir aussuchen? Der Engländer Tony Hawks möchte ein Häuschen in Frankreich finden – und die Partnerin fürs Leben gleich mit dazu. Also zieht er um, mit einem Klavier im Gepäck. Nur zu dumm, dass er es statt mit liebeshungrigen Französinnen eher mit trinkfesten Dorfbewohnern und wiederkäuenden Kühen zu tun bekommt …
Witzig und ehrlich erzählt der Autor des Bestsellers »Mit dem Kühlschrank durch Irland« von einer Schnapsidee und ihrer wild entschlossenen Umsetzung.

»Ein köstlicher Erfahrungsbericht, gespickt mit ganz viel britischem Humor.«
Augsburger Allgemeine

Martin Dugard

Auf nach Afrika!

Stanley, Livingstone und die Suche nach den Quellen des Nils. Aus dem Amerikanischen von Ulrike Frey. 336 Seiten mit 25 Abbildungen.
Piper Taschenbuch

Am 4. April 1866 marschiert der große britische Afrikareisende David Livingstone mit seiner Karawane in Sansibar los, um die Quellen des Nils zu finden. Mit dem Augenblick, in dem er den Urwald betritt, verschwindet er für die Außenwelt von der Bildfläche, verschluckt vom sumpfigen Dickicht des Dschungels. Fünf Jahre später glaubt niemand mehr, daß Livingstone noch leben könnte. Bis sich der Draufgänger und Sensationsjournalist Henry Morton Stanley in die Sümpfe und Wälder im Herzen Afrikas aufmacht – und in sein größtes Abenteuer stürzt …

»Dugard beschreibt einen Kontinent, der von Kriegen, Krankheiten und sengender Hitze geprägt ist. Und schildert gleichzeitig eine einzigartige Landschaft, die selbst den erfahrenen Livingstone immer wieder aufs neue beeindruckt hat.«
Süddeutsche Zeitung

PIPER

Hape Kerkeling
Ich bin dann mal weg
*Meine Reise auf dem Jakobsweg.
352 Seiten mit 35 Fotos.
Piper Taschenbuch*

Es ist ein nebelverhangener Junimorgen, als Hape Kerkeling, bekennende Couch potato, seinen inneren Schweinehund besiegt und voller Respekt und Unternehmungslust in Saint-Jean-Pied-de-Port aufbricht. Sechs Wochen Fußmarsch auf dem legendären Camino Francés liegen vor ihm, allein mit sich und seinem schweren Rucksack: über die Gipfel der Pyrenäen, quer durch das Baskenland nach Galicien zum Grab des Apostels Jakob, seit über tausend Jahren Ziel für Gläubige aus der ganzen Welt. Mit Humor und Blick für das Besondere erschließt Kerkeling sich die fremden Regionen, lernt die Einheimischen ebenso wie moderne Pilger und ihre Rituale und Eigenarten kennen. Er schildert den Reiz jeder einzelnen Etappe, erlebt Einsamkeit und Stille, Erschöpfung und Zweifel, aber auch Hilfsbereitschaft, Freundschaften und Momente, die für alle Entbehrungen entlohnen – und eine ganz eigene, überraschende Nähe zu Gott.

05/2371/01/L

Ines Papert
und Karin Steinbach
Im Eis
Wie ich auf steilen Routen meinen Weg fand. 304 Seiten mit 41 farbigen Fotos. Piper Taschenbuch

Sie ist die beste Eiskletterin der Welt und eine der führenden alpinen Felskletterinnen: Ines Papert. Nie hätte sie, die durch Zufall mit den Bergen in Berührung kam, sich träumen lassen, daß sie einmal die steilsten Wände, gefrorene Wasserfälle und Überhänge aus blankem Eis bewältigen würde. Doch mit so spektakulären Routen wie der »Symphonie de Liberté« in der Eiger-Nordwand oder der »Letzten Ausfahrt Titlis« zeigte die Wahlbayerin allen, was sie draufhat. Sie weiß, daß Frauen anders klettern, wie sie ihre Stärken ausspielen können, aber auch, was Verantwortung und Selbständigkeit am Berg bedeuten. Offen berichtet sie von ihrer ungewöhnlichen Karriere im von Männern dominierten Extremsport, davon, wie ihr sechsjähriger Sohn Emanuel ihre Einstellung zum Klettern verändert hat, wie der Berg Partnerschaften zerbrechen oder auch zusammenschweißen kann und wie sie im Klettern ihr Glück fand.

05/2324/02/R